PIRANDELLO, MORAVIA,
and ITALIAN POETRY

EDITED BY

Michael R. Campo

TRINITY COLLEGE

Pirandello, Moravia,

AND

Italian Poetry

INTERMEDIATE READINGS

IN ITALIAN

The Macmillan Company, New York
Collier-Macmillan Limited, London

printing number
2   3   4   5   6   7   8   9   10

LIBRARY OF CONGRESS CATALOG CARD NUMBER: 68–13820

The Macmillan Company, New York
Collier-Macmillan Canada, Ltd., Toronto, Ontario

PRINTED IN THE UNITED STATES OF AMERICA

Sei personaggi in cerca d'autore by Luigi Pirandello, copyright by Stefano, Lietta, and Fausto Pirandello. Reprinted from *Maschere nude,* Vol. I in the *Classici contemporanei italiani* series, © Arnoldo Mondadori Editore 1958.

Agostino by Alberto Moravia, © 1945 Casa Ed. Valentino Bompiani. Used by permission of the publisher.

"I pastori," and "La pioggia nel pineto," from *Alcyone: laudi del cielo, del mare, della terra e degli eroi* by Gabriele D'Annunzio (Biblioteca moderna Mondadori), © Arnoldo Mondadori Editore 1948. Used by permission of the Fondazione Vittoriale, Gardone, Prov. Brescia.

"Antico, sono ubriaco della voce" ("Mediterraneo"), "Corno inglese," "Meriggiare pallido e assorto," "Spesso il male di vivere," from *Ossi di seppia* by Eugenio Montale, © Arnoldo Mondadori Editore 1957. Used by permission of the publisher.

"Già la pioggia è con noi," "Strada di Agrigentum," from *Ed è subito sera* by Salvatore Quasimodo, © Arnoldo Mondadori Editore 1942. "Uomo del mio tempo," from *Giorno dopo giorno* by Salvatore Quasimodo, © Arnoldo Mondadori Editore 1947. Used by permission of the publisher.

"Dedica" *(1944)* by Umberto Saba, in *Parole; Ultime cose; Mediterranee; Uccelli; Quasi un racconto: poesie di Umberto Saba* (Gli Oscar ed.), © Arnoldo Mondadori Editore 1966. "Mezzogiorno d'inverno," "Ritratto della mia bambina," from *Cose leggere e vaganti* by Umberto Saba, © Arnoldo Mondadori Editore 1964. Used by permission of the publisher.

"Commiato," "In memoria," "Mattina," "San Martino del Carso," from *L'allegria* by Giuseppe Ungaretti, © Arnoldo Mondadori Editore 1942. Used by permission of the publisher.

PREFACE

THE AIM OF THIS BOOK is to provide the student of Italian at
the intermediate level with literary works of highest artistic
quality by authors of fame and influence. They represent
the three major genres and thus provide a diversity of language
and style: dramatic, narrative, and poetic. Moreover, they are not
brief samplings (except for some of the poetry) but complete texts
presented in their original form. All of the principal material has
never appeared before in college textbooks.

A unique feature is the introduction to Italian prosody and
poetic idiom, which is designed to equip the student to read and
appreciate Italian poetry. This section of the book, which also
includes a generous collection of poems, should be particularly
useful to the student who plans to pursue his study of Italian on
a higher level. But if this is not his intention he will at least
have been exposed to some of the finest writing in the language
and some of the great masters of world literature: Dante,
Petrarch, Ariosto, Tasso, Leopardi, D'Annunzio, and many
others.

Although the poems span the centuries from the origins to the
present day, they do not constitute a comprehensive anthology.
They have been chosen chiefly to illustrate various metrical and
verse forms. Thus many important poets (like Manzoni and
Pascoli) have not been included.

The critical introductions to Pirandello and Moravia and the
briefer ones to each of the poets are more evaluative and explica-
tive than biographical. Biographical information has been kept to

a minimum. The teacher may elaborate this and other material at his discretion.

Exercises are numerous and diversified and are designed to stretch and reinforce the student's vocabulary. Periodic grammatical observations, all drawn and illustrated from the text, constitute a brief but essential review of grammatical points.

M. R. C.

CONTENTS

Luigi Pirandello

AND *Sei personaggi in cerca d'autore*

IN HIS PREFACE to *Sei personaggi in cerca d'autore*, Luigi Pirandello describes the circumstances of the genesis of his play. He tells of having renounced the writing of a story because he was dissatisfied with its realistic representation, which seems to lack higher meaning, and because he did not wish to inflict its tortured characters on readers who have had a surfeit of his depressing stories. The characters, however, persist in haunting his imagination as if they had an existence of their own. They refuse to be suppressed, but they keep presenting themselves to his mind, demanding fulfillment. Here is the way he put it: "... they continued to live on their own; they would seize certain moments of my day to present themselves to me in the solitude of my study. Now one, now another, at times two of them together would come to tempt me, to propose this or that scene to be represented or described, what effects could be derived from it and the interest that such an unusual situation could arouse. ..."

Why not, Pirandello asked himself, why not give dramatic form to this very situation of an author who has deprived his characters of the possibility of living in the world of art, characters cut adrift from the mind that conceived them and the form that was meant to enclose them, characters who take on a reality of their own, conscious of their own nature as characters and tormented by the fact that they lack the context for which they were created? And so Pirandello conceived his play of six rejected characters wandering through the world, eager to portray and complete their abortive tale and have it fixed in artistic form.

1

They are driven, like the ancient mariner, by the need to express themselves. "Il dramma è in noi; siamo noi; e siamo impazienti di rappresentarlo, cosí come dentro ci urge la passione!" exclaims the father.

Obviously the situation is unique and strange enough in itself. But equally so is the story of the lives of the characters: a man of marked intellectual bent marries a woman of simple and humble character. He imagines her to be unhappy with him and arranges to send her off to live with an employee with whom he feels she has greater compatibility. He sends their only son to be raised in the country. Over a period of years the woman gives birth to three children by her "second husband" who subsequently dies. Reduced to poverty she returns to her native city and there quite by tragic coincidence her husband and her daughter meet under compromising and humiliating circumstances. When he discovers the identity of his stepdaughter he asks his wife and her three illegitimate children into his home where his son, an adult now, also lives. In this environment intense passions develop and form the substance of the extraordinary lives of the *sei personaggi*.

The interweaving of these two situations, the outer one, which essentially concerns the esthetic problem of artistic creation, and the inner one, which has to do with pure plot, reflects Pirandello's brilliant dramaturgical sense. The device Pirandello uses to bring the two situations together is that of the play within the play. What better place to have dramatic characters "live" than on the theatrical stage itself? And so it is to a stage that Pirandello directs the anchorless fictions of his imagination, where they may play out their story and perhaps find an author to fix it in artistic form.

• • •

The levels of action of the play may be presented schematically as follows: (1) the action of the outer play which involves the Actors and other personnel of the company rehearsing in the theater; (2) the action of the inner play (the *commedia da fare* of the subtitle) to be performed by the Characters. But the first level of action also involves the Characters as they interrupt the company's rehearsal and shuttle from one level of action to the other, frequently slipping from their portrayals in the outer play into their roles of the inner play. Likewise, the second level of action involves the Actors as they interrupt the performance of the Characters' story and, indeed, as they participate in it when called upon to perform it themselves.

The play within the play device certainly is not original with Pirandello, but his use of the technique does differ from its conventional treatment. For example, in the traditional use of the device, the theatergoer is ordinarily expected to accept the inner play as illusory and the outer one as "real" (Sheridan's *The Critic* and Wilde's *Fanny's First Play*). In *Sei personaggi,* he is expected to accept the "inner" play as reality intruding into the illusory world of the outer play. Moreover, Pirandello deliberately blurs the distinction between the inner play and its outer frame. In *Hamlet,* for example, there is no confusion between the plane of fiction represented by the strolling players' production and the plane of reality represented by the Danish Court. In *Sei personaggi,* on the other hand, the two planes are purposely confused. While the characters perform their roles in the outer story, their dialogue becomes equally applicable to the inner story.

Pirandello achieves similar effects in some of his other plays, especially in *Questa sera si recita a soggetto* and *Ciascuno a suo modo.* The latter play concerns the enactment of the story of a supposed true event taken from the newspapers. Its performance provokes the indignant intervention of the people involved in the "true" event. They storm through the audience of the theater onto the stage and argue with the actors for daring to portray an episode of their lives. The actors portraying actors scuffle with the actors portraying "real" people, and the planes of reality and fiction are so neatly dove-tailed that the spectator is virtually left without a measure for their distinction.

The question as to what is fact and what is fiction rests, of course, on the notion of relativity which is the dominant theme underlying most of Pirandello's drama. Pirandello investigates seriously, even with a sense of agony, whether reality may lie behind appearance. The conclusion reached—and his plays are dramatizations of it—is that there is no reality other than the complex of appearances which results from points of view, and it is therefore impossible to know anything objectively. One can know only the appearance presented in relation to one's point of observation.

This theme is well exemplified in Pirandello's earlier play, *Così è* (*se vi pare*). A newly employed civil servant named Ponza arrives in town with his wife and mother-in-law. The inhabitants discover that he never permits the two women to see each other. Even when the mother calls on her daughter, she remains outside and shouts back and forth with her daughter on an upper floor. Ponza explains that his mother-in-law is mad. "She thinks my wife is her daughter Lena, my first wife, who was killed in an earthquake with all her relatives. My present wife is Julia, but my poor mother-in-law believes she is Lena. So, to prevent her from being disillusioned and losing her source of happiness, I must keep them apart." The mother-in-law explains that it is Ponza who is mad: "He thought his first wife was killed in the quake and that he had married again, whereas it is the same woman, Lena, who is his wife. I must submit to this separation from my daughter to preserve his illusion and his sanity." All documentary evidence by which the truth of the conflicting stories may be checked has been destroyed in the earthquake. The town calls on the wife to say which is true, but Signora Ponza answers that she is both the daughter of the woman and the second wife of Ponza. When they insist on knowing who she really is, she replies, "I am in reality the person that you see me to be. But that does not exclude the possibility that I am in reality the person that my husband sees me to be, that your sister, my niece and this woman see me to be, all of whom do not deceive themselves either." The absence of any objective truth and the resolution of human personality into the several subjective interpretations of it are fundamental to the drama of Pirandello. This is the metaphysic against which he places the search of his characters for fixed and determinable truth.

• • •

The special aspect of relativity which most attracts Pirandello's attention is multiplicity of human personality. *Così è* (*se vi pare*) shows the impossibility of finding out who or what another is; other plays demonstrate the impossibility of finding out who or what one is to oneself. Man's nature is seen as mysteriously complex. In *Sei personaggi* we shall see that Pirandello dramatizes, especially through the character of the Father, the idea that personality is not susceptible of definition. "Il dramma per me," he will cry, "è tutto qui, signore: nella coscienza che ho, che ciascuno di noi—veda—si creda 'uno' ma non è vero: è 'tanti,' signore, 'tanti' secondo tutte le possibilità d'essere che sono in noi. . . ."

This observation is uttered during an argument between the Director and the Father over the latter's claim that literary characters possess a greater reality than living creatures. "Your reality can change from day to day," the Father remarks, "but ours does not. . . . It is a fixed immutable reality." And elsewhere, "Human beings will die, including the author, the instrument of creation, but the artistic creation will never die!"

The Father here touches upon another important dualistic theme of Pirandello's overall work (which will be further developed in *Sei personaggi*), namely, the contrast between art and life. In his Preface again, Pirandello writes, "Everything that lives, by the very fact that it lives, has form, and by that same fact must die, except the work of art, which precisely lives forever, insofar as it is form." Art represents a state of completed creation while life is infinitely varied and always in process of formation and change.

This conception of the flux of human personality accounts for another theme of Pirandellian drama which is corollary to the fundamental one of relativity, namely, the problem of human communication. Since truth is different for each individual and man is in a state of perpetual becoming, different at every moment and, at any given time, composed of multiple and often contradictory appearances, it becomes well-nigh impossible to achieve true and gratifying communication. Among the myriad of apparent selves he cannot find a true self, and what others take to be his true self is but an illusion. Hence his speech may often be unfathomable. When he speaks he does so with words to which are attached his own special meaning, whereas the same words are understood by the listener in the context of his own experience. Consequently Pirandello's characters often find themselves locked in a spiritual confinement, incapable of making others perceive their motivating sentiments.

From the incapacity to communicate and the feeling of being misunderstood in word and deed, come despair and the singular loneliness which surrounds the characters of Pirandello. Each lives in a hermetically closed world with a torment which he cannot make others comprehend. *Enrico IV*, Pirandello's next play after *Sei personaggi*, dramatizes this conception of human alienation as its central theme. The same theme, of course, has preoccupied much of existentialist literature and particularly the plays of contemporary dramatists such as Beckett, Ionesco, Pinter, Genet, and Albee. Another common point of view shared by Pirandello and the practitioners of the so-called "theater of the absurd" is the very notion of the absurdity of life. The theater of the absurd has been defined as an attempt to express "a sense of the metaphysical anguish of the absurdity of the human condition" (Martin Esslin, *The Theater of the Absurd*). This conception is fundamental to Pirandello's whole outlook on life, expressed in both his dramatic and narrative writings.[1] In an autobiographical note published in 1924 in the Roman journal *Le Lettere*, he wrote:

> I think life is a very sad piece of buffoonery, because we have in us, without being able to determine how or why or from

[1] There are several books and articles which examine the debt of contemporary theater to Pirandello: Thomas Bishop's *Pirandello and the French Theater*; Diego Fabbri's "La drammaturgia italiana, oggi," *Il Veltro* (June 1964); and "Pirandello and the Theater of the Absurd," by Beatrice Corrigan, *Cesare Barbieri Courier* (Spring 1966).

whom, the need to deceive ourselves continuously by a spontaneous creation of a reality (one for each and never the same for everyone) that from time to time reveals itself to be vain and illusory. Whoever understands the game can no longer deceive himself, but if you cannot deceive yourself, you can no longer derive any enjoyment or pleasure from life. And so it goes.

My art is full of bitter compassion for all those who deceive themselves, but this compassion can only be followed by the fierce derision of a destiny that condemns man to deception. This briefly is the reason for the bitterness of my art, and also of my life.

Pirandello also presents the problem of communication in terms of semantics. Words are not exempt from the general law of relativity. They do not possess fixed and determinable meanings, and so language itself makes for equivocation and incommunicability. "Ma se è tutto qui il male! Nelle parole!" the Father will cry, "Crediamo d'intenderci. Non c'intendiamo mai!" Again in his preface to *Sei personaggi* Pirandello writes that his characters express one of the longstanding "travagli del mio spirito," namely, "L'inganno della comprensione reciproca fondato irremediabilmente sulla vuota astrazione delle parole." Pirandello often has two characters start in seeming agreement on a proposition which contains a word with two referents. As their conversation progresses, each develops the meaning which is natural to his point of view, and gradually they draw apart to a distance of total misunderstanding.

Sometimes Pirandello presents the problem in a rather bald fashion as in the case of *Enrico IV*. The title of *Enrico IV* might refer to one of several sovereigns; the play opens with a man who has been engaged to act as valet to the feigned monarch and who has been told to prepare himself on the historical facts of Enrico's life. He had almost made a mistake, assuming it to be Henry of England, but in time he realizes that it would be Henry of Navarre and so he arrives fully prepared to play his part; with dismay he learns that the man he should have studied is Henry of Germany.

• • •

One of the clichés of Pirandellian criticism is the charge that his plays are overly discursive. His characters tend to explore by means of prolonged and tightly reasoned arguments the logical and paradoxical implications of their situation. Many commentators are convinced that Pirandello's characters are pseudophilosophers or spinners of paradoxes (Italo Siciliano has observed: "coltivano il sofisma, adorano il paradosso, sono tutti pizzicati dalla tarantola filosofica"). Others feel that, despite their wordiness and decided taste for rationalization, they reason as anguished people will on their own suffering or misfortunes. It has been suggested that this penchant for dialectics may very well be characteristic of the southern Italian mind. In one of his short stories, "Il Professor Terremoto," Pirandello writes, "They are so tormentingly dialectical these good southern brethren of ours. They drive the point of their drill of reason deep into their sorrow to reach to the very bottom, and they go and go and go at it without ever stopping. They are not doing this for the sake of some cold mental exercise, but on the contrary, in order to gain a deeper and more complete consciousness of their pain" (quoted by Oscar Büdel in his book *Pirandello*).

Whatever the explanation for this ratiocinative bent, the effect can often be exasperating. Pirandello himself acknowledges it and often deliberately pokes fun at it. In *Questa sera si recita a soggetto*, the Director remarks that theatergoers come to be entertained, whereupon an actor planted in the audience rises and exclaims irately: "What do you mean entertained? With Pirandello?" The student will recognize a similar humorous barb in the opening scene of *Sei personaggi*.

Despite the discursiveness of its style, Pirandello's dialogue possesses a remarkable vitality. It has an energetic thrust to it which captures all the rhythms, mobility, and flavor of impassioned speech.

• • •

It must not be inferred that a play by Pirandello is nothing more than a demonstration of a philosophical thesis. In reality, it is a very exciting theatrical experience with its intricate playing of appearance against appearance, its tangling and untangling of implications, and its kaleidoscope of contrasts and paradoxes.

Daring techniques of stagecraft also conspire with the devices of dialogue and dramaturgy to achieve such a blurring of lines between reality and illusion. Pirandello has a consummate theatrical sense and has employed a remarkable range of productional techniques that not only enliven his plays but complement the ideas which they express. In his peculiar use of the play within the play, for instance, he has essentially replaced the scenic stage with what might be called the dramatic workshop. He parades the stage personnel before the spectator in their handling of props, sets, lighting, make-up, and so on. He takes the audience, so to speak, on a tour of the stage, and shows it the process going on behind the flats as well as in front of them, and this enables him in *Sei personaggi* to examine the relations between the author, the characters he creates, the actors called upon to interpret the characters, the director, and the audience. It is not only that the appearance of the stage changes from scene-laden to bare but that the stage is used to explain the stage. In so doing he has vastly extended the possible scope of the stage.

In a sense the audience itself and the auditorium become extensions of the stage and part of the workshop. Although the breaking of the fourth wall convention of the theater is not original with Pirandello, his use of it is most unorthodox. Especially with his trilogy of the *teatro nel teatro*, which comprises *Sei personaggi*, *Ciascuno a suo modo*, and *Questa sera si recita a soggetto*, a string of footlights no longer divides actor from spectator. The whole auditorium becomes a stage with action taking place in the aisles, the boxes, and the lobby. In *Ciascuno a suo modo* actors are planted in the orchestra and balcony of the theater. Another play, *La sagra del signore della nave*, calls for an elevated platform to be built in the center aisle over which the actors will pass from the entrance of the theater to the stage. On occasion he even carries the play out of the theater into the street. By his express direction newsboys are to be stationed in front of the theater in which *Ciascuno a suo modo* is to be played in order to sell a prepared copy of a known newspaper, the front page of which will announce that Pirandello has drawn the plot of the play from a recent scandal and predicting that there may be unpleasant repercussions in the theater that very night. The curtain is raised, so to speak, even before the spectators enter the theater.

Pirandello has used the stage as it had never been used before. "The most fertile property of Pirandello's dramaturgy," Francis Fergusson writes in his *The Idea of a Theater*, "is his use of the stage itself. By so boldly accepting it for what it is, he freed it from the demand which modern realism had made of it, that it be a literal copy of scenes offstage. . . ." Pirandello consistently provided those ingredients so essential to successful theater: movement, action, change of pace, comic relief, and surprise. In *Sei personaggi*, especially, he devises a whole gamut of startling effects, from falling curtains when you least expect them to miraculous apparitions. But the real strength of the play lies in the action. There is constant shifting between art and life, past and present, high seriousness and whimsy, reason and passion, humor and gloom, pathos and bathos, tension and release. Levels of action fuse and separate, outer and inner stories dovetail and remain distinct; actors play Actors, actors play Characters, Actor-Characters play at being "real"—illusion and reality—what bewilderment! Or in the words of the Director at the end of the play, "Finzione! Realtà! Andate al diavolo tutti quanti!"

. . .

Sei personaggi in cerca d'autore is an epoch-making play. At the time of its appearance, Italian theater, despite the experiments of the practitioners of the *teatro grottesco* and of the Futurist theater, was largely in the hands of writers who were reworking without originality the plots and mannerisms inherited from schools whose vitality was expended during the course of the first decades of the century. Drama in prose was divided between the tradition of social problem plays, derived chiefly from Ibsen, and a bourgeois tradition based on French models. Drama in verse dealt chiefly with historical and mythological subjects and more often than not amounted to mere costume parade and rhetoric. *Sei personaggi* represents a decisive break with these schools. Everything about it is strikingly innovative: its situation, its dramaturgy, its themes, its techniques, and its style. Soon after its first performance in 1921 it was translated into twenty-five foreign languages and the number has continued to rise since. It has been widely performed in theaters around the world and reproduced in many anthologies of world drama.

The first performance of *Sei personaggi* met with violent, mixed reaction. The performance was greeted by cheers and jeers and the argument that followed was carried on in the pit, on the stage, and also in the wings of Rome's Teatro Valle and even in the streets surrounding. At the conclusion of the play, Pirandello was met at the stage door by a surging crowd of spectators, both friendly and hostile, as he exited with his daughter. It was impossible to make his way through the throng. Only after a resourceful individual went to fetch a carriage from nearby Corso Vittorio Emanuele was Pirandello able to escape the crowd which continued to shake fists and shout insults. His poor daughter, who had fainted from the furious commotion, had to be lifted onto the carriage. The arguments continued far into the night in the scattered quarters of the city. A short while later, however, the play was performed in Milano and was an unqualified success.

Pirandello wrote *Sei personaggi* at the age of fifty-four, a few years after his first major play. Before then his literary efforts were primarily in the field of narrative fiction. He wrote several novels, one of which has been particularly appreciated—*Il fu Mattia Pascal* (*The Late Mattia Pascal*), written in 1904, translated into English in 1923 and again more recently in 1965. But his narrative gifts are especially apparent in his short stories which constitute the bulk of his work. Pirandello was a prolific writer of *novelle* and is regarded as one of the great masters of the genre. They number well over two hundred and are collected under the title of *Novelle per un anno*. Some have served as plots for his plays as in the case of *La tragedia d'un personaggio* (1915), in which is to be found, *in nuce*, the idea of his *Sei personaggi*.

In addition to his plays, novels, and short stories he wrote three collections of poetry and a number of significant essays. One of these is entitled *Umorismo* and is a searching analysis of the nature of the comic. He has also written perceptive essays on Verga and Dante and a collection of critical writings, *Arte e scienza*.

Pirandello's reputation abroad, however, rests on his dramatic production. He wrote forty-three plays in all, thirteen of which are in one act. Some were written originally in his native Sicilian and are charming, lively pieces, full of local color and the colloquial flavor of his dialect, especially *Liolà* and *La Giara*. But the majority of his plays are not as delightfully light-hearted as these. For the most part they are characterized by the broader themes and preoccupations outlined in the first part of this introduction.

Not all of his writing met with public or financial success. In fact, most of Pirandello's life was one of economic hardship. It was not until the early nineteen twenties that he earned enough from his royalties to be able to give up his long held professorship at a teaching school for women. During the first two decades of the century he supplemented his meager salary through the publication of his novels (*Il fu Mattia Pascal* appeared in serial form in a Roman newspaper) and his short stories which appeared mostly in Milano's *Corriere della sera*.

• • •

Pirandello was born in Girgenti (now called Agrigento), Sicily, in 1867. He was educated at the universities of Palermo, Rome, and Bonn, Germany, where he earned his doctorate in philology. He married in 1894 and had three children, a daughter named Lietta and two sons, Stefano and Fausto. Stefano writes under the name of Stefano Landi and Fausto is a well-known painter. His marriage brought him considerable anguish: his wife became mentally deranged. Suffering from a paranoid condition, for many years she tormented him with jealous suspicions. Ultimately she was committed to a mental hospital. After his theatrical success in the early twenties, he gave himself over almost completely to the theater, establishing a company in Rome which for several years performed numerous plays and went on tour through Europe and South America. In conjunction with this theater he helped develop the talents of several new authors and the abilities of new actors. One of these, Marta Abba, was to become the inspiration and principal interpreter of the leading roles of his plays.

In 1934 Pirandello won the Nobel prize for literature. He died in 1936.

SEI PERSONAGGI
IN CERCA D'AUTORE

Luigi Pirandello

I PERSONAGGI DELLA COMMEDIA DA FARE

Il padre   Il giovinetto
La madre   La bambina
La figliastra   (*questi ultimi due non parlano*)
Il figlio   (*Poi, evocata*) Madama Pace

GLI ATTORI DELLA COMPAGNIA

Il direttore-capocomico	Il direttore di scena
La prima attrice	Il suggeritore
Il primo attore	Il trovarobe
La seconda donna	Il macchinista
L'attrice giovane	Il segretario del capocomico
L'attore giovane	L'uscere del teatro
Altri attori e attrici	Apparatori e servi di scena

Di giorno, su un palcoscenico di teatro di prosa.[1]

N. B. La commedia non ha atti né scene. La rappresentazione sarà interrotta una prima volta, senza che il sipario s'abbassi, allorché il Direttore-Capocomico e il capo dei personaggi si ritireranno per concertar lo scenario e gli Attori sgombreranno il palcoscenico; una seconda volta, allorché per isbaglio[2] il Macchinista butterà giú il sipario.

Troveranno gli spettatori, entrando nella sala del teatro, alzato il sipario,[3] e il palcoscenico com'è di giorno, senza quinte né scena, quasi al

---

[1] **teatro di prosa**   dramatic theater (*as distinguished from* **teatro lirico,** *operatic theater*).

[2] **per isbaglio**   by mistake. *The letter* ***i*** *is prefixed to* **sbaglio** *to avoid a clustering of consonants; it is used optionally. One often sees (or hears):* **in iscatola, in Ispagna.** *See page 20:* **in iscena.**

[3] **alzato il sipario**   *The device of the open curtain and unprepared stage has become commonplace in modern theater. But in Pirandello's time it was a startling innovation.*

14

bujo[4] *e vuoto, perché*[5] *abbiano fin da principio l'impressione d'uno spettacolo non preparato.*

Due scalette, una a destra e l'altra a sinistra, metteranno in comunicazione il palcoscenico con la sala.

Sul palcoscenico il cupolino del suggeritore,[6] *messo da parte, accanto alla buca.*

Dall'altra parte, sul davanti,[7] *un tavolino e una poltrona con la spalliera voltata verso il pubblico, per il Direttore-Capocomico. Altri due tavolini uno piú grande, uno piú piccolo, con parecchie sedie attorno, messi lí sul davanti per averli pronti, a un bisogno,*[8] *per la prova. Altre sedie, qua e là, a destra e a sinistra, per gli Attori, e un pianoforte in fondo, da un lato, quasi nascosto.*

Spenti i lumi della sala, si vedrà entrare dalla porta del palcoscenico il Macchinista in camiciotto turchino e sacca appesa alla cintola; prendere da un angolo in fondo alcuni assi d'attrezzatura;[9] *disporli sul davanti e mettersi in ginocchio a inchiodarli. Alle martellate accorrerà dalla porta dei camerini il Direttore di scena.*

IL DIRETTORE DI SCENA. Oh! Che fai?

IL MACCHINISTA. Che faccio? Inchiodo.

IL DIRETTORE DI SCENA. A quest'ora?

Guarderà l'orologio.

Sono già le dieci e mezzo. A momenti[10] sarà qui il Direttore 5
per la prova.

---

[4] **bujo** = **buio**   *Note the* ***j*** *for* ***i***. *Intervocalic* ***i*** *has the value of a semi-consonant and in earlier typography was written* ***j***. *(See* **occhiaje**, *page 23, footnote 52.)*

[5] **perché**   so that *(when followed by the subjunctive).*

[6] **cupolino del suggeritore**   The prompter's box (a removable hood which masks the prompter from the view of the audience) is usually situated in the center of the apron of the stage. *Until recently many Italian theatrical companies relied on the prompter system. The operatic stage still does.*

[7] **sul davanti**   on the fore stage.

[8] **a un bisogno**   in case of need.

[9] **assi d'attrezzatura**   boards for building scenery.

[10] **a momenti**   presently, any minute now.

IL MACCHINISTA. Ma dico, dovrò avere anch'io il mio tempo per
lavorare!

IL DIRETTORE DI SCENA. L'avrai, ma non ora.

IL MACCHINISTA. E quando?

IL DIRETTORE DI SCENA. Quando non sarà piú l'ora della prova. 5
Su, su, pòrtati via tutto, e lasciami disporre la scena per il
secondo atto del *Giuoco delle parti.*[11]

Il Macchinista, sbuffando, borbottando, raccatterà gli assi e andrà via.
Intanto dalla porta del palcoscenico cominceranno a venire gli Attori
della Compagnia, uomini e donne, prima uno, poi un altro, poi due 10
insieme, a piacere:[12] *nove o dieci, quanti*[13] *si suppone che debbano*
prender parte alle prove della commedia di Pirandello Il giuoco delle
parti, *segnata all'ordine del giorno.*[14] *Entreranno, saluteranno il*
Direttore di scena e si saluteranno tra loro augurandosi il buon giorno.
Alcuni si avvieranno ai loro camerini; altri, fra cui il Suggeritore che 15
avrà il copione arrotolato sotto il braccio, si fermeranno sul palcoscenico
in attesa del Direttore per cominiciar la prova, e intanto, o seduti a
crocchio,[15] *o in piedi, scambieranno tra loro qualche parola; e chi*[16]
accenderà una sigaretta, chi si lamenterà della parte che gli è stata
assegnata, chi leggerà forte ai compagni qualche notizia in un giorna- 20
letto teatrale. Sarà bene che tanto le Attrici quanto gli Attori siano
vestiti d'abiti piuttosto chiari e gai, e che questa prima scena a sog-
getto[17] *abbia, nella sua naturalezza, molta vivacità. A un certo punto,*
uno dei comici potrà sedere al pianoforte e attaccare un ballabile;[18] *i*
piú giovani tra gli Attori e le Attrici si metteranno a ballare. 25

[11] *Il Giuoco delle parti*   The Rules of the Game (*lit.*, The Game of Roles), *one*
of Pirandello's own plays written in 1918.
[12] **a piacere**   without set pattern, at their pleasure.
[13] **quanti**   as many.
[14] **segnata all'ordine del giorno**   indicated on the schedule for the day.
[15] **a crocchio**   in groups.
[16] **chi... chi**   some . . . others.
[17] **a soggetto**   improvised, impromptu. *One of Pirandello's plays is entitled*
Questa sera si recita a soggetto, Tonight We Improvise.
[18] **attaccare un ballabile**   strike up a dance tune.

IL DIRETTORE DI SCENA (*battendo le mani per richiamarli alla disciplina*). Via, via, smettetela! Ecco il signor Direttore!

Il suono e la danza cesseranno d'un tratto. Gli Attori si volteranno a a guardare verso la sala del teatro, dalla cui porta si vedrà entrare il Direttore-Capocomico, il quale, col cappello duro in capo, il bastone 5 sotto il braccio e un grosso sigaro in bocca, attraverserà il corridojo[19] tra le poltrone e, salutato dai comici, salirà per una delle due scalette sul palcoscenico. Il Segretario gli porgerà la posta: qualche giornale, un copione sottofascia.

IL CAPOCOMICO. Lettere?   10
IL SEGRETARIO. Nessuna. La posta è tutta qui.
IL CAPOCOMICO (*porgendogli il copione sottofascia*). Porti in camerino.

Poi, guardandosi attorno e rivolgendosi al Direttore di scena:
Oh, qua non ci si vede. Per piacere, faccia dare[20] un po' di luce.

IL DIRETTORE DI SCENA. Subito.   15

Si recherà[21] a dar l'ordine. E poco dopo, il palcoscenico sarà illuminato in tutto il lato destro,[22] dove staranno gli Attori, d'una viva luce bianca. Nel mentre, il Suggeritore avrà preso posto nella buca,[23] accesa la lampadina e steso davanti a sé il copione.

IL CAPOCOMICO (*battendo le mani*). Su, su, cominciamo.   20

Al Direttore di scena:

Manca qualcuno?
IL DIRETTORE DI SCENA. Manca la Prima Attrice.
IL CAPOCOMICO. Al solito!

---

[19] **corridojo**   aisle. *This kind of entrance by actors through the theater aisles is another Pirandellian innovation. Modern theater has come to use it extensively.*
[20] **faccia dare**   have them give us.
[21] **si recherà**   will go. *Note: The future tense is used in all stage directions.*
[22] **in tutto il lato destro**   on the whole right side. *The lighting effects are very important for this play. The student should keep them well in mind.*
[23] **buca**   prompter's pit.

Guarderà l'orologio.

Siamo già in ritardo di dieci minuti. La segni,[24] mi faccia il piacere. Cosí imparerà a venire puntuale alla prova.
Non avrà finito la reprensione, che dal fondo della sala[25] si udrà la voce della Prima Attrice.   5

LA PRIMA ATTRICE. No, no, per carità! Eccomi! Eccomi!

È tutta vestita di bianco, con un cappellone spavaldo in capo e un grazioso cagnolino tra le braccia; correrà attraverso il corridojo delle poltrone e salirà in gran fretta una delle scalette.

IL CAPOCOMICO. Lei ha giurato di farsi sempre aspettare.   10
LA PRIMA ATTRICE. Mi scusi. Ho cercato tanto una automobile per fare a tempo![26] Ma vedo che non avete ancora cominciato. E io non sono subito di scena.[27]

Poi, chiamando per nome il Direttore di scena e consegnandogli il cagnolino: 15

Per piacere, me lo chiuda nel camerino.
IL CAPOCOMICO *(borbottando).* Anche il cagnolino! Come se fossimo pochi i cani qua.

Batterà di nuovo le mani e si rivolgerà al Suggeritore:

Su, su, il secondo atto del *Giuoco delle parti.*   20

Sedendo sulla poltrona:

Attenzione, signori. Chi è di scena?

---

[24] **La segni**   Dock her, fine her.
[25] **dal fondo della sala**   from the rear of the theater.
[26] **fare a tempo**   to be on time.
[27] **di scena**   on stage.

Gli Attori e le Attrici sgombreranno il davanti del palcoscenico e andranno a sedere da un lato, tranne i tre che principieranno la prova e la Prima Attrice, che, senza badare alla domanda del Capocomico, si sarà messa a sedere davanti ad uno dei due tavolini.

IL CAPOCOMICO (*alla Prima Attrice*). Lei dunque è di scena?   5
LA PRIMA ATTRICE. Io, nossignore.
IL CAPOCOMICO (*seccato*). E allora si levi, santo Dio!

La Prima Attrice si alzerà e andrà a sedere accanto agli altri Attori che si saranno già tratti in disparte.[28]

IL CAPOCOMICO (*al Suggeritore*). Cominci, cominci.   10
IL SUGGERITORE (*leggendo nel copione*). «In casa di Leone Gala. Una strana sala da pranzo e da studio.»
IL CAPOCOMICO (*volgendosi al Direttore di scena*). Metteremo la sala rossa.
IL DIRETTORE DI SCENA (*segnando su un foglio di carta*). La rossa. Sta 15 bene.
IL SUGGERITORE (*seguitando a leggere nel copione*). «Tavola apparecchiata e scrivania con libri e carte. Scaffali di libri e vetrine con ricche suppellettili da tavola.[29] Uscio in fondo per cui si va nella camera da letto di Leone. Uscio laterale a sinistra per cui si va 20 nella cucina. La comune[30] è a destra.»

IL CAPOCOMICO (*alzandosi e indicando*). Dunque, stiano bene attenti: di là,[31] la comune. Di qua, la cucina.

Rivolgendosi all'Attore che farà la parte di Socrate:

Lei entrerà e uscirà da questa parte.   25

---

[28] **tratti in disparte**   withdrawn to one side.
[29] **vetrine con ricche suppellettili da tavola**   china closet with expensive dinnerware.
[30] **comune**   main entrance and exit.
[31] **di là**   over there.

Al Direttore di scena:

Applicherà[32] la bussola[33] in fondo, e metterà le tendine.

Tornerà a sedere.

IL DIRETTORE DI SCENA (*segnando*). Sta bene.
IL SUGGERITORE (*leggendo c. s.*).[34] «Scena Prima. Leone Gala, Guido 5
Venanzi, Filippo detto Socrate.»

Al Capocomico:

Debbo leggere anche la didascalia?
IL CAPOCOMICO. Ma sí! sí! Gliel'ho detto cento volte!
IL SUGGERITORE (*leggendo c. s.*). «Al levarsi della tela, Leone Gala, 10
con berretto da cuoco e grembiule, è intento a sbattere con un
mestolino di legno un uovo in una ciotola. Filippo ne sbatte un
altro, parato anche lui da cuoco. Guido Venanzi ascolta,
seduto.»
IL PRIMO ATTORE (*al Capocomico*). Ma scusi, mi devo mettere pro- 15
prio il berretto da cuoco in capo?
IL CAPOCOMICO (*urtato dall'osservazione*). Mi pare![35] Se sta scritto
lí!

Indicherà il copione.

IL PRIMO ATTORE. Ma è ridicolo, scusi!   20
IL CAPOCOMICO (*balzando in piedi sulle furie*).[36] «Ridicolo! ridicolo!» Che vuole che le faccia io se dalla Francia non ci viene
piú una buona commedia, e ci siamo ridotti a mettere in iscena

---

[32] **applicherà**[6]   *The subject pronoun is omitted. He is speaking directly to the Stage
Director.*
[33] **bussola**   ornamental door.
[34] **c. s.**   *stands for* **come sopra**, *as above.*
[35] **Mi pare!**   Indeed! I should say so!
[36] **sulle furie**   angry.

commedie di Pirandello, che chi l'intende[37] è bravo, fatte
apposta di maniera che né attori né critici né pubblico ne restino
mai contenti?

*Gli Attori rideranno. E allora egli, alzandosi e venendo presso il
Primo Attore, griderà:*   5

Il berretto da cuoco, sissignore! E sbatta le uova! Lei crede, con
codeste uova che sbatte, di non aver poi altro per le mani?[38]
Sta fresco![39] Ha da rappresentare il guscio delle uova che
sbatte!

Gli Attori torneranno a ridere[40] e si metteranno a far commenti tra 10
loro ironicamente.

Silenzio! E prestino ascolto quando spiego!

Rivolgendosi di nuovo al Primo Attore:

Sissignore, il guscio: vale a dire la vuota forma della ragione,
senza il pieno[41] dell'istinto che è cieco! Lei è la ragione, e sua 15
moglie l'istinto: in un giuoco di parti assegnate, per cui lei che
rappresenta la sua parte è volutamente il fantoccio di sé stesso.
Ha capito?

IL PRIMO ATTORE (*aprendo le braccia*). Io no!

IL CAPOCOMICO (*tornandosene al suo posto*). E io nemmeno! 20
Andiamo avanti, che poi mi loderete la fine![42]

---

[37] **l'intende = le intende (le commedie).** *Pirandello frequently turns the dialogue
mockingly against himself. During the intermission of* **Ciascuno a suo modo** *he
has a group of actors circulating in the audience representing critics who violently
attack his works.*

[38] **di non aver poi altro per le mani?**   have nothing else to do?

[39] **Sta fresco!**   You've got another thing coming! You're in a pickle!

[40] **torneranno a ridere**   they will laugh again (**tornare a** *plus the infinitive is a
common construction in Pirandello*).

[41] **pieno**   content. *The conflict between reason and instinct is a common theme in
Pirandellian plays.*

[42] **poi mi loderete la fine**   *freely trans.:* you'll see how good it turns out in the
end.

In tono confidenziale:

Mi raccomando, si metta di tre quarti,[43] perché se no, tra le
astruserie del dialogo[44] e lei che non si farà sentire dal pubblico,
addio ogni cosa!

Battendo di nuovo le mani: 5

Attenzione, attenzione! Attacchiamo!
IL SUGGERITORE. Scusi, signor Direttore, permette che mi ripari
col cupolino? Tira una cert'aria![45]
IL CAPOCOMICO. Ma sí, faccia, faccia![46]

L'Uscere del teatro sarà intanto entrato nella sala, col berretto gallonato 10
in capo e, attraversato il corridojo fra le poltrone, si sarà appressato al
palcoscenico per annunziare al Direttore-Capocomico l'arrivo dei Sei
Personaggi, che, entrati anch'essi nella sala, si saranno messi a
seguirlo, a una certa distanza, un po' smarriti e perplessi, guardandosi
attorno.   15

Chi voglia tentare una traduzione scenica[47] *di questa commedia*
bisogna che s'adoperi con ogni mezzo a ottenere tutto l'effetto che
questi Sei Personaggi non si confondano con gli Attori della Com-
pagnia. La disposizione degli uni e degli altri, indicata nelle didascalie,
allorché quelli saliranno sul palcoscenico, gioverà senza dubbio; come 20
una diversa colorazione luminosa per mezzo di appositi riflettori. Ma
il mezzo piú efficace e idoneo,[48] *che qui si suggerisce, sarà l'uso di*
speciali maschere per i Personaggi: maschere espressamente costruite
d'una materia che per il sudore non s'afflosci[49] *e non pertanto sia lieve*
agli Attori che dovranno portarle: lavorate e tagliate in modo che la– 25

[43] **si metta di tre quarti**   face three-quarters (toward the audience).
[44] **le astruserie del dialogo**   *Pirandello is poking fun at his own complexities.*
[45] **Tira una cert'aria!**   There's quite a draught!
[46] **faccia**   go ahead.
[47] **chi voglia... traduzione scenica**   whoever intends to stage.
[48] **idoneo**   suitable.
[49] **che per il sudore non s'afflosci**   which won't soften from perspiration.

*scino liberi gli occhi, le narici e la bocca. S'interpreterà cosí anche il
senso profondo della commedia.* I Personaggi *non dovranno infatti
apparire come* fantasmi, *ma come realtà create,*[50] *costruzioni della
fantasia immutabili: e dunque piú reali e consistenti della volubile*[51]
naturalità degli Attori. *Le maschere ajuteranno a dare l'impressione*   5
*della figura costruita per arte e fissata ciascuna immutabilmente
nell'espressione del proprio sentimento fondamentale, che è il* rimorso
per il Padre, la vendetta *per la* Figliastra, lo sdegno *per il* Figlio, il
dolore *per la* Madre con *fisse lagrime di cera nel livido delle occhiaje
e lungo le gote,*[52] *come si vedono nelle immagini scolpite e dipinte*   10
della Mater dolorosa[53] *nelle chiese. E sia anche il vestiario di stoffa
e foggia speciale,*[54] *senza stravaganza, con pieghe rigide e volume
quasi statuario, e insomma di maniera che non dia l'idea che sia fatto
d'una stoffa che si possa comperare in una qualsiasi bottega della città
e tagliato e cucito in una qualsiasi sartoria.*   15

Il Padre *sarà sulla cinquantina: stempiato, ma non calvo, fulvo di
pelo, con baffetti folti quasi acchiocciolati*[55] *attorno alla bocca ancor
fresca, aperta spesso a un sorriso incerto e vano. Pallido, segnatamente
nell'ampia fronte; occhi azzurri ovati, lucidissimi e arguti; vestirà
calzoni chiari e giacca scura: a volte sarà mellifluo, a volte avrà scatti*   20
aspri e duri.

La Madre *sarà come atterrita e schiacciata da un peso intollerabile di
vergogna e d'avvilimento. Velata da un fitto crespo vedovile,*[56] *vestirà
umilmente di nero, e quando solleverà il velo, mostrerà un viso non
patito, ma come di cera, e terrà sempre gli occhi bassi.*   25

[50] **realtà create**   *that is, possessing the fixity of an artistic creation.*
[51] **volubile**   changeable.
[52] **nel livido delle occhiaje e lungo le gote**   in the dark circles under her eyes
  and down her cheeks. *Note the j for i in* **occhiaje.**
[53] **Mater dolorosa**   *the representation of Mary, grieving at the Cross. The use of masks
  recommended by Pirandello is rarely adopted by stage directors who resort rather to
  special costuming, lighting effects, and stylized acting to suggest the fixed attitudes and
  different nature of the Characters.*
[54] **stoffa e foggia speciale**   special material and cut.
[55] **baffetti folti quasi acchiocciolati**   thick moustaches almost curling round.
[56] **un fitto crespo vedovile**   a widow's thick mourning veil.

La Figliastra, di diciotto anni, sarà spavalda, quasi impudente.
Bellissima, vestirà a lutto anche lei, ma con vistosa eleganza. Mostrerà
dispetto per l'aria timida, afflitta e quasi smarrita del fratellino,
squallido Giovinetto di quattordici anni, vestito anch'esso di nero; e
una vivace tenerezza, invece, per la sorellina, Bambina di circa 5
quattro anni, vestita di bianco con una fascia di seta nera alla vita.

Il Figlio, di ventidue anni, alto, quasi irrigidito in un contenuto
sdegno per il Padre e in un'accigliata indifferenza per la Madre,
porterà un soprabito viola e una lunga fascia verde girata attorno al
collo. 10

L'USCERE (*col berretto in mano*). Scusi, signor Commendatore.
IL CAPOCOMICO (*di scatto, sgarbato*). Che altro c'è?
L'USCERE (*timidamente*). Ci sono qua certi signori, che chiedono di
lei.

Il Capocomico e gli Attori si volteranno stupiti a guardare dal 15
palcoscenico giù nella sala.

IL CAPOCOMICO (*di nuovo sulle furie*). Ma io qua provo! E sapete
bene che durante la prova non deve passar nessuno!

Rivolgendosi in fondo: [57]

Chi sono lor signori? [58] Che cosa vogliono? 20
IL PADRE (*facendosi avanti, seguito dagli altri, fino a una delle due*
scalette). Siamo qua in cerca d'un autore.
IL CAPOCOMICO (*fra stordito e irato*). D'un autore? Che autore?
IL PADRE. D'uno qualunque, signore.
IL CAPOCOMICO. Ma qui non c'è nessun autore, perché non abbia- 25
mo in prova nessuna commedia nuova.

[57] **in fondo**   down below (*at the foot of the stage*).
[58] **lor signori**   you people (**lor** *is the apocopated form of* **loro**, *the formal form of*
address).

LA FIGLIASTRA (*con gaja vivacità, salendo di furia*[59] *la scaletta*). Tanto meglio, tanto meglio, allora, signore! Potremmo esser noi la loro commedia nuova.

QUALCUNO DEGLI ATTORI (*fra i vivaci commenti e le risate degli altri*). Oh, senti, senti!

IL PADRE (*seguendo sul palcoscenico la Figliastra*). Già,[60] ma se non c'è l'autore!

Al Capocomico:

Tranne che non voglia esser lei...

La Madre, con la Bambina per mano, e il Giovinetto saliranno i primi scalini della scaletta e resteranno lí in attesa. Il Figlio resterà sotto, scontroso.[61]

IL CAPOCOMICO. Lor signori vogliono scherzare?

IL PADRE. No, che dice mai, signore! Le portiamo al contrario un dramma doloroso.

LA FIGLIASTRA. E potremmo essere la sua fortuna!

IL CAPOCOMICO. Ma mi facciano il piacere d'andar via, che non abbiamo tempo da perdere coi pazzi!

IL PADRE (*ferito e mellifluo*). Oh, signore, lei sa bene che la vita è piena d'infinite assurdità, le quali sfacciatamente[62] non han neppure bisogno di parer verosimili; perché sono vere.

IL CAPOCOMICO. Ma che diavolo dice?

IL PADRE. Dico che può stimarsi realmente una pazzia, sissignore, sforzarsi di fare il contrario; cioè, di crearne di verosimili, perché pajano vere.[63] Ma mi permetta di farle osservare che, se pazzia è, questa è pur l'unica ragione del loro mestiere.[64]

---

[59] **di furia**   hurriedly.
[60] **Già**   Naturally.
[61] **scontroso**   *This detachment from the others already establishes his character.*
[62] **sfacciatamente**   shamelessly, brazenly.
[63] **crearne di verosimili, perché pajano vere**   to create plausible ones (**assurdità**) in order to have them seem true.
[64] **mestiere**   *He is saying essentially: "You may be the ones who are mad, because of the nature of your profession, and not we."*

Gli Attori si agiteranno, sdegnati.

IL CAPOCOMICO (*alzandosi e squadrandolo*). Ah sí? Le sembra un
mestiere da pazzi, il nostro?

IL PADRE. Eh, far parer vero quello che non è; senza bisogno,
signore: per giuoco... Non è loro ufficio dar vita sulla scena a   5
personaggi fantasticati?

IL CAPOCOMICO (*subito, facendosi voce*[65] *dello sdegno crescente dei suoi
Attori*). Ma io la prego di credere che la professione del comico,
caro signore, è una nobilissima professione! Se oggi come oggi[66]
i signori[67] commediografi nuovi ci dànno da rappresentare   10
stolide commedie e fantocci invece di uomini, sappia che è
nostro vanto aver dato vita — qua, su queste tavole[68] — a opere
immortali!

*Gli Attori, soddisfatti, approveranno e applaudiranno il loro Capo-
comico.*   15

IL PADRE (*interrompendo e incalzando con foga*).[69] Ecco! benissimo!
a esseri vivi, piú vivi di quelli che respirano e vestono panni!
Meno reali, forse; ma piú veri! Siamo dello stessissimo parere!

Gli Attori si guardano tra loro, sbalorditi.

IL DIRETTORE. Ma come! Se prima diceva...   20

IL PADRE. No, scusi, per lei dicevo, signore, che ci ha gridato di
non aver tempo da perdere coi pazzi, mentre nessuno meglio
di lei può sapere che la natura si serve da strumento[70] della fantasia umana per proseguire, piú alta,[71] la sua opera di creazione.

---

[65] **facendosi voce**   becoming the spokesman.
[66] **oggi come oggi**   nowadays.
[67] **signori**   *omit in translation. The Director is speaking grandiloquently.*
[68] **tavole**   boards (stage).
[69] **incalzando con foga**   pressing energetically.
[70] **da strumento**   as its instrument.
[71] **più alta**   on a higher level.

IL CAPOCOMICO. Sta bene, sta bene. Ma che cosa vuol concludere
con questo?

IL PADRE. Niente, signore. Dimostrarle che si nasce alla vita in tanti
modi, in tante forme: albero o sasso, acqua o farfalla... o donna.
E che si nasce anche personaggi!   5

IL CAPOCOMICO (*con finto ironico stupore*). E lei, con codesti signori
attorno, è nato personaggio?

IL PADRE. Appunto, signore. E vivi, come ci vede.

Il Capocomico e gli Attori scoppieranno a ridere, come per una burla.

IL PADRE (*ferito*). Mi dispiace che ridano cosí, perché portiamo in 10
noi, ripeto, un dramma doloroso, come lor signori possono
argomentare[72] da questa donna velata di nero.

*Così dicendo porgerà la mano alla Madre per ajutarla a salire gli
ultimi scalini e, seguitando a tenerla per mano, la condurrà con una
certa tragica solennità dall'altra parte del palcoscenico, che s'illuminerà 15
subito di una fantastica luce.[73] La Bambina e il Giovinetto seguiranno
la Madre; poi il Figlio, che si terrà discosto, in fondo; poi la Figliastra,
che s'apparterà anche lei sul davanti, appoggiata all'arcoscenico.[74]
Gli Attori, prima stupefatti, poi ammirati di questa evoluzione,
scoppieranno in applausi come per uno spettacolo che sia stato loro 20
offerto.*

IL CAPOCOMICO (*prima sbalordito, poi sdegnato*). Ma via! Facciano
silenzio!

Poi, rivolgendosi ai Personaggi:

E loro si levino! Sgombrino di qua!   25

---

[72] **argomentare** infer.
[73] **luce** The characters have in several steps gradually made their way onto the stage.
The spectator has been skillfully prepared to accept their participation in the action of
the play.
[74] **arcoscenico** proscenium arch.

Al Direttore di scena:

Perdio, faccia sgombrare!

IL DIRETTORE DI SCENA (*facendosi avanti, ma poi fermandosi, come trattenuto da uno strano sgomento*). Via! Via!

IL PADRE (*al Capocomico*). Ma no, veda, noi...   5

IL CAPOCOMICO (*gridando*). Insomma, noi qua dobbiamo lavorare!

IL PRIMO ATTORE. Non è lecito farsi beffe cosí...[75]

IL PADRE (*risoluto, facendosi avanti*). Io mi faccio maraviglia[76] della loro incredulità! Non sono forse abituati lor signori a vedere balzar vivi quassú, uno di fronte all'altro, i personaggi creati da 10 un autore? Forse perché non c'è là

indicherà la buca del Suggeritore

un copione che ci contenga?

LA FIGLIASTRA (*facendosi avanti al Capocomico, sorridente, lusingatrice*). Creda che siamo veramente sei personaggi, signore, interessan- 15 tissimi! Quantunque, sperduti.

IL PADRE (*scartandola*). Sí, sperduti, va bene!

Al Capocomico subito:

Nel senso, veda, che l'autore che ci creò, vivi, non volle poi, o non poté materialmente, metterci al mondo dell'arte. E fu un 20 vero delitto, signore, perché chi ha la ventura di nascere per- sonaggio vivo, può ridersi anche della morte. Non muore piú! Morrà l'uomo, lo scrittore, strumento della creazione; la crea- tura non muore piú! E per vivere eterna non ha neanche bisogno di straordinarie doti o di compiere prodigi. Chi era Sancho 25 Panza? Chi era don Abbondio?[77] Eppure vivono eterni,

[75] **Non è lecito... cosí** *freely trans.:* "*We can't allow ourselves to be made fun of like this.*"
[76] **mi faccio maraviglia** I'm amazed.
[77] **Sancho Panza... Don Abbondio** *Vividly drawn secondary characters from Cervantes'* **Don Quixote** *and Manzoni's* **I Promessi sposi**, *respectively.*

perché – vivi germi – ebbero la ventura di trovare una matrice
feconda,[78] una fantasia che li seppe allevare e nutrire, far vivere
per l'eternità!

IL CAPOCOMICO. Tutto questo va benissimo! Ma che cosa vogliono loro qua?   5

IL PADRE. Vogliamo vivere, signore!

IL CAPOCOMICO (*ironico*). Per l'eternità?

IL PADRE. No, signore: almeno per un momento, in loro.

UN ATTORE. Oh, guarda, guarda!

LA PRIMA ATTRICE. Vogliono vivere in noi!   10

L'ATTOR GIOVANE (*indicando la Figliastra*). Eh, per me volentieri, se
mi toccasse quella lí![79]

IL PADRE. Guardino, guardino: la commedia è da fare;

al Capocomico:

ma se lei vuole e i suoi attori vogliono, la concerteremo subito   15
tra noi!

IL CAPOCOMICO (*seccato*). Ma che vuol concertare! Qua non si
fanno di questi concerti![80] Qua si recitano drammi e commedie!

IL PADRE. E va bene! Siamo venuti appunto per questo qua da lei!   20

IL CAPOCOMICO. E dov'è il copione?

IL PADRE. È in noi, signore.

Gli attori rideranno.

Il dramma è in noi; siamo noi; e siamo impazienti di rappresentarlo, cosí come dentro ci urge[81] la passione!   25

---

[78] **matrice feconda**   fruitful matrix.
[79] **se mi tocasse quella lì!**   if I were to get her! (*Remember: the Stepdaughter is
described as very beautiful and provocative.*)
[80] **concerti**   he plays on the word.
[81] **ci urge**   drives us (**passione** *is the subject*).

LA FIGLIASTRA (*schernevole, con perfida grazia di caricata impudenza*).[82]
La passione mia, se lei sapesse, signore! La passione mia... per
lui![83]

*Indicherà il Padre e farà quasi per abbracciarlo; ma scoppierà poi in
una stridula risata.*   5

IL PADRE (*con scatto iroso*). Tu statti a posto, per ora! E ti prego di
non ridere cosí![84]

LA FIGLIASTRA. No? E allora mi permettano: benché orfana da
appena due mesi,[85] stiano a vedere lor signori come canto e
come danzo!   10

Accennerà con malizia il «Prends garde à Tchou-Thin-Tchou» di
Dave Stamper *ridotto a* Fox-trot *o* One-Step *lento da* Francis
Salabert: *la prima strofa, accompagnandola con passo di danza.*

Les chinois sont un peuple malin,
De Shangaï à Pekin,   15
Ils ont mis des écriteaux partout:
Prenez garde à Tchou-Thin-Tchou![86]

*Gli Attori, segnatamente i giovani, mentre ella canterà e ballerà,
come attratti da un fascino strano, si moveranno verso lei e leveranno
appena le mani quasi a ghermirla. Ella sfuggirà: e, quando gli Attori* 20
*scoppieranno in applausi, resterà, alla riprensione del Capocomico,
come astratta e lontana.*

---

[82] **con perfida grazia di caricata impudenza** with treacherous grace and
pronounced impudence.

[83] **per lui** *Pirandello's use of pronouns can be ambiguous. To determine their antecedents it is important to read stage directions attentively.*

[84] **ridere cosí** *Considerable tension exists between Father and Stepdaughter. This is
the first of many clashes between them.*

[85] **benché orfana da appena due mesi** although I lost a parent scarcely two
months ago.

[86] **Tchou** *Apparently a popular French song of the day. Translated, these French
lyrics read: " The Chinese are a wicked folk From Shanghai to Peking | They've
put up posters everywhere | So beware of Tchou-Thin-Tchou."*

GLI ATTORI E LE ATTRICI (*ridendo e applaudendo*). Bene! Brava! Benissimo!

IL CAPOCOMICO (*irato*). Silenzio! Si credono forse in un caffè-concerto?

Tirandosi un po' in disparte il Padre, con una certa costernazione: 5

Ma dica un po', è pazza?

IL PADRE. No, che pazza! È peggio!

LA FIGLIASTRA (*subito accorrendo al Capocomico*). Peggio! Peggio! Eh altro,[87] signore! Peggio! Senta, per favore: ce lo faccia rappresentar subito, questo dramma, perché vedrà che a un 10 certo punto, io – quando questo amorino[88] qua

prenderà per mano la Bambina che se ne starà[89] *presso la Madre e la porterà davanti al Capocomico*

– vede come è bellina?

la prenderà in braccio e la bacerà 15

cara! cara!

La rimetterà a terra e aggiungerà, quasi senza volere, commossa:

ebbene, quando quest'amorino qua, Dio la[90] toglierà d'improvviso a[91] quella povera madre: e quest'imbecillino qua

spingerà avanti il Giovinetto, afferrandolo per una manica sgarbata- 20 *mente*

[87] **altro**   indeed.
[88] **amorino**   adorable child.
[89] **se ne starà**   remains.
[90] **la**   *refers to* **la Bambina**.
[91] **a**   from. *Privative verbs like* **togliere**, **rubare**, *and so on take the preposition* **a** *instead of* **da**.

farà la piú grossa delle corbellerie,[92] proprio da quello stupido che è[93]

lo ricaccerà con una spinta verso la Madre

– allora vedrà che io prenderò il volo! Sissignore! prenderò il volo![94] il volo! E non mi par l'ora,[95] creda, non mi par l'ora! 5
Perché, dopo quello che è avvenuto di molto intimo tra me e lui

indicherà il Padre con un orribile ammiccamento

non posso piú vedermi in questa compagnia, ad assistere allo strazio di quella madre per quel tomo là   10

indicherà il Figlio

– lo guardi! lo guardi! – indifferente, gelido lui, perché è il figlio legittimo, lui! pieno di sprezzo per me, per quello là,

indicherà il Giovinetto

per quella creaturina; ché siamo bastardi – ha capito? bastardi. 15

Si avvicinerà alla Madre e l'abbraccerà.

E questa povera madre – lui[96] – che è la madre comune di noi tutti – non la vuol riconoscere per madre anche sua – e la considera dall'alto in basso, lui, come madre soltanto di noi tre bastardi – vile![97]   20

[92] **farà la piú grossa delle corbellerie**   will commit the greatest of stupidities.
[93] **proprio da quella stupido che è**   just like the stupid person that he is.
[94] **prenderò il volo!**   I'll run away!
[95] **non mi par l'ora**   it can't be too soon for me; I can hardly wait.
[96] **lui**   the Son. *We must imagine the Stepdaughter snapping her head in the Son's direction every time she utters the word **lui**. The relative pronoun **che** that follows refers, of course, to **madre**.*
[97] **vile**   *The lines of this frenetic outburst allude perplexingly to the relationships that exist in the family of the Six Characters. In due time they will be clarified.*

Dirà tutto questo, rapidamente, con estrema eccitazione, e arrivata al
«vile» finale, dopo aver gonfiato la voce sul «bastardi,» lo pronunzierà
piano, quasi sputandolo.

LA MADRE (*con infinita angoscia al Capocomico*). Signore, in nome
di queste due creaturine, la supplico...   5

si sentirà mancare e vacillerà

– oh Dio mio...
IL PADRE (*accorrendo a sorreggerla con quasi tutti gli Attori sbalorditi e*
costernati). Per carità una sedia, una sedia a questa povera
vedova!   10
GLI ATTORI (*accorrendo*). – Ma è dunque vero? – Sviene davvero?
IL CAPOCOMICO. Qua una sedia, subito!

Uno degli Attori offrirà una sedia; gli altri si faranno attorno[98]
premurosi. La Madre, seduta, cercherà d'impedire che il Padre le
sollevi il velo che le nasconde la faccia.   15

IL PADRE. La guardi, signore, la guardi...
LA MADRE. Ma no, Dio, smettila!
IL PADRE. Làsciati vedere!

Le solleverà il velo.

LA MADRE (*alzandosi e recandosi le mani al volto, disperatamente*). Oh, 20
signore, la supplico d'impedire a questo uomo di ridurre a
effetto[99] il suo proposito, che per me è orribile!

IL CAPOCOMICO (*soprappreso, stordito*). Ma io non capisco piú dove
siamo, né di che si tratti![1]

[98] **si faranno attorno**   will crowd around.
[99] **ridurre a effetto**   to carry out.
[1] **né di che si tratti**   nor what it is all about. *He expresses perfectly the bewilder-*
ment of the spectator—and the reader!

Al Padre:

Questa è la sua signora?
IL PADRE (*subito*). Sissignore, mia moglie!
IL CAPOCOMICO. E com'è dunque vedova, se lei è vivo?

Gli Attori scaricheranno[2] tutto il loro sbalordimento in una fragorosa 5
risata.

IL PADRE (*ferito, con aspro risentimento*). Non ridano! Non ridano
così, per carità! È appunto questo il suo dramma, signore. Ella
ebbe un altro uomo. Un altro uomo che dovrebbe esser qui!
LA MADRE (*con un grido*). No! No!   10
LA FIGLIASTRA. Per sua fortuna è morto: da due mesi, glie l'ho
detto.[3] Ne portiamo ancora il lutto, come vede.
IL PADRE. Ma non è qui, veda, non già perché sia morto. Non è
qui perché – la guardi, signore, per favore, e lo comprenderà
subito! – Il suo dramma non poté consistere nell'amore di due 15
uomini, per cui ella, incapace, non poteva sentir nulla[4] – altro,
forse, che un po' di riconoscenza (non per me: per quello!)[5]
– Non è una donna; è una madre! – E il suo dramma – (potente,
signore, potente!) – consiste tutto, difatti, in questi quattro figli
dei due uomini ch'ella ebbe.   20
LA MADRE. Io, li ebbi? Hai il coraggio di dire che fui io ad averli,
come se li avessi voluti?[6] Fu lui, signore! Me lo[7] diede lui,[8]
quell'altro, per forza! Mi costrinse, mi costrinse ad andar via con
quello!

[2] **scaricheranno**   give vent to.
[3] **glie l'ho detto**   *see page 30, footnote 85.*
[4] **non poteva sentir nulla**   *because all her feelings are maternal.*
[5] **altro... quello!**   other than a bit of gratitude perhaps (not for me, but for that
other one, her second man).
[6] **come se li avessi voluti?**   *She does not want it inferred that it was through her
will that the three children were born.*
[7] **lo = quell'altro**   *the second man by whom she had the three children.*
[8] **lui**   the Father.

LA FIGLIASTRA (*di scatto, indignata*). Non è vero![9]
LA MADRE (*sbalordita*). Come non è vero?
LA FIGLIASTRA. Non è vero! Non è vero!
LA MADRE. E che puoi saperne tu?
LA FIGLIASTRA. Non è vero!   5

Al Capocomico:

Non ci creda! Sa perché lo dice? Per quello lí

indicherà il Figlio

lo dice! Perché si macera, si strugge per la noncuranza di quel
figlio lí, a cui vuol dare a intendere che, se lo abbandonò di due   10
anni,[10] fu perché lui

indicherà il Padre

la costrinse.
LA MADRE (*con forza*). Mi costrinse, mi costrinse, e ne chiamo Dio
in testimonio!   15

Al Capocomico:

Lo domandi a lui

indicherà il marito

se non è vero! Lo faccia dire a lui!... Lei

indicherà la Figlia   20

non può saperne nulla.

[9] **Non è vero!** *The Stepdaughter wants to believe that she was the offspring of parents who loved each other and who had not been forced into their liaison by the Father. She is also vexed that her mother should feel obliged to justify her behavior to the Son.*
[10] **di due anni** when he was two years old.

LA FIGLIASTRA. So che con mio padre, finché visse, tu fosti sempre in pace e contenta. Negalo, se puoi!

LA MADRE. Non lo nego, no...

LA FIGLIASTRA. Sempre pieno d'amore e di cure per te!

Al Giovinetto, con rabbia: 5

Non è vero? Dillo! Perché non parli, sciocco?[11]

LA MADRE. Ma lascia questo povero ragazzo! Perché vuoi farmi credere un'ingrata, figlia? Io non voglio mica offendere tuo padre! Ho risposto a lui, che non per mia colpa né per mio piacere abbandonai la sua casa e mio figlio!   10

IL PADRE. È vero, signore. Fui io.

Pausa.[12]

IL PRIMO ATTORE (*ai suoi compagni*). Ma guarda che spettacolo!

LA PRIMA ATTRICE. Ce lo dànno loro, a noi!

L'ATTOR GIOVANE. Una volta tanto![13]   15

IL CAPOCOMICO (*che comincerà a interessarsi vivamente*). Stiamo a sentire! stiamo a sentire!

E cosí dicendo, scenderà per una delle scalette nella sala e resterà in piedi davanti al palcoscenico, come a cogliere, da spettatore, l'impressione della scena.   20

IL FIGLIO (*senza muoversi dal suo posto, freddo, piano, ironico*). Sí, stíano a sentire che squarcio[14] di filosofia, adesso! Parlerà loro del Dèmone dell'Esperimento.

IL PADRE. Tu sei un cinico imbecille, e te l'ho detto cento volte!

---

[11] **Perché non parli, sciocco?**   *the young boy (like the little girl) remains speechless throughout the play.*

[12] **pausa**   *A very effective pause in which to catch one's breath and grasp the complexity of the situation.*

[13] **Una volta tanto!**   For once!

[14] **squarcio**   excerpt.

Al Capocomico già nella sala:

Mi deride, signore, per questa frase che ho trovato in mia scusa.
IL FIGLIO (*sprezzante*). Frasi.
IL PADRE. Frasi! Frasi! Come se non fosse il conforto di tutti,
davanti a un fatto che non si spiega, davanti a un male che si   5
consuma, trovare una parola che non dice nulla, e in cui ci si
acquieta![15]
LA FIGLIASTRA. Anche il rimorso, già! sopra tutto.[16]
IL PADRE. Il rimorso? Non è vero; non l'ho acquietato in me
soltanto con le parole.   10
LA FIGLIASTRA. Anche con un po' di danaro, sí, sí, anche con un
po' di danaro! Con le cento lire che stava per offrirmi in pagamento, signori!

Movimento d'orrore degli Attori.

IL FIGLIO (*con disprezzo alla sorellastra*). Questo è vile!   15
LA FIGLIASTRA. Vile? Erano[17] là, in una busta cilestrina sul tavolino
di mogano, là nel retrobottega di Madama Pace. Sa, signore?
una di quelle Madame che con la scusa di vendere *Robes et
Manteaux*[18] attirano nei loro *ateliers*[19] noi ragazze povere, di
buona famiglia.   20
IL FIGLIO. E s'è comperato il diritto di tiranneggiarci tutti, con
quelle cento lire che lui stava per pagare, e che per fortuna non
ebbe poi motivo – badi bene – di pagare.
LA FIGLIASTRA. Eh, ma siamo stati proprio lí lí,[20] sai!

Scoppia a ridere.   25

---

[15] **ci si acquieta**   in which one finds peace!
[16] **sopra tutto**   *She means that with words he also puts to rest his remorse. Remember,*
however, that he embodies the attitude of remorse.
[17] **erano**   *the subject is* **le cento lire**.
[18] **Robes et Manteaux**   *French for "Dresses and Coats." Her shop is a respectable*
front for a place of assignation.
[19] **ateliers**   workshops.
[20] **lí lí**   right on the verge.

LA MADRE (*insorgendo*). Vergogna, figlia! Vergogna!
LA FIGLIASTRA (*di scatto*). Vergogna? È la mia vendetta! Sto fremendo, signore, fremendo di viverla, quella scena! La camera...
qua la vetrina dei mantelli; là,[21] il divano-letto; la specchiera;
un paravento; e davanti la finestra, quel tavolino di mogano 5
con la busta cilestrina delle cento lire. La vedo! Potrei prenderla! Ma lor signori[22] si dovrebbero voltare: son quasi nuda!
Non arrossisco piú, perché arrossisce lui adesso!

Indicherà il Padre.

Ma vi assicuro ch'era molto pallido, molto pallido in quel 10
momento!

Al Capocomico:

Creda a me, signore!

IL CAPOCOMICO. Io non mi raccapezzo piú![23]
IL PADRE. Sfido![24] Assaltato cosí! Imponga un po' di ordine, e 15
lasci che parli io, senza prestare ascolto all'obbrobrio, che con
tanta ferocia costei le vuol dare a intendere di me,[25] senza le
debite spiegazioni.
LA FIGLIASTRA. Qui non si narra! qui non si narra!
IL PADRE. Ma io non narro! voglio spiegargli.   20
LA FIGLIASTRA. Ah, bello, sí! A modo tuo!

*Il Capocomico, a questo punto, risalirà sul palcoscenico per rimettere
l'ordine.*

---

[21] **qua... là**   *Visualize her pointing excitedly.*
[22] **lor signori**   *She is addressing all those present.*
[23] **Io non mi raccapezzo piú!**   I'm lost; I can't make head or tail of it!
[24] **Sfido!**   I can well understand that! (*Lit., I challenge that!*)
[25] **che... costei le vuol dare a intendere di me**   that this creature wants to
   make you believe of me.

— IL PADRE. Ma se è tutto qui il male! Nelle parole! Abbiamo tutti ✳
dentro un mondo di cose; ciascuno un suo mondo di cose! E
come possiamo intenderci, signore, se nelle parole ch'io dico
metto il senso e il valore delle cose come sono dentro di me;
mentre chi le ascolta, inevitabilmente le assume col senso e col 5
valore che hanno per sé, del mondo com'egli l'ha dentro?
Crediamo d'intenderci; non c'intendiamo mai![26] Guardi: la
mia pietà, tutta la mia pietà per questa donna

indicherà la Madre

è stata assunta da lei come la piú feroce delle crudeltà.   10
LA MADRE. Ma se[27] m'hai scacciata!
IL PADRE. Ecco, la sente? Scacciata! Le è parso ch'io l'abbia
scacciata!
LA MADRE. Tu sai parlare; io non so... Ma creda, signore,[28] che
dopo avermi sposata... chi sa perché! (ero una povera, umile 15
donna...)
IL PADRE. Ma appunto per questo, per la tua umiltà ti sposai, che
amai in te, credendo...

S'interromperà alle negazioni di lei; aprirà le braccia, in atto dis-
perato, vedendo l'impossibilità di farsi intendere da lei, e si rivolgerà 20
al Capocomico:

No, vede? Dice di no! Spaventevole, signore, creda, spaventevole, la sua

si picchierà sulla fronte

sordità, sordità mentale! Cuore, sí, per i figli! Ma sorda, sorda 25
di cervello, sorda, signore, fino alla disperazione!

[26] **non c'intendiamo mai**   *See introduction, p. 7.*
[27] **se**   *omit in translation.*
[28] **signore**   *She has turned toward the Director. Try to picture her switching from*
    person to person along with all the other stage business.

LA FIGLIASTRA. Sí, ma si faccia dire,[29] ora, che fortuna è stata per noi la sua intelligenza.

IL PADRE. Se si potesse prevedere tutto il male che può nascere dal bene che crediamo di fare!

A questo punto la Prima Attrice, che si sarà macerata[30] vedendo il 5 *Primo Attore civettare con la Figliastra, si farà avanti e domanderà al Capocomico:*

LA PRIMA ATTRICE. Scusi, signor Direttore, seguiterà la prova?

IL CAPOCOMICO. Ma sí! ma sí! Mi lasci sentire adesso!

L'ATTOR GIOVANE. È un caso cosí nuovo!   10

L'ATTRICE GIOVANE. Interessantissimo!

LA PRIMA ATTRICE. Per chi se n'interessa![31]

E lancerà un'occhiata al Primo Attore.

IL CAPOCOMICO (*al Padre*). Ma bisogna che lei si spieghi chiaramente.   15

Si metterà a sedere.

IL PADRE. Ecco, sí. Veda, signore, c'era con me un pover'uomo, mio subalterno, mio segretario, pieno di devozione, che se la intendeva[32] in tutto e per tutto con lei,

indicherà la Madre   20

senz'ombra di male – badiamo! – buono, umile come lei, incapaci l'uno e l'altra, non che di farlo, ma neppure di pensarlo, il male!

---

[29] **si faccia dire** *addressing the Director.*

[30] **macerata** who is beside herself (with jealousy). *Again a change of pace with comic relief. Note the three concurrent levels of action: that of the acting company; that of the interplay between the Actors and the Characters; and that of the Characters of the* **commedia da fare.**

[31] **Per chi se n'interessa!** *Said pointedly and sarcastically.*

[32] **se la intendeva** got along.

LA FIGLIASTRA. Lo pensò lui, invece, per loro – e lo fece![33]

IL PADRE. Non è vero! Io intesi di fare il loro bene – e anche il
  mio, sí, lo confesso! Signore, ero arrivato al punto che non
  potevo dire una parola all'uno o all'altra, che subito non si
  scambiassero tra loro uno sguardo d'intelligenza;[34] che l'una 5
  non cercasse subito gli occhi dell'altro per consigliarsi,[35] come
  si dovesse prendere quella mia parola, per non farmi arrabbiare.
  Bastava questo, lei lo capisce, per tenermi in una rabbia continua, in uno stato di esasperazione intollerabile!

IL CAPOCOMICO. E perché non lo cacciava via, scusi, quel suo 10
  segretario?

IL PADRE. Benissimo! Lo cacciai difatti, signore! Ma vidi allora
  questa povera donna restarmi per casa come sperduta, come
  una di quelle bestie senza padrone, che si raccolgono per carità.

LA MADRE. Eh, sfido![36]   15

IL PADRE (*subito, voltandosi a lei, come per prevenire*). Il figlio, è
  vero?

LA MADRE. Mi aveva tolto prima dal petto il figlio, signore!

IL PADRE. Ma non per crudeltà! Per farlo crescere sano e robusto,
  a contatto della terra!   20

LA FIGLIASTRA (*additandolo, ironica*). E si vede![37]

IL PADRE (*subito*). Ah, è anche colpa mia, se poi è cresciuto cosí?
  Lo avevo dato a balia,[38] signore, in campagna, a una contadina,
  non parendomi lei forte abbastanza, benché di umili natali.[39]
  È stata la stessa ragione, per cui avevo sposato lei. Ubbie,[40] 25
  forse; ma che ci vuol fare? Ho sempre avuto di queste maledette
  aspirazioni a una certa solida sanità morale!

---

[33] **lo fece**   *the first of many exasperating interruptions which prevent the Father from
  telling the story directly.*
[34] **sguardo d'intelligenza**   a glance of mutual understanding.
[35] **consigliarsi**   consult each other.
[36] **sfido**   *Her reservation intends to imply that there was another reason for this behavior.*
[37] **E si vede!**   That's obvious!
[38] **a balia**   to be nursed.
[39] **umili natali**   of humble birth.
[40] **ubbie**   whims.

*La Figliastra, a questo punto, scoppierà di nuovo a ridere fragorosa-
mente.*

Ma la faccia smettere! È insopportabile!
IL CAPOCOMICO. La smetta! Mi lasci sentire, santo Dio!

Subito, di nuovo, alla riprensione del Capocomico, ella resterà come 5
assorta e lontana, con la risata a mezzo.[41] *Il Capocomico ridiscenderà*
dal palcoscenico per cogliere l'impressione della scena.

IL PADRE. Io non potei più vedermi accanto questa donna.

Indicherà la Madre.

Ma non tanto, creda, per il fastidio, per l'afa[42] – vera afa – che 10
ne avevo io, quanto per la pena – una pena angosciosa – che
provavo per lei.
LA MADRE. E mi mandò via!
IL PADRE. Ben provvista di tutto, a quell'uomo, sissignore, – per
liberarla di me!   15
LA MADRE. E liberarsi lui!
IL PADRE. Sissignore, anch'io – lo ammetto! E n'è seguito un gran
male. Ma a fin di bene[43] io lo feci... e più per lei che per me: lo
giuro!

Incrocerà le braccia sul petto; poi, subito, rivolgendosi alla Madre: 20

Ti perdei mai d'occhio,[44] di', ti perdei mai d'occhio, finché
colui non ti portò via, da un giorno all'altro, a mia insaputa,[45]
in un altro paese, scioccamente impressionato di quel mio
interessamento puro, puro, signore, creda, senza il minimo

---

[41] **a mezzo**   cut off.
[42] **afa**   disgust.
[43] **a fin di bene**   with good intentions, for a good purpose.
[44] **ti perdei mai d'occhio**   did I ever lose sight of you?
[45] **a mia insaputa**   unknown to me.

secondo fine.[46] M'interessai con una incredibile tenerezza della nuova famigliuola che le[47] cresceva. Glielo può attestare anche lei!

Indicherà la Figliastra.

 LA FIGLIASTRA. Eh, altro![48] Piccina piccina,[49] sa? con le treccine 5 sulle spalle e le mutandine piú lunghe della gonna – piccina cosí – me lo vedevo davanti al portone della scuola, quando ne uscivo. Veniva a vedermi come crescevo...

IL PADRE. Questo è perfido! Infame![50]

LA FIGLIASTRA. No, perché?   10

IL PADRE. Infame! Infame!

Subito, concitatamente, al Capocomico, in tono di spiegazione:

La mia casa, signore, andata via lei,[51]

indicherà la Madre

mi parve subito vuota. Era il mio incubo; ma me la riempiva! 15 Solo, mi ritrovai per le stanze come una mosca senza capo. Quello lí,

indicherà il Figlio

allevato fuori[52] – non so – appena ritornato in casa, non mi parve piú mio. Mancata tra me e lui la madre, è cresciuto per 20 sé, a parte, senza nessuna relazione né affettiva né intellettuale

---

[46] **senza... fine** without any ulterior motive. *An involved sentence which starts out as a question but ends up declaratively.*

[47] **le** *omit in translation.*

[48] **altro!** indeed! rather!

[49] **piccina** when I was very little.

[50] **Infame!** *He is outraged at her insinuation.*

[51] **andata via lei** once she had left. *Note the use of the past participle in absolute construction. (See in same speech:* **mancata... la madre.***)*

[52] **fuori** in campagna.

con me. E allora (sarà strano, signore, ma è cosí), io fui incuriosito prima, poi man mano[53] attratto verso la famigliuola di lei,
sorta per opera mia:[54] il pensiero di essa cominciò a riempire il
vuoto che mi sentivo attorno. Avevo bisogno, proprio bisogno
di crederla in pace, tutta intesa alle cure piú semplici della vita,   5
fortunata perché fuori e lontana dai complicati tormenti del
mio spirito. E per averne una prova, andavo a vedere quella
bambina all'uscita della scuola.

LA FIGLIASTRA. Già! Mi seguiva per via: mi sorrideva e, giunta a
casa, mi salutava con la mano – cosí! Lo guardavo con tanto   10
d'occhi,[55] scontrosa. Non sapevo chi fosse! Lo dissi alla mamma.
E lei dovette subito capire ch'era lui.

La Madre farà cenno di sí col capo.

Dapprima non volle mandarmi piú a scuola, per parecchi giorni.
Quando ci tornai, lo rividi all'uscita – buffo! – con un involtone   15
di carta tra le mani. Mi s'avvicinò, mi carezzò; e trasse da quel-
l'involto una bella, grande paglia[56] di Firenze con una ghirlandina di roselline di maggio – per me!

IL CAPOCOMICO. Ma tutto questo è racconto,[57] signori miei!

IL FIGLIO (*sprezzante*). Ma sí, letteratura! letteratura!   20

IL PADRE. Ma che letteratura! Questa è vita, signore! Passione!

IL CAPOCOMICO. Sarà! Ma irrappresentabile!

IL PADRE. D'accordo, signore! Perché tutto questo è antefatto. E
io non dico di rappresentar questo. Come vede, infatti, lei

indicherà la Figliastra   25

non è piú quella ragazzetta con le treccine sulle spalle –

LA FIGLIASTRA. – e le mutandine fuori della gonna!

---

[53] **man mano** gradually.
[54] **sorta per opera mia** which had come into being through my doings.
[55] **con tanto d'occhi** wide-eyed, suspiciously.
[56] **paglia** straw hat.
[57] **racconto** *He is complaining that all this is exposition and lacks action.*

IL PADRE. Il dramma viene adesso, signore! Nuovo, complesso. –
LA FIGLIASTRA (*cupa, fiera, facendosi avanti*). – Appena morto mio
padre –

IL PADRE (*subito, per non darle tempo di parlare*). ... la miseria, signore! Ritornano qua, a mia insaputa. Per la stolidaggine[58] di 5
lei.

Indicherà la Madre.

Sa scrivere appena; ma poteva farmi scrivere dalla figlia, da
quel ragazzo, che erano in bisogno!
LA MADRE. Mi dica lei, signore, se potevo indovinare in lui tutto 10
questo sentimento.
IL PADRE. Appunto questo è il tuo torto, di non aver mai indovi-
nato nessuno dei miei sentimenti![59]
LA MADRE. Dopo tanti anni di lontananza, e tutto ciò che era
accaduto... 15
IL PADRE. E che è colpa mia, se quel brav'uomo vi portò via così?

Rivolgendosi al Capocomico:

Le dico, da un giorno all'altro...[60] perché aveva trovato fuori
non so che collocamento. Non mi fu possibile rintracciarli; e
allora per forza venne meno il mio interessamento, per tanti 20
anni. Il dramma scoppia, signore, impreveduto e violento, al
loro ritorno; allorché io, purtroppo, condotto dalla miseria
della mia carne ancora viva... Ah, miseria, miseria veramente,
per un uomo solo, che non abbia voluto legami avvilenti;[61]
non ancor tanto vecchio da poter fare a meno della donna,[62] e 25

---

[58] **stolidaggine** stupidity (*for not having informed him*).
[59] **sentimenti** *"Crediamo d'intenderci; non c'intendiamo mai!"* (*page 39*).
[60] **da un giorno all'altro** *unexpectedly.*
[61] **legami avvilenti** degrading ties.
[62] **da poter fare a meno della donna** as to be able to do without women.

non piú tanto giovane da poter facilmente e senza vergogna
andarne in cerca! Miseria? Che dico! orrore, orrore: perché
nessuna donna piú gli può dare amore. – E quando si capisce
questo, se ne dovrebbe fare a meno... Mah! Signore, ciascuno
– fuori,[63] davanti agli altri – è vestito di dignità: ma dentro di sé 5
sa bene tutto ciò che nell'intimità con sé stesso si passa d'incon-
fessabile. Si cede, si cede alla tentazione; per rialzarcene subito
dopo, magari, con una gran fretta di ricomporre intera e solida,
come una pietra su una fossa, la nostra dignità, che[64] nasconde
e seppellisce ai nostri stessi occhi ogni segno e il ricordo stesso 10
della vergogna. È cosí di tutti![65] Manca solo il coraggio di dirle,
certe cose!

LA FIGLIASTRA. Perché quello di farle, poi, lo hanno tutti!

IL PADRE. Tutti! Ma di nascosto! E perciò ci vuol piú coraggio a
dirle! Perché basta che uno le dica – è fatta![66] – gli s'appioppa 15
la taccia di cinico.[67] Mentre non è vero, signore: è come tutti
gli altri; migliore, migliore anzi, perché non ha paura di scoprire col lume dell'intelligenza il rosso[68] della vergogna, là, nella
bestialità umana, che chiude sempre gli occhi per non vederlo.
La donna – ecco – la donna, infatti, com'è? Ci guarda, aizzosa, 20
invitante. La afferri! Appena stretta, chiude subito gli occhi. È
il segno della sua dedizione. Il segno con cui dice all'uomo:
«Accècati, io son cieca!».[69]

LA FIGLIASTRA. E quando non li chiude piú? Quando non sente
piú il bisogno di nascondere a sé stessa, chiudendo gli occhi, il 25
rosso della sua vergogna, e invece vede, con occhi ormai aridi e

---

[63] **fuori**   in society.
[64] **che**   *refers to* **pietra**. *The syntax is complicated. The sentence would read more easily as follows:*...**con gran fretta di ricomporre intera e solida la nostra dignità, come una pietra su una fossa che nasconde e...**
[65] **È cosí di tutti!**   That's the way it is with everyone!
[66] **è fatta!**   that's it!
[67] **gli s'appioppa la taccia di cinico**   he is slapped with the label of cynic.
[68] **rosso**   blush.
[69] **cieca!**   *Remember the image of "**il guscio e il pieno dell'uovo**" in* **Il Giuoco delle parti**, *page 21.*

impassibili, quello dell'uomo, che pur senz'amore s'è accecato? Ah, che schifo di[70] tutte codeste complicazioni intellettuali, di tutta codesta filosofia che scopre la bestia e poi la vuol salvare, scusare... Non posso sentirlo, signore![71] Perché quando si è costretti a «semplificarla» la vita – cosí, bestialmente – buttando 5 via tutto l'ingombro «umano»[72] d'ogni casta aspirazione, d'ogni puro sentimento, idealità, doveri, il pudore, la vergogna, niente fa piú sdegno e nausea di certi rimorsi: lagrime di coccodrillo![73]

IL CAPOCOMICO. Veniamo al fatto, veniamo al fatto, signori miei! 10 Queste son discussioni!

IL PADRE. Ecco, sissignore! Ma un fatto è come un sacco: vuoto, non si regge.[74] Perché si regga, bisogna prima farci entrare dentro la ragione e i sentimenti che lo han determinato. Io non potevo sapere che, morto là quell'uomo, e ritornati essi qua in 15 miseria, per provvedere al sostentamento dei figliuoli, ella

indicherà la Madre

si fosse data attorno a lavorare[75] da sarta, e che giusto fosse andata a prender lavoro da quella... da quella Madama Pace!

LA FIGLIASTRA. Sarta fina, se lor signori lo vogliono sapere! Serve 20 in apparenza le migliori signore, ma ha tutto disposto, poi, perché queste migliori signore servano viceversa a lei... senza pregiudizio delle altre cosí cosí![76]

---

[70] **che schifo di**   how digusting are. *The Stepdaughter hardly gives the Father a chance to justify himself with his* **" *squarcio di filosofia.* "** *In her relentless argumentativeness she immediately appropriates what he has to say for her own personal revenge. Remember that she is fixed in her fundamental passion of* **vendetta.**
[71] **signore**   *spoken directly to the* **Capocomico.**
[72] **buttando via tutto l'ingombro "umano"**   casting aside all that distinguishes man from beast (*chaste aspirations, disinterested sentiment, and so on*).
[73] **lagrime di coccodrillo**   crocodile tears, hypocrisy!
[74] **non si regge**   doesn't stand up.
[75] **si fosse data attorno a lavorare**   had looked for work.
[76] **delle altre cosí cosí**   of the others who are so so (*not so elegant*).

LA MADRE. Mi crederà, signore, se le dico che non mi passò neppur lontanamente per il capo[77] il sospetto che quella megera mi dava lavoro perché aveva adocchiato mia figlia...

LA FIGLIASTRA. Povera mamma! Sa, signore, che cosa faceva quella lí, appena le riportavo il lavoro fatto da lei? Mi faceva 5 notare la roba che aveva sciupata, dandola a cucire a mia madre; diffalcava, diffalcava.[78] Cosicché, lei capisce, pagavo io, mentre quella poverina credeva di sacrificarsi per me e per quei due, cucendo anche di notte la roba di Madama Pace!

Azione ed esclamazioni di sdegno degli Attori.[79]   —   10

IL CAPOCOMICO (*subito*). E là, lei, un giorno, incontrò –

LA FIGLIASTRA (*indicando il Padre*). – lui, lui, sissignore! vecchio cliente! Vedrà che scena da rappresentare! Superba!

IL PADRE. Col sopravvenire di lei, della madre –

LA FIGLIASTRA (*subito, perfidamente*). – quasi a tempo! –   15

IL PADRE (*gridando*). – no, a tempo, a tempo! Perché, per fortuna, la riconosco a tempo! E me li riporto tutti a casa, signore! Lei s'immagini, ora, la situazione mia e la sua, una di fronte all'altro: ella, cosí come la vede; e io che non posso piú alzarle gli occhi in faccia!   20

LA FIGLIASTRA. Buffissimo! Ma possibile, signore, pretendere da me – «dopo»[80] – che me ne stessi come una signorinetta modesta, bene allevata e virtuosa, d'accordo con le sue maledette aspirazioni «a una solida sanità morale»?

✳ IL PADRE. Il dramma per me è tutto qui, signore: nella coscienza 25 che ho, che ciascuno di noi – veda – si crede «uno» ma non è vero: è «tanti,» signore, «tanti,» secondo tutte le possibilità d'essere che sono in noi: «uno» con questo, «uno» con quello –

---

[77] **non mi passò neppur lontanamente per il capo**   never even remotely crossed my mind.

[78] **diffalcava**   she deducted (*also **defalcare***).

[79] **Attori**   *The Actors have by now become completely absorbed by their story and react to it.*

[80] **"dopo"**   *She is referring to the person she had become after such an experience.*

diversissimi! E con l'illusione, intanto, d'esser sempre «uno per tutti,» e sempre «quest'uno» che ci crediamo, in ogni nostro atto.[81] Non è vero! non è vero! Ce n'accorgiamo bene, quando in qualcuno dei nostri atti, per un caso sciaguratissimo, restiamo all'improvviso come agganciati e sospesi: ci accorgiamo, voglio 5 dire, di non esser tutti in quell'atto, e che dunque una atroce ingiustizia sarebbe giudicarci da quello solo, tenerci agganciati e sospesi, alla gogna,[82] per una intera esistenza, come se questa fosse assommata tutta in quell'atto! Ora lei intende la perfidia di questa ragazza? M'ha sorpreso in un luogo, in un atto, dove 10 e come non doveva conoscermi, come io non potevo essere per lei; e mi vuol dare una realtà, quale io non potevo mai aspettarmi che dovessi assumere per lei[83] in un momento fugace, vergognoso, della mia vita! Questo, questo, signore, io sento sopratutto. E vedrà che da questo il dramma acquisterà un 15 grandissimo valore. Ma c'è poi la situazione degli altri! Quella sua...

indicherà il Figlio.

IL FIGLIO (*scrollandosi sdegnosamente*). Ma lascia star me, ché io non c'entro![84]   20

IL PADRE. Come non c'entri?

IL FIGLIO. Non c'entro, e non voglio entrarci, perché sai bene che non son fatto per figurare qua in mezzo a voi!

LA FIGLIASTRA. Gente volgare, noi! – Lui, fino! – Ma lei può vedere, signore, che tante volte io lo guardo per inchiodarlo[85] 25 col mio disprezzo, e tante volte egli abbassa gli occhi – perché sa il male che m'ha fatto.

---

[81] **atto**   *For the multiplicity of human personality as a root idea of Pirandellian drama, see introduction, page 5.*

[82] **alla gogna**   pilloried.

[83] **quale io non potevo... per lei**   such as I could never expect that I should have to assume for her.

[84] **io non c'entro**   I have nothing to do with it.

[85] **inchiodarlo**   to nail or rivet him.

IL FIGLIO (*guardandola appena*). Io?

LA FIGLIASTRA. Tu! tu! Lo devo a te, caro, il marciapiedi![86] a te!

Azione d'orrore degli Attori.

Vietasti, sí o no, col tuo contegno – non dico l'intimità della casa – ma quella carità che leva d'impaccio gli ospiti?[87] Fummo 5 gli intrusi, che venivamo a invadere il regno della tua «legitti-mità»! Signore, vorrei farlo assistere a certe scenette a quattr'oc-chi[88] tra me e lui! Dice che ho tiranneggiato tutti. Ma vede? È stato proprio per codesto suo contegno, se mi sono avvalsa di quella ragione ch'egli chiama «vile»; la ragione per cui entrai 10 nella casa di lui con mia madre – che è anche sua madre – da padrona![89]

IL FIGLIO (*facendosi avanti lentamente*). Hanno tutti buon giuoco,[90] signore, una parte facile tutti contro di me. Ma lei s'immagini un figlio, a cui un bel giorno, mentre se ne sta tranquillo a casa, 15 tocchi di veder arrivare, tutta spavalda, cosí «con gli occhi alti»,[91] una signorina che gli chiede del padre, a cui ha da dire non so che cosa; e poi la vede ritornare, sempre con la stessa aria, accompagnata da quella piccolina là; e infine trattare il padre – chi sa perché – in modo molto ambiguo e «sbrigativo» chieden- 20 do danaro, con un tono che lascia supporre che lui deve, deve darlo, perché ha tutto l'obbligo di darlo –

IL PADRE. – ma l'ho difatti davvero, quest'obbligo: è per tua madre!

IL FIGLIO. E che ne so io? Quando mai l'ho veduta, io, signore? 25 Quando mai ne ho sentito parlare? Me la vedo comparire, un giorno, con lei,

---

[86] **il marciapiedi**   the sidewalk (*that is, the fact that she is a prostitute*).

[87] **leva d'impaccio gli ospiti**   makes guests feel at home.

[88] **a quattr'occhi**   private.

[89] **da padrona**   like a proprietress, with the air of taking over.

[90] **buon giuoco**   an advantage.

[91] **"con gli occhi alti"**   putting on airs.

indicherà la Figliastra

con quel ragazzo, con quella bambina; mi dicono: «Oh sai? è
anche tua madre!». Riesco a intravedere dai suoi modi

indicherà di nuovo la Figliastra

per qual motivo, cosí da un giorno all'altro, sono entrati in   5
casa... Signore, quello che io provo, quello che sento, non
posso e non voglio esprimerlo. Potrei al massimo confidarlo, e
non vorrei neanche a me stesso. Non può dunque dar luogo,
come vede, a nessuna azione da parte mia. Creda, creda, signore,
che io sono un personaggio non «realizzato» drammaticamente;   10
e che sto male, malissimo, in loro compagnia! – Mi lascino stare!
IL PADRE. Ma come? Scusa! Se proprio perché tu sei cosí –
IL FIGLIO (*con esasperazione violenta*). – e che ne sai tu, come sono?
quando mai ti sei curato di me?
IL PADRE. Ammesso! Ammesso! E non è una situazione[92] anche   15
questa? Questo tuo appartarti cosí crudele per me, per tua madre
che, rientrata in casa, ti vede quasi per la prima volta, cosí
grande, e non ti conosce, ma sa che tu sei suo figlio...

Additando la Madre al Capocomico:

Eccola, guardi: piange!   20
LA FIGLIASTRA (*con rabbia, pestando un piede*). Come una stupida![93]
IL PADRE (*subito additando anche lei al Capocomico*). E lei non può
soffrirlo, si sa!

Tornando a riferirsi al Figlio:

– Dice che non c'entra, mentre è lui quasi il pernio dell'azione!   25
Guardi quel ragazzo,[94] che se ne sta sempre presso la madre,

---

[92] **situazione**   *a dramatically worthy one, that is.*
[93] **stupida**   *She is angry that her mother should allow herself to be upset over the Son.*
[94] **ragazzo**   *il Giovinetto.*

sbigottito, umiliato... È cosí per causa di lui![95] Forse la situazione piú penosa è la sua...[96] si sente estraneo, piú di tutti; e
prova, poverino, una mortificazione angosciosa di essere accolto
in casa – cosí per carità...

In confidenza: 5

Somiglia tutto al padre! Umile; non parla...
IL CAPOCOMICO. Eh, ma non è mica bello! Lei non sa che impaccio
dànno i ragazzi sulla scena.
IL PADRE. Oh, ma lui glielo leva subito, l'impaccio, sa! E anche
quella bambina, che è anzi la prima ad andarsene...   10
IL CAPOCOMICO. Benissimo, sí! E le assicuro che tutto questo
m'interessa, m'interessa vivamente. Intuisco, che c'è materia
da cavarne un bel dramma!
LA FIGLIASTRA (*tentando d'intromettersi*). Con un personaggio come
me!   15
IL PADRE (*scacciandola, tutto in ansia come sarà, per la decisione del
Capocomico*). Stai zitta, tu!
IL CAPOCOMICO (*seguitando, senza badare all'interruzione*). Nuova,
sí...
IL PADRE. Eh, novissima, signore!   20
IL CAPOCOMICO. Ci vuole un bel coraggio però – dico – venire a
buttarmelo avanti cosí...
IL PADRE. Capirà, signore: nati, come siamo, per la scena...
IL CAPOCOMICO. Sono comici dilettanti?
IL PADRE. No: dico nati per la scena, perché...   25
IL CAPOCOMICO. Eh via, lei deve aver recitato!
IL PADRE. Ma no, signore: quel tanto che ciascuno recita nella
parte che si è assegnata, o che gli altri gli hanno assegnato nella
vita. E in me, poi, è la passione stessa, veda, che diventa sempre,
da sé, appena si esalti – come in tutti – un po' teatrale...   30

---

[95] **lui**   *points to the* **Figlio.**
[96] **sua**   *refers to* **il Giovinetto.**

IL CAPOCOMICO. Lasciamo andare, lasciamo andare! – Capirà, caro signore, che senza l'autore... – Io potrei indirizzarla[97] a qualcuno...

IL PADRE. Ma no, guardi: sia lei!

IL CAPOCOMICO. Io? Ma che dice?   5

IL PADRE. Sí, lei! lei! Perché no?

IL CAPOCOMICO. Perché non ho mai fatto l'autore, io!

IL PADRE. E non potrebbe farlo adesso, scusi? Non ci vuol niente. Lo fanno tanti! Il suo compito è facilitato dal fatto che siamo qua, tutti, vivi davanti a lei.   10

IL CAPOCOMICO. Ma non basta!

IL PADRE. Come non basta? Vedendoci vivere il nostro dramma...

IL CAPOCOMICO. Già! Ma ci vorrà sempre qualcuno che lo scriva!

IL PADRE. No – che lo trascriva, se mai,[98] avendolo cosí davanti – in azione – scena per scena. Basterà stendere in prima, appena 15 appena, una traccia[99] – e provare!

IL CAPOCOMICO (*risalendo, tentato, sul palcoscenico*). Eh... quasi quasi, mi tenta... Cosí, per un giuoco... Si potrebbe veramente provare...

IL PADRE. Ma sí, signore! Vedrà che scene verranno fuori! Gliele 20 posso segnar subito io!

IL CAPOCOMICO. Mi tenta... mi tenta. Proviamo un po'... Venga qua con me nel mio camerino.

Rivolgendosi agli Attori:

– Loro restano per un momento in libertà; ma non s'allontanino 25 di molto. Fra un quarto d'ora, venti minuti, siano di nuovo qua.

Al Padre:

Vediamo, tentiamo... Forse potrà venir fuori veramente qualcosa di straordinario...

[97] **indirizzarla**   recommend you.
[98] **se mai**   if anything.
[99] **stendere in prima... traccia**   just to sketch it out in writing.

IL PADRE. Ma senza dubbio! Sarà meglio, non crede? far venire anche loro.

Indicherà gli altri Personaggi.

IL CAPOCOMICO. Sí, vengano, vengano!

S'avvierà; ma poi tornando a rivolgersi agli Attori: 5

– Mi raccomando,[1] eh! puntuali! Fra un quarto d'ora.

Il Capocomico e i Sei Personaggi attraverseranno il palcoscenico e scompariranno. Gli altri Attori resteranno, come storditi, a guardarsi tra loro.

IL PRIMO ATTORE. Ma dice sul serio? Che vuol fare?   10
L'ATTOR GIOVANE. Questa è pazzia bell'e buona![2]
UN TERZO ATTORE. Ci vuol fare improvvisare un dramma, cosí su due piedi?[3]
L'ATTOR GIOVANE. Già! Come i Comici dell'Arte![4]
LA PRIMA ATTRICE. Ah, se crede che io debba prestarmi a simili   15
scherzi...
L'ATTRICE GIOVANE. Ma non ci sto neanch'io!
UN QUARTO ATTORE. Vorrei sapere chi sono quei là.

Alluderà ai Personaggi.

IL TERZO ATTORE. Che vuoi che siano! Pazzi o imbroglioni!   20
L'ATTOR GIOVANE. E lui si presta a dar loro ascolto?
L'ATTRICE GIOVANE. La vanità! La vanità di figurare da autore...
IL PRIMO ATTORE. Ma cose inaudite! Se il teatro, signori miei, deve ridursi a questo...

---

[1] **mi raccomando**   mind you.
[2] **bell'e buona!**   plain and simple!
[3] **cosí su due piedi**   on the spur of the moment.
[4] **Comici dell'arte**   *the players of the **Commedia dell'arte** who were great virtuosos of improvisation, extremely popular in Europe from the sixteenth to the eighteenth centuries.*

UN QUINTO ATTORE. Io mi ci diverto!

IL TERZO ATTORE. Mah! Dopo tutto, stiamo a vedere che cosa ne
nasce.

E cosí conversando tra loro, gli Attori sgombreranno il palcoscenico,
parte uscendo dalla porticina in fondo, parte rientrando nei loro 5
camerini.

Il sipario resterà alzato.

La rappresentazione sarà interrotta per una ventina di minuti.

I campanelli del teatro avviseranno che la rappresentazione ricomincia.
Dai camerini, dalla porta e anche dalla sala ritorneranno sul palco- 10
scenico gli Attori, il Direttore di scena, il Macchinista, il Suggeritore, il
Trovarobe e, contemporaneamente, dal suo camerino il Direttore-
Capocomico coi Sei Personaggi.
Spenti i lumi della sala, si rifarà sul palcoscenico la luce di prima.

IL CAPOCOMICO. Su, su, signori! Ci siamo tutti?[5] Attenzione, 15
attenzione. Si comincia! – Macchinista!

IL MACCHINISTA. Eccomi qua!

IL CAPOCOMICO. Disponga subito la scena della saletta. Basteranno
due fiancate e un fondalino[6] con la porta. Subito, mi raccomando!
20

Il Macchinista correrà subito ad eseguire, e mentre il Capocomico
s'intenderà col Direttore di scena, col Trovarobe, col Suggeritore e

---

[5] **ci siamo tutti?** are we all here?
[6] **fiancate e un fondalino** wings and backdrop.

*con gli Attori intorno alla rappresentazione imminente, disporrà quel
simulacro di scena*[7] *indicata: due fiancate e un fondalino con la porta,
a strisce rosa e oro.*

IL CAPOCOMICO (*al Trovarobe*). Lei veda un po' se c'è in magazzino[8]
un letto a sedere.   5
IL TROVAROBE. Sissignore, c'è quello verde.
LA FIGLIASTRA. No no, che verde! Era giallo, fiorato, di «peluche»,
molto grande! Comodissimo.
IL TROVAROBE. Eh, cosí non c'è
IL CAPOCOMICO. Ma non importa! metta quello che c'è.   10
LA FIGLIASTRA. Come non importa? La greppina famosa di
Madama Pace!
IL CAPOCOMICO. Adesso è per provare! La prego, non s'im-
mischi!

Al Direttore di scena: 15

Guardi se c'è una vetrina piuttosto lunga e bassa.
LA FIGLIASTRA. Il tavolino, il tavolino di mogano per la busta
cilestrina!
IL DIRETTORE DI SCENA (*al Capocomico*). C'è quello piccolo, dorato.
IL CAPOCOMICO. Va bene, prenda quello!   20
IL PADRE. Una specchiera.
LA FIGLIASTRA. E il paravento! Un paravento, mi raccomando:
se no, come faccio?
IL DIRETTORE DI SCENA. Sissignora, paraventi ne abbiamo tanti,
non dubiti.   25
IL CAPOCOMICO (*alla Figliastra*). Poi qualche attaccapanni, è vero?
LA FIGLIASTRA. Sí, molti, molti!
IL CAPOCOMICO (*al Direttore di scena*). Veda quanti ce n'è, e li faccia
portare.
IL DIRETTORE DI SCENA. Sissignore, penso io!   30

---

[7] **simulacro di scena**   outline of a set.
[8] **in magazzino**   in the storage or props room.

*Il Direttore di scena correrà anche lui a eseguire: e, mentre il Capoco-
mico seguiterà a parlare col Suggeritore e poi coi Personaggi e gli
Attori, farà trasportare i mobili indicati dai Servi di scena e li disporrà
come crederà piú opportuno.*

IL CAPOCOMICO (*al Suggeritore*). Lei, intanto, prenda posto. 5
Guardi: questa è la traccia delle scene, atto per atto.

Gli porgerà alcuni fogli di carta.

Ma bisogna che ora lei faccia una bravura.[9]
IL SUGGERITORE. Stenografare?
IL CAPOCOMICO (*con lieta sorpresa*). Ah, benissimo! Conosce la 10
stenografia?
IL SUGGERITORE. Non saprò[10] suggerire; ma la stenografia...
IL CAPOCOMICO. Ma allora di bene in meglio![11]

Rivolgendosi a un Servo di scena:

Vada a prendere la carta nel mio camerino – molta, molta – 15
quanta ne trova![12]

*Il Servo di scena correrà, e ritornerà poco dopo con un bel fascio di
carta, che porgerà al Suggeritore.*

IL CAPOCOMICO (*seguitando, al Suggeritore*). Segua le scene, man
mano che saranno rappresentate, e cerchi di fissare le battute,[13] 20
almeno le piú importanti!

Poi, rivolgendosi agli Attori:

Sgombrino, signori! Ecco, si mettano da questa parte

---

[9] **bravura**   an extraordinary feat.
[10] **non saprò**   I may not know how to.
[11] **di bene in meglio**   all the better; better and better.
[12] **quanta ne trova**   as much as you find.
[13] **fissare le battute**   to write down the lines.

indicherà la sinistra

e stiano bene attenti!
LA PRIMA ATTRICE. Ma, scusi, noi...
IL CAPOCOMICO (*prevenendola*). Non ci sarà da improvvisare,[14]
stia tranquilla!   5
IL PRIMO ATTORE. E che dobbiamo fare?
IL CAPOCOMICO. Niente! Stare a sentire e guardare per ora! Avrà
ciascuno, poi, la sua parte scritta. Ora si farà, cosí alla meglio,[15]
una prova! La faranno loro!

Indicherà i Personaggi.   10

IL PADRE (*come cascato dalle nuvole,[16] in mezzo alla confusione del
palcoscenico*). Noi? Come sarebbe a dire, scusi, una prova?
IL CAPOCOMICO. Una prova – una prova per loro!

Indicherà gli Attori.

IL PADRE. Ma se i personaggi siamo noi...   15
IL CAPOCOMICO. E va bene: «i personaggi»; ma qua, caro signore,
non recitano i personaggi. Qua recitano gli attori. I personaggi
stanno lí nel copione

indicherà la buca del Suggeritore

– quando c'è un copione!   20
IL PADRE. Appunto! Poiché non c'è e lor signori hanno la for-
tuna d'averli qua vivi davanti, i personaggi...
IL CAPOCOMICO. Oh bella! Vorrebbero far tutto da sé? recitare,
presentarsi loro davanti al pubblico?
IL PADRE. Eh già, per come siamo.[17]   25
IL CAPOCOMICO. Ah, le assicuro che offrirebbero un bellissimo
spettacolo!

[14] **non... improvvisare**   there'll be no need to improvise.
[15] **alla meglio**   as best we can.
[16] **cascato dalle nuvole**   amazed.
[17] **per come siamo**   just as we are.

IL PRIMO ATTORE. E che ci staremmo a fare nojaltri, qua, allora?
IL CAPOCOMICO. Non s'immagineranno mica[18] di saper recitare
loro! Fanno ridere...

Gli Attori, difatti, rideranno.

Ecco, vede, ridono!   5

Sovvenendosi:

Ma già, a proposito![19] bisognerà assegnar le parti. Oh, è facile:
sono già di per sé[20] assegnate:

alla Seconda Donna:

lei signora, *La Madre*.   10

Al Padre:

Bisognerà trovarle un nome.
IL PADRE. Amalia, signore.
IL CAPOCOMICO. Ma questo è il nome della sua signora. Non
vorremo mica chiamarla col suo vero nome!   15
IL PADRE. E perché no, scusi? se si chiama cosí... Ma già, se
dev'essere la signora...

Accennerà appena con la mano alla Seconda Donna.

Io vedo questa

accennerà alla Madre   20

come Amalia, signore. Ma faccia lei...[21]

---

[18] **non... mica**   you don't really imagine.
[19] **a proposito**   by the way.
[20] **di per sé**   by themselves.
[21] **Ma faccia lei...**   But you go ahead (and decide).

Si smarrirà sempre piú.

Non so piú che dirle... Comincio già... non so, a sentir come
false, con un altro suono, le mie stesse parole.

IL CAPOCOMICO. Ma non se ne curi, non se ne curi, quanto a
questo! Penseremo noi a trovare il tono giusto! E per il nome, 5
se lei vuole «Amalia», sarà Amalia; o ne troveremo un altro.
Per adesso designeremo i personaggi cosí:

all'Attor Giovane:

lei *Il Figlio;*

alla Prima Attrice: 10

lei, signorina, s'intende, *La Figliastra.*
LA FIGLIASTRA (*esilarata*). Come come? Io, quella lí?

Scoppierà a ridere.

IL CAPOCOMICO (*irato*). Che cos'ha da ridere?[22]
LA PRIMA ATTRICE (*indignata*). Nessuno ha mai osato ridersi di me! 15
Pretendo che mi si rispetti, o me ne vado!
LA FIGLIASTRA. Ma no, scusi, io non rido di lei.
IL CAPOCOMICO (*alla Figliastra*). Dovrebbe sentirsi onorata d'esser
rappresentata da...
LA PRIMA ATTRICE (*subito, con sdegno*). – «quella lí!»   20
LA FIGLIASTRA. Ma non dicevo per lei, creda! dicevo per me, che
non mi vedo affatto in lei, ecco. Non so, non... non m'assomi-
glia per nulla!
IL PADRE. Già, è questo; veda, signore! La nostra espressione –
IL CAPOCOMICO. – ma che loro espressione! Credono d'averla in 25
sé, loro, l'espressione? Nient'affatto!
IL PADRE. Come! Non abbiamo la nostra espressione?

---

[22] **Che cos'ha da ridere** What's there to laugh about?

IL CAPOCOMICO. Nient'affatto! La loro espressione diventa materia
qua, a cui dan corpo e figura, voce e gesto gli attori, i quali – per
sua norma[23] – han saputo dare espressione a ben piú alta
materia: dove[24] la loro è cosí piccola, che se si reggerà sulla
scena, il merito, creda pure, sarà tutto dei miei attori.   5

IL PADRE. Non oso contraddirla, signore. Ma creda che è una
sofferenza orribile per noi che siamo cosí come ci vede, con
questo corpo, con questa figura –

IL CAPOCOMICO (*troncando, spazientito*). – ma si rimedia col
trucco, si rimedia col trucco, caro signore, per ciò che riguarda   10
la figura![25]

IL PADRE. Già; ma la voce, il gesto –

IL CAPOCOMICO. – oh, insomma! Qua lei, come lei, non può
essere! Qua c'è l'attore che lo rappresenta; e basta!

IL PADRE. Ho capito, signore. Ma ora forse indovino anche perché   15
il nostro autore, che ci vide vivi cosí, non volle poi comporci
per la scena. Non voglio fare offesa ai suoi attori. Dio me ne
guardi![26] Ma penso che a vedermi adesso rappresentato... – non
so da chi...

IL PRIMO ATTORE (*con alterigia alzandosi e venendogli incontro,*   20
seguito dalle gaje giovani Attrici che rideranno). Da me, se non le
dispiace.

IL PADRE (*umile e mellifluo*). Onoratissimo, signore.

S'inchinerà.

Ecco, penso che, per quanto[27] il signore s'adoperi con tutta la   25
sua volontà e tutta la sua arte ad accogliermi in sé...

Si smarrirà.

IL PRIMO ATTORE. Concluda, concluda.

[23] **per sua norma**   for your information.
[24] **dove**   whereas
[25] **per ciò che riguarda la figura**   as far as appearance is concerned!
[26] **Dio me ne guardi!**   Heaven forbid!
[27] **per quanto**   no matter how, even though.

Risata delle Attrici.

IL PADRE. Eh, dico, la rappresentazione che farà, anche forzandosi col trucco a somigliarmi... – dico, con quella statura...

tutti gli Attori rideranno

difficilmente potrà essere una rappresentazione di me, com'io   5
realmente sono. Sarà piuttosto – a parte la figura – sarà piuttosto com'egli[28] interpreterà ch'io sia, com'egli mi sentirà – se mi sentirà – e non come io dentro di me mi sento. E mi pare che di questo, chi sia[29] chiamato a giudicare di noi, dovrebbe tener conto.   10
IL CAPOCOMICO. Si dà pensiero dei giudizi della critica adesso? E io che stavo ancora a sentire![30] Ma lasci che dica, la critica. E noi pensiamo piuttosto a metter su la commedia, se ci riesce!

Staccandosi e guardando in giro:

Su, su! È già disposta la scena?   15

Agli Attori e ai Personaggi:

Si levino, si levino d'attorno! Mi lascino vedere.

Discenderà dal palcoscenico.

Non perdiamo altro tempo!

Alla Figliastra: 20

Le pare che la scena stia bene cosí?
LA FIGLIASTRA. Mah! io veramente non mi ci ritrovo.[31]

[28] **com'egli**   how he, *the Leading Man.*
[29] **chi sia**   whoever may be.
[30] **E io che stavo ancora a sentire!**   And here I was standing about listening!
[31] **non mi ci ritrovo**   I don't see myself in it.

IL CAPOCOMICO. E dàlli![32] Non pretenderà che le si edifichi qua, tal quale, quel retrobottega che lei conosce, di Madama Pace!

Al Padre:

M'ha detto una saletta a fiorami?
IL PADRE. Sissignore. Bianca.   5
IL CAPOCOMICO. Non é bianca; è a strisce; ma poco importa! Per i mobili, su per giú,[33] mi pare che ci siamo! Quel tavolinetto, lo portino un po' piú qua davanti!

I Servi di scena eseguiranno.
Al Trovarobe: 10

Lei provveda intanto una busta, possibilmente cilestrina, e la dia al signore.

Indicherà il Padre.

IL TROVAROBE. Da lettere?[34]
IL CAPOCOMICO E IL PADRE. Da lettere, da lettere.   15
IL TROVAROBE. Subito!

Escirà.

IL CAPOCOMICO. Su, su! La prima scena è della Signorina.

La prima Attrice si farà avanti.

Ma no, aspetti, lei! dicevo alla Signorina.   20

Indicherà la Figliastra.

Lei starà a vedere –

---

[32] **E dàlli!**   Here we go again!
[33] **su per giú**   roughly, approximately.
[34] **Da lettere?**   for stationery? *da suggests for the purpose of* (**berretto da cuoco**).

LA FIGLIASTRA (*subito aggiungendo*). – come la vivo!
LA PRIMA ATTRICE (*risentita*). Ma saprò viverla anch'io, non dubiti,
   appena mi ci metto!
IL CAPOCOMICO (*con le mani alla testa*). Signori miei, non facciamo
   altre chiacchiere! Dunque, la prima scena è della Signorina con 5
   Madama Pace. Oh,

si smarrirà, guardandosi attorno e risalirà sul palcoscenico

e questa Madama Pace?
IL PADRE. Non è con noi, signore.
IL CAPOCOMICO. E come si fa?   10
IL PADRE. Ma è viva, viva anche lei!
IL CAPOCOMICO. Già! Ma dov'è?
IL PADRE. Ecco, mi lasci dire.

Rivolgendosi alle Attrici:

Se loro signore mi volessero far la grazia[35] di darmi per un 15
   momento i loro cappellini.
LE ATTRICI (*un po' sorprese, un po' ridendo, a coro*). – Che?
   – I cappellini?
   – Che dice?
   – Perché?   20
   – Ah, guarda!
IL CAPOCOMICO. Che vuol fare coi cappellini delle signore?

Gli Attori rideranno.

IL PADRE. Oh nulla, posarli per un momento su questi attacca-
   panni. E qualcuna dovrebbe essere cosí gentile di levarsi anche 25
   il mantello.
GLI ATTORI (*c. s.*). – Anche il mantello?
   – E poi?
   – Dev'esser matto!

[35] **se loro... la grazia**   if you ladies would be so kind as to.

QUALCHE ATTRICE (*c. s.*). – Ma perché?
– Il mantello soltanto?
IL PADRE. Per appenderli, un momentino... Mi facciano questa grazia. Vogliono?
LE ATTRICI (*levandosi i cappellini e qualcuna anche il mantello, seguite-* 5
ranno a ridere, ed andando ad appenderli qua e là agli attaccapanni).
– E perché no?
– Ecco qua!
– Ma badate che è buffo sul serio!
– Dobbiamo metterli in mostra? 10
IL PADRE. Ecco, appunto, sissignora: cosí in mostra!
IL CAPOCOMICO. Ma si può sapere per che farne?
IL PADRE. Ecco, signore: forse, preparandole meglio la scena, attratta dagli oggetti stessi del suo commercio, chi sa che non venga tra noi... 15

Invitando a guardare verso l'uscio in fondo della scena.

Guardino! guardino!

L'uscio in fondo s'aprirà e verrà avanti di pochi passi Madama Pace,
megera d'enorme grassezza, con una pomposa parrucca di lana color
carota e una rosa fiammante da un lato, alla spagnola; tutta ritinta, 20
vestita con goffa eleganza di seta rossa sgargiante, un ventaglio di
piume in una mano e l'altra mano levata a sorreggere tra due dita la
sigaretta accesa. Subito, all'apparizione, gli Attori e il Capocomico
schizzeranno via [36] *dal palcoscenico con un urlo di spavento, precipi-*
tandosi alla scaletta e accenneranno di fuggire per il corridojo. La 25
Figliastra, invece, accorrerà a Madama Pace, umile, come davanti a
una padrona.

LA FIGLIASTRA (*accorrendo*). Eccola! Eccola!
IL PADRE (*raggiante*). È lei! Lo dicevo io? Eccola qua!

[36] **schizzeranno via** will bound away.

IL CAPOCOMICO (*vincendo il primo stupore, indignato*). Ma che trucchi son questi?

IL PRIMO ATTORE (*quasi contemporaneamente*). Ma dove siamo, insomma?

L'ATTOR GIOVANE (*c. s.*). Di dove è comparsa quella lí?   5

L'ATTRICE GIOVANE (*c. s.*). La tenevano in serbo![37]

LA PRIMA ATTRICE (*c. s.*). Questo è un giuoco di bussolotti![38]

IL PADRE (*dominando le proteste*). Ma scusino! Perché vogliono guastare, in nome d'una verità volgare, di fatto, questo prodigio di una realtà che nasce, evocata, attratta, formata dalla stessa 10 scena,[39] e che ha piú diritto di viver qui, che loro; perché assai piú vera di loro? Quale attrice fra loro rifarà poi Madama Pace? Ebbene: Madama Pace è quella! Mi concederanno che l'attrice che la rifarà, sarà meno vera di quella – che è lei in persona! Guardino: mia figlia l'ha riconosciuta e le si è subito 15 accostata! Stiano a vedere,[40] stiano a vedere la scena!

Titubanti, il Capocomico e gli Attori risaliranno sul palcoscenico.

Ma già la scena tra la Figliastra e Madama Pace, durante la protesta degli Attori e la risposta del Padre, sarà cominciata, sottovoce,[41] pianissimo, insomma naturalmente, come non sarebbe possibile farla 20 avvenire su un palcoscenico. Cosicché, quando gli Attori, richiamati dal Padre all'attenzione, si volteranno a guardare, e vedranno Madama Pace che avrà già messo una mano sotto il mento alla Figliastra per farle sollevare il capo, sentendola parlare in un modo affatto inintelligibile, resteranno per un momento intenti; poi, subito dopo, delusi. 25

IL CAPOCOMICO. Ebbene?

IL PRIMO ATTORE. Ma che dice?

---

[37] **in serbo**   in reserve.
[38] **giuoco di bussolotti!**   hocus pocus!
[39] **dalla stessa scena**   *that of the back room of Madama Pace's shop.*
[40] **stiano a vedere**   just watch.
[41] **sottovoce**   *Try to visualize the extraordinary effect of this subdued natural acting. The pace is constantly changing; the surprises continue unabated.*

LA PRIMA ATTRICE. Cosí non si sente nulla!

L'ATTOR GIOVANE. Forte! forte!

LA FIGLIASTRA (*lasciando Madama Pace che sorriderà di un impagabile sorriso, e facendosi avanti al crocchio degli Attori*). «Forte», già! Che forte? Non son mica cose che si possano dir forte! Le ho 5 potute dir forte io per la sua vergogna,

indicherà il Padre

che è la mia vendetta! Ma per Madama è un'altra cosa, signori: c'è la galera![42]

IL CAPOCOMICO. Oh bella! Ah, è cosí? Ma qui bisogna che si 10 facciano sentire, cara lei![43] Non sentiamo nemmeno noi, sul palcoscenico! Figurarsi quando ci sarà il pubblico in teatro! Bisogna far la scena. E del resto possono ben parlar forte tra loro, perché noi non saremo mica qua, come adesso, a sentire: loro fingono d'esser sole, in una stanza, nel retrobottega, che 15 nessuno le sente.

La Figliastra, graziosamente, sorridendo maliziosa, farà piú volte cenno di no, col dito.

IL CAPOCOMICO. Come no?

LA FIGLIASTRA (*sottovoce, misteriosamente*). C'è qualcuno che ci 20 sente, signore, se lei

indicherà Madama Pace

parla forte!

IL CAPOCOMICO (*costernatissimo*). Deve forse scappar fuori[44] qualche altro? 25

---

[42] **c'é la galera** There's jail (if she were to speak aloud the things we were discussing).

[43] **cara lei** my dear. *Each is thinking in terms of his or her own requirements.*

[44] **scappar fuori** spring forth.

Gli Attori accenneranno di scappar di nuovo dal palcoscenico.

IL PADRE. No, no, signore. Allude a me. Ci debbo esser io, là dietro quell'uscio, in attesa; e Madama lo sa. Anzi, mi permettano! Vado per esser subito pronto.

Farà per avviarsi.   5

IL CAPOCOMICO (*fermandolo*). Ma no, aspetti! Qua bisogna rispettare le esigenze del teatro! Prima che lei sia pronto...
LA FIGLIASTRA (*interrompendolo*). Ma sí, subito! subito! Mi muojo, le dico, dalla smania[45] di viverla, di vederla questa scena! Se lui vuol esser subito pronto, io sono prontissima!   10
IL CAPOCOMICO (*gridando*). Ma bisogna che prima venga fuori, ben chiara, la scena tra lei e quella lí.

Indicherà Madama Pace.

Lo vuol capire?
LA FIGLIASTRA. Oh Dio mio, signore: m'ha detto quel che lei già   15
sa: che il lavoro della mamma ancora una volta è fatto male; la roba è sciupata; e che bisogna ch'io abbia pazienza, se voglio che ella seguiti ad ajutarci nella nostra miseria.
MADAMA PACE (*facendosi avanti, con una grand'aria di importanza*). Eh cià, señor; porqué yò nó quero aproveciarme... avanta-   20
ciarme...[46]
IL CAPOCOMICO (*quasi atterrito*). Come come? Parla cosí?

Tutti gli Attori scoppieranno a ridere fragorosamente.

LA FIGLIASTRA (*ridendo anche lei*). Sí, signore, parla cosí, mezzo spagnolo e mezzo italiano, in un modo buffissimo!   25

---
[45] **mi muojo... smania**   I'm itching to.
[46] **Eh cià, señor; porqué yò nó quero aproveciarme... avantaciarme...**
     perché io non voglio approfittarmi... avvantaggiarmi... (She is
     speaking with a comical mixture of Italian and Spanish.)

MADAMA PACE. Ah, no me par bona crianza[47] che loro ridano
de mi, si yò me sfuerzo de hablar, como podo,[48] italiano,
señor!

IL CAPOCOMICO. Ma no! Ma anzi![49] Parli cosí! parli cosí, signora!
Effetto sicuro! Non si può dar di meglio anzi, per rompere un 5
po' comicamente la crudezza della situazione. Parli, parli cosí!
Va benissimo!

LA FIGLIASTRA. Benissimo! Come no? Sentirsi fare con un tal
linguaggio certe proposte: effetto sicuro, perché par quasi una
burla, signore! Ci si mette a ridere a sentirsi dire che c'è un 10
«vièchio[50] señor» che vuole «amusarse con migo»[51] – non è
vero, Madama?

MADAMA PACE. Viejito, cià! viejito, linda; ma mejor para ti; ché
se no te dà gusto, te porta prudencia![52]

LA MADRE (*insorgendo, tra lo stupore e la costernazione di tutti gli* 15
Attori, che non badavano a lei, e che ora balzeranno al grido a tratte-
nerla ridendo, poiché essa avrà intanto strappato a Madama Pace la
parrucca e l'avrà buttata a terra). Strega! strega! assassina! La
figlia mia!

LA FIGLIASTRA (*accorrendo a trattenere la Madre*). No, no, mamma, 20
no! per carità!

IL PADRE (*accorrendo anche lui, contemporaneamente*). Sta' buona,
sta' buona! A sedere![53]

LA MADRE. Ma levatemela davanti, allora!

LA FIGLIASTRA (*al Capocomico accorso anche lui*). Non è possibile, 25
non è possibile che la mamma stia qui!

---

[47] **no me par bona crianza** *non mi pare buona creanza* it doesn't seem
good manners.
[48] **si yò me sfuerzo... como podo** *se io mi sforzo di parlare... come posso.*
[49] **anzi** on the contrary.
[50] **vièchio** *vecchio.*
[51] **amusarse con migo** *divertirsi con me.*
[52] **viejito, cià... te porta prudencia!** *vecchietto, già! vecchietto,*
carina; ma meglio per te; perché se non ti piace, almeno ti porta
saggezza!
[53] **a sedere!** be seated!

IL PADRE (*anche lui al Capocomico*). Non possono stare insieme![54]
E per questo, vede, quella lí, quando siamo venuti, non era con
noi! Stando insieme, capirà, per forza s'anticipa tutto.
IL CAPOCOMICO. Non importa! Non importa! È per ora come
un primo abbozzo! Serve tutto,[55] perché io colga anche cosí, 5
confusamente, i varii elementi.

*Rivolgendosi alla Madre e conducendola per farla sedere di nuovo
al suo posto:*

Via, via, signora, sia buona, sia buona: si rimetta a sedere!

Intanto la Figliastra, andando di nuovo in mezzo alla scena, si 10
rivolgerà a Madama Pace:

LA FIGLIASTRA. Su, su, dunque, Madama.
MADAMA PACE (*offesa*). Ah no, gracie tante! Yò aquí no fado piú
nada[56] con tua madre presente.
LA FIGLIASTRA. Ma via, faccia entrare questo «vièchio señor, por- 15
qué se amusi con migo!».[57]

Voltandosi a tutti imperiosa:

Insomma, bisogna farla, questa scena! – Su, avanti!

A Madama Pace:

Lei se ne vada!   20
MADAMA PACE. Ah, me voj, me voj – me voj seguramente...[58]

---

[54] **insieme!** *Because at the scene that took place between him and the Stepdaughter*
"quella lí," the Mother, was not present.
[55] **serve tutto** everything is of use.
[56] **gracie... nada** *grazie tante! Io qui non faccio piú niente.*
[57] **porqué... migo** *perché si diverta con me.*
[58] **me voj seguramente** *me ne vado sicuramente.*

Escirà furiosa raccattando la parrucca e guardando fieramente gli Attori che applaudiranno sghignazzando.

LA FIGLIASTRA (*al Padre*). E lei faccia l'entrata![59] Non c'è bisogno che giri! Venga qua! Finga d'essere entrato! Ecco: io me ne sto qua a testa bassa – modesta! – E su! Metta fuori la voce! 5
Mi dica con voce nuova, come uno che venga da fuori: «Buon giorno, signorina...».

IL CAPOCOMICO (*sceso già dal palcoscenico*). Oh guarda! Ma insomma, dirige lei o dirigo io?

Al Padre che guarderà sospeso e perplesso: 10

Eseguisca, sí: vada là in fondo, senza uscire, e rivenga avanti.

Il Padre eseguirà quasi sbigottito. Pallidissimo ma già investito nella realtà della sua vita creata, sorriderà appressandosi dal fondo, come alieno ancora del dramma che sarà per abbattersi su lui.[60] Gli Attori si faran subito intenti alla scena che comincia. 15

IL CAPOCOMICO (*piano, in fretta, al Suggeritore nella buca*). E lei, attento, attento a scrivere, adesso!

La scena

IL PADRE (*avanzandosi con voce nuova*). Buon giorno, signorina.
LA FIGLIASTRA (*a capo chino, con contenuto ribrezzo*). Buon giorno. 20
IL PADRE (*la spierà un po', di sotto al cappellino che quasi le nasconde il viso, e scorgendo ch'ella è giovanissima, esclamerà quasi tra sé, un po' per compiacenza, un po' anche per timore di compromettersi in un'avventura rischiosa*). Ah... – Ma... dico, non sarà la prima volta, è vero? che lei viene qua. 25

---

[59] **entrata** *She is keyed up at the prospect of playing out the scene which will fulfill her compulsion for vengeance and thus she frenetically begins to give directions for its enactment.*

[60] **lui** *The Father begins to assume the air he had on the occasion of that fixed moment of the past.*

LA FIGLIASTRA (*c. s.*). No, signore.

IL PADRE. C'è venuta qualche altra volta?

E poiché la Figliastra farà cenno di sí col capo:

Piú d'una?

Aspetterà un po' la risposta; tornerà a spiarla di sotto al cappellino: 5
sorriderà; poi dirà:

E dunque, via... non dovrebbe piú essere cosí... Permette che
le levi io codesto cappellino?

LA FIGLIASTRA (*subito, per prevenirlo,*[61] *ma contenendo il ribrezzo*).
No, signore: me lo levo da me!   10

Eseguirà in fretta, convulsa.

La Madre, assistendo alla scena, col Figlio e con gli altri due piccoli
e piú suoi, i quali se ne staranno sempre accanto a lei, appartati nel
lato opposto a quello degli Attori, sarà come sulle spine,[62] *e seguirà*
con varia espressione, di dolore, di sdegno, d'ansia, d'orrore, le parole 15
e gli atti di quei due: e ora si nasconderà il volto, ora metterà qualche
gemito.

LA MADRE. Oh Dio! Dio mio!

IL PADRE (*resterà, al gemito, come impietrato per un lungo momento;*
poi riprenderà il tono di prima). Ecco, mi dia: lo poso io.   20

Le toglierà di mano il cappellino.

Ma su una bella, cara testolina come la sua, vorrei che figurasse[63] un piú degno cappellino. Vorrà ajutarmi a sceglierne
qualcuno, poi, qua tra questi di Madama? – No?

---

[61] **prevenirlo**   head him off, forestall him.
[62] **sulle spine**   on edge.
[63] **vorrei che figurasse**   I would like to have you wear.

L'ATTRICE GIOVANE (*interrompendolo*). Oh, badiamo bene! Quelli là sono i nostri cappelli![64]

IL CAPOCOMICO (*subito, arrabbiatissimo*). Silenzio, perdio! Non faccia la spiritosa![65] – Questa è la scena!

Rivolgendosi alla Figliastra: 5

Riattacchi, prego, signorina!

LA FIGLIASTRA (*riattaccando*). No, grazie, signore.

IL PADRE. Eh via, non mi dica di no! Vorrà accettarmelo.[66] Me n'avrei a male...[67] Ce n'è di belli, guardi! E poi faremmo contenta Madama. Li mette apposta qua in mostra!   10

LA FIGLIASTRA. Ma no, signore, guardi: non potrei neanche portarlo.

IL PADRE. Dice forse per ciò che ne pensereberro a casa, vedendola rientrare con un cappellino nuovo? Eh via! Sa come si fa? Come si dice a casa?[68]   15

LA FIGLIASTRA (*smaniosa, non potendone piú*). Ma non per questo, signore! Non potrei portarlo, perché sono... come mi vede: avrebbe già potuto accorgersene!

Mostrerà l'abito nero.

IL PADRE. A lutto, già! È vero: vedo. Le chiedo perdono. Creda 20 che sono veramente mortificato.

LA FIGLIASTRA (*facendosi forza e pigliando ardire anche per vincere lo sdegno e la nausea*). Basta, basta, signore! Tocca a me di ringraziarla; e non a lei di mortificarsi o d'affliggersi. Non badi piú, la prego, a quel che le ho detto. Anche per me, capirà...   25

---

[64] **i nostri cappelli** *She is heckling.*
[65] **non faccia la spiritosa!** stop trying to be funny!
[66] **accettarmelo** accept it from me.
[67] **me n'avrei a male** I would be offended.
[68] **a casa?** *He is offering to tell her what explanations to make at home.*

Si sforzerà di sorridere e aggiungerà:

Bisogna proprio ch'io non pensi, che sono vestita cosí.
IL CAPOCOMICO *(interrompendo, rivolto al Suggeritore nella buca e risalendo sul palcoscenico).* Aspetti, aspetti! Non scriva, tralasci,[69] tralasci quest'ultima battuta!   5

Rivolgendosi al Padre e alla Figliastra:

Va benissimo! Va benissimo!

Poi al Padre soltanto:

Qua lei poi attaccherà com'abbiamo stabilito!

Agli Attori: 10

Graziosissima questa scenetta del cappellino, non vi pare?
LA FIGLIASTRA. Eh, ma il meglio viene adesso! perché non si prosegue?
IL CAPOCOMICO. Abbia pazienza un momento!

Tornando a rivolgersi agli Attori: 15

Va trattata, naturalmente, con un po' di leggerezza –
IL PRIMO ATTORE. – di spigliatezza,[70] già –
LA PRIMA ATTRICE. Ma sí, non ci vuol niente!

Al Primo Attore:

Possiamo subito provarla, no?   20
IL PRIMO ATTORE. Oh, per me... Ecco, giro per far l'entrata!

---

[69] **tralasci** eliminate. *He realizes that the indelicacy of this remark will offend audiences.*
[70] **di spigliatezza** free and easy.

Escirà per esser pronto a rientrare dalla porta del fondalino.

IL CAPOCOMICO (*alla Prima Attrice*). E allora, dunque, guardi, è
finita la scena tra lei e quella Madama Pace, che penserò poi io
a scrivere. Lei se ne sta... No, dove va?

LA PRIMA ATTRICE. Aspetti, mi rimetto il cappello...   5

Eseguirà, andando a prendere il suo cappello dall'attaccapanni.

IL CAPOCOMICO. Ah già, benissimo! – Dunque, lei resta qui a
capo chino.

LA FIGLIASTRA (*divertita*). Ma se[71] non è vestita di nero!

LA PRIMA ATTRICE. Sarò vestita di nero, e molto piú propriamente   10
di lei!

IL CAPOCOMICO (*alla Figliastra*). Stia zitta, la prego! E stia a
vedere! Avrà da imparare!

Battendo le mani:

Avanti! avanti! L'entrata!   15

*E ridiscenderà dal palcoscenico per cogliere l'impressione della scena.
S'aprirà l'uscio in fondo e verrà avanti il Primo Attore, con l'aria
spigliata, sbarazzina d'un vecchietto galante. La rappresentazione
della scena, eseguita dagli Attori, apparirà fin dalle prime battute
un'altra cosa, senza che abbia tuttavia, neppur minimamente, l'aria*   20
*di una parodia; apparirà piuttosto come rimessa in bello.[72] Natural-
mente, la Figliastra e il Padre, non potendo riconoscersi affatto in
quella Prima Attrice e in quel Primo Attore, sentendo proferir le loro
stesse parole, esprimeranno in vario modo, ora con gesti, or con sorrisi,
or con aperta protesta, l'impressione che ne ricevono di sorpresa, di*   25
*meraviglia, di sofferenza, ecc., come si vedrà appresso. S'udrà dal
cupolino chiaramente la voce del Suggeritore.*

---

[71] **se**   *omit in translation.*
[72] **rimessa in bello**   tidied up, doctored.

IL PRIMO ATTORE. «Buon giorno, signorina...»

IL PADRE (*subito, non riuscendo a contenersi*). Ma no![73]

La Figliastra, vedendo entrare in quel modo il Primo Attore, scoppierà intanto a ridere.

IL CAPOCOMICO (*infuriato*). Facciano silenzio! E lei finisca una 5
buona volta[74] di ridere! Cosí non si può andare avanti!

LA FIGLIASTRA (*venendo dal proscenio*). Ma scusi, è naturalissimo,
signore! La signorina

indicherà la Prima Attrice

se ne sta lí ferma, a posto; ma se dev'esser me, io le posso 10
assicurare che a sentirmi dire «buon giorno» a quel modo e con
quel tono, sarei scoppiata a ridere, proprio cosí come ho riso!

IL PADRE (*avanzandosi un poco anche lui*). Ecco, già... l'aria, il
tono...

IL CAPOCOMICO. Ma che aria! Che tono! Si mettano da parte, 15
adesso, e mi lascino veder la prova!

IL PRIMO ATTORE (*facendosi avanti*). Se debbo rappresentare un
vecchio, che viene in una casa equivoca...

IL CAPOCOMICO. Ma sí, non dia retta,[75] per carità! Riprenda,
riprenda, che va benissimo!   20

In attesa che l'Attore riprenda:

Dunque...

IL PRIMO ATTORE. «Buon giorno, signorina...»

LA PRIMA ATTRICE. «Buon giorno...»

IL PRIMO ATTORE (*rifacendo il gesto del Padre, di spiare cioè sotto al* 25
cappellino, ma poi esprimendo ben distintamente prima la compiacenza e poi il timore). «Ah... – Ma... dico, non sarà la prima
volta, spero...»

---

[73] **ma no!** *The Father and Stepdaughter will object strenuously to the Actors' interpretation of their story.*

[74] **una buona volta** once and for all.

[75] **non dia retta** don't pay any attention.

IL PADRE (*correggendo, irresistibilmente*). Non «spero» – «è vero?»,
«è vero?».
IL CAPOCOMICO. Dice «è vero» – interrogazione.
IL PRIMO ATTORE (*accennando al Suggeritore*). Io ho sentito «spero!».
IL CAPOCOMICO. Ma sí, è lo stesso! «è vero» o «spero». Prosegua,   5
prosegua. – Ecco, forse un po' meno caricato...[76] Ecco glielo
farò io, stia a vedere...

Risalirà sul palcoscenico, poi, rifacendo lui la parte fin dall'entrata:

– «Buon giorno, signorina...»
LA PRIMA ATTRICE. «Buon giorno.»   10
IL CAPOCOMICO. «Ah, ma... dico...»

*rivolgendosi al Primo Attore per fargli notare il modo come avrà
guardato la Prima Attrice di sotto al cappellino:*

Sorpresa... timore e compiacimento...

Poi, riprendendo, rivolto alla Prima Attrice: 15

«Non sarà la prima volta, è vero? che lei viene qua...»

Di nuovo, volgendosi con uno sguardo d'intelligenza al Primo Attore:

Mi spiego?

Alla Prima Attrice:

E lei allora: «No, signore».   20

Di nuovo, al Primo Attore:

Insomma come debbo dire? *Souplesse!*[77]

---

[76] **caricato** heavy, emphatic.
[77] **come debbo dire? *Souplesse!*** how shall I explain it? Suppleness, that's
what I mean!

E ridiscenderà dal palcoscenico.

LA PRIMA ATTRICE. «No, signore...»
IL PRIMO ATTORE. «C'è venuta qualche altra volta? Piú d'una?»
IL CAPOCOMICO. Ma, no, aspetti! Lasci far prima a lei

indicherà la Prima Attrice   5

il cenno di sí. «C'è venuta qualche altra volta?»

*La Prima Attrice solleverà un po' il capo socchiudendo penosamente,
come per disgusto, gli occhi, e poi a un «Giú» del Capocomico crollerà
due volte il capo.*

LA FIGLIASTRA (*irresistibilmente*). Oh Dio mio!   10

E subito si porrà una mano sulla bocca per impedire la risata.

IL CAPOCOMICO (*voltandosi*). Che cos'è?
LA FIGLIASTRA (*subito*). Niente, niente!
IL CAPOCOMICO (*al Primo Attore*). A lei,[78] a lei, séguiti!
IL PRIMO ATTORE. «Piú d'una? E dunque, via... non dovrebbe piú   15
esser cosí... Permette che le levi io codesto cappellino?»

*Il Primo Attore dirà quest'ultima battuta con un tal tono, e la accom-
pagnerà con una tal mossa, che la Figliastra, rimasta con le mani sulla
bocca, per quanto[79] voglia frenarsi, non riuscirà piú a contenere la
risata, che le scoppierà di tra le dita irresistibilmente, fragorosa.*   20

LA PRIMA ATTRICE (*indignata, tornandosene a posto*). Ah, io non sto
mica a far la buffona[80] qua per quella lí!
IL PRIMO ATTORE. E neanch'io! Finiamola!
IL CAPOCOMICO (*alla Figliastra, urlando*). La finisca! la finisca!
LA FIGLIASTRA. Sí, mi perdoni... mi perdoni...   25

---

[78] **a lei**   go ahead, it's your turn.
[79] **per quanto**   as much as.
[80] **far la buffona**   play the fool.

IL CAPOCOMICO. Lei è una maleducata! ecco quello che è! Una presuntuosa!

IL PADRE (*cercando d'interporsi*). Sissignore, è vero, è vero; ma la perdoni...

IL CAPOCOMICO (*risalendo sul palcoscenico*). Che vuole che perdoni! 5 È un'indecenza!

IL PADRE. Sissignore, ma creda, creda, che fa un effetto cosí strano –

IL CAPOCOMICO. ...strano? che strano? perché strano?

IL PADRE. Io ammiro, signore, ammiro i suoi attori: il Signore là,

indicherà il Primo Attore   10

la Signorina,

indicherà la Prima Attrice

ma, certamente... ecco, non sono noi...

IL CAPOCOMICO. Eh sfido! Come vuole che sieno,[81] «loro», se sono gli attori?   15

IL PADRE. Appunto, gli attori! E fanno bene, tutti e due, le nostre parti. Ma creda che a noi pare un'altra cosa, che vorrebbe esser la stessa, e intanto non è!

IL CAPOCOMICO. Ma come non è? Che cos'è allora?

IL PADRE. Una cosa, che... diventa di loro;[82] e non piú nostra. 20

IL CAPOCOMICO. Ma questo, per forza! Gliel'ho già detto!

IL PADRE. Sí, capisco, capisco... –

IL CAPOCOMICO. – e dunque, basta!

Rivolgendosi agli Attori:

Vuol dire che faremo poi le prove tra noi, come vanno fatte.[83] 25 È stata sempre per me una maledizione provare davanti agli autori! Non sono mai contenti!

---

[81] **sieno = siano.**
[82] **diventa di loro**   becomes theirs.
[83] **come vanno fatte**   the way they're supposed to be done.

Rivolgendosi al Padre e alla Figliastra:

Su, riattacchiamo con loro; e vediamo se sarà possibile che lei
non rida piú.

LA FIGLIASTRA. Ah, non rido piú, non rido piú! Viene il bello
adesso per me; stia sicuro!   5

IL CAPOCOMICO. Dunque: quando lei dice: «Non badi piú, la
prego, a quello che ho detto... Anche per me – capirà!» –

rivolgendosi al Padre:

bisogna che lei attacchi subito: «Capisco, ah capisco...» e che
immediatamente domandi –   10

LA FIGLIASTRA (*interrompendo*). – come! che cosa?

IL CAPOCOMICO. – La ragione del suo lutto!

LA FIGLIASTRA. Ma no, signore! Guardi: quand'io gli dissi che
bisognava che non pensassi d'esser vestita cosí, sa come mi
rispose lui? «Ah, va bene! E togliamolo, togliamolo via subito,   15
allora, codesto vestitino!»

IL CAPOCOMICO. Bello! Benissimo! Per far saltare cosí tutto il
teatro?[84]

LA FIGLIASTRA. Ma è la verità!

IL CAPOCOMICO. Ma che verità, mi faccia il piacere! Qua siamo a   20
teatro! La verità, fino a un certo punto!

LA FIGLIASTRA. E che vuol fare lei allora, scusi?

IL CAPOCOMICO. Lo vedrà, lo vedrà! Lasci fare a me adesso!

LA FIGLIASTRA. No, signore! Della mia nausea, di tutte le ragioni,
una piú crudele e piú vile dell'altra, per cui io sono «questa»,   25
«cosí», vorrebbe forse cavarne un pasticcetto romantico senti-
mentale, con lui che mi chiede le ragioni del lutto, e io che gli
rispondo lacrimando che da due mesi m'è morto papà?[85] No,

---

[84] **teatro?** *Because of the indelicacy of the remark and because of the quasi-incestuous
situation.*

[85] **vorrebbe... rispondo** *an involved question. " Would you perhaps like to devise a
little sentimental romantic affair out of my revulsion and the cruel, vile causes which
have made me what I am, an affair with the person who asks me why I'm in mourning,
while I answer...."*

no, caro signore! Bisogna che lui mi dica come m'ha detto:
«Togliamo via subito, allora, codesto vestitino!». E io, con
tutto il mio lutto nel cuore, di appena due mesi, me ne sono
andata là, vede? là, dietro quel paravento, e con queste dita che
mi ballano dall'onta,[86] dal ribrezzo, mi sono sganciato il 5
busto,[87] la veste...

IL CAPOCOMICO (*ponendosi le mani tra i capelli*). Per carità! Che
dice?

LA FIGLIASTRA (*gridando, frenetica*). La verità! la verità, signore!

IL CAPOCOMICO. Ma sí, non nego, sarà la verità... e comprendo, 10
comprendo tutto il suo orrore, signorina; ma comprenda anche
lei che tutto questo sulla scena non è possibile!

LA FIGLIASTRA. Non è possibile? E allora, grazie tante, io non ci
sto!

IL CAPOCOMICO. Ma no, veda...   15

LA FIGLIASTRA. Non ci sto! non ci sto! Quello che è possibile sulla
scena ve lo siete combinato insieme tutti e due, di là,[88] grazie!
Lo capisco bene! Egli vuol subito arrivare alla rappresentazione

caricando

dei suoi travagli spirituali; ma io voglio rappresentare il mio 20
dramma! il mio!

IL CAPOCOMICO (*seccato, scrollandosi fieramente*). Oh, infine, il suo!
Non c'è soltanto il suo, scusi! C'è anche quello degli altri!
Quello di lui,

indicherà il Padre   25

quello di sua madre! Non può stare che un personaggio venga,
cosí, troppo avanti, e sopraffaccia gli altri, invadendo[89] la scena.

---

[86] **ballano dall'onta**   quiver from shame.
[87] **sganciato il busto**   unhooked my corset.
[88] **ve lo siete combinato... di là**   you and he [the Father] have arranged . . .
there (in the dressing room).
[89] **invadendo**   taking over.

Bisogna contener tutti in un quadro armonico e rappresentare
quel che è rappresentabile! Lo so bene anch'io che ciascuno ha
tutta una sua vita dentro e che vorrebbe metterla fuori. Ma il
difficile è appunto questo: farne venir fuori quel tanto che è
necessario, in rapporto con gli altri; e pure in quel poco fare 5
intendere tutta l'altra vita che resta dentro! Ah, comodo, se
ogni personaggio potesse in un bel monologo, o... senz'altro...[90]
in una conferenza venire a scodellare davanti al pubblico tutto
quel che gli bolle in pentola![91]

Con tono bonario, conciliativo: 10

Bisogna che lei si contenga, signorina. E creda, nel suo stesso
interesse; perché può anche fare una cattiva impressione, glielo
avverto, tutta codesta furia dilaniatrice,[92] codesto disgusto
esasperato, quando lei stessa, mi scusi, ha confessato di essere
stata con altri, prima che con lui, da Madama Pace, piú di una 15
volta!

LA FIGLIASTRA (*abbassando il capo, con profonda voce, dopo una pausa
di raccoglimento*). È vero! Ma pensi che quegli altri sono egualmente lui,[93] per me.

IL CAPOCOMICO (*non comprendendo*). Come, gli altri? Che vuol 20
dire?

LA FIGLIASTRA. Per chi cade nella colpa, signore, il responsabile di
tutte le colpe che seguono, non è sempre chi, primo, determinò
la caduta? E per me è lui, anche da prima ch'io nascessi. Lo
guardi; e veda se non è vero!   25

IL CAPOCOMICO. Benissimo! E le par poco il peso di tanto rimorso
su lui? Gli dia modo di rappresentarlo!

LA FIGLIASTRA. E come, scusi? dico, come potrebbe rappresentare
tutti i suoi «nobili» rimorsi, tutti i suoi tormenti «morali», se lei

---

[90] **senz'altro**   indeed.
[91] **scodellare... in pentola**   to pour forth everything he's got brewing inside.
[92] **dilaniatrice**   rending.
[93] **quegli altri... lui**   those others [clients] stand equally for him.

vuol risparmiargli l'orrore d'essersi un bel giorno trovata tra le
braccia, dopo averla invitata a togliersi l'abito del suo lutto
recente, donna e già caduta, quella bambina,[94] signore, quella
bambina ch'egli si recava a vedere uscire dalla scuola?

Dirà queste ultime parole con voce tremante di commozione.   5

La Madre, nel sentirle dire cosí, sopraffatta da un émpito d'inconteni-
bile ambascia,[95] che s'esprimerà prima in alcuni gemiti soffocati,
romperà alla fine in un pianto perduto. La commozione vincerà tutti.
Lunga pausa.

LA FIGLIASTRA (*appena la Madre accennerà di quietarsi, soggiungerà,*   10
cupa e risoluta). Noi siamo qua tra noi, adesso, ignorati ancora
dal pubblico. Lei darà domani di noi quello spettacolo che crederà, concertandolo a suo modo. Ma lo vuol vedere davvero, il
dramma? scoppiare davvero, com'è stato?

IL CAPOCOMICO. Ma sí, non chiedo di meglio, per prenderne fin   15
d'ora quanto sarà possibile!

LA FIGLIASTRA. Ebbene, faccia uscire quella madre.

LA MADRE (*levandosi dal suo pianto, con un urlo*). No, no! Non lo
permetta, signore! Non lo permetta![96]

IL CAPOCOMICO. Ma è solo per vedere, signora!   20

LA MADRE. Io non posso! non posso!

IL CAPOCOMICO. Ma se è già tutto avvenuto, scusi! Non capisco!

LA MADRE. No, avviene ora, avviene sempre! Il mio strazio non
è finito, signore! Io sono viva e presente,[97] sempre, in ogni
momento del mio strazio, che si rinnova, vivo e presente sem-   25
pre. Ma quei due piccini[98] là, li ha lei sentiti parlare? Non
possono piú parlare, signore! Se ne stanno aggrappati a me,

---

[94] **quella bambina**   *the object of d'essersi trovata, held in abeyance (donna is in*
apposition with bambina).
[95] **sopraffatta... ambascia**   overcome by a surge of uncontrollable anguish.
[96] **Non lo permetta!**   *She is desperately (and futilely) trying to head off the re-*
enactment of a particularly painful scene of their torment.
[97] **viva e presente**   *Her torment is renewed with every reenactment of their story.*
[98] **piccini**   *the Bambina and the Giovinetto.*

ancora, per tenermi vivo e presente lo strazio: ma essi, per sé,
non sono, non sono piú! E questa,

indicherà la Figliastra

signore, se n'è fuggita,[99] è scappata via da me e s'è perduta,
perduta... Se ora io me la vedo qua[1] è ancora per questo, solo 5
per questo, sempre, sempre, per rinnovarmi sempre, vivo e
presente, lo strazio che ho sofferto anche per lei!

IL PADRE (*solenne*). Il momento eterno, com'io le ho detto, signore! Lei

indicherà la Figliastra   10

è qui per cogliermi, fissarmi, tenermi agganciato e sospeso in
eterno, alla gogna, in quel solo momento fuggevole e vergognoso della mia vita. Non può rinunziarvi, e lei, signore, non
può veramente risparmiarmelo.

IL CAPOCOMICO. Ma sí, io non dico di non rappresentarlo: for- 15
merà appunto il nucleo di tutto il primo atto, fino ad arrivare
alla sorpresa di lei –

indicherà la Madre.

IL PADRE. Ecco, sí. Perché è la mia condanna, signore: tutta la
nostra passione,[2] che deve culminare nel grido finale di lei! 20

Indicherà anche lui la Madre.

---

[99] **se n'è fuggita**   *The past tense here is bewildering. She is referring to the Stepdaughter's running away as if it had already taken place. Of course, from the Characters' point of view, it already has; but from the Actors' (and spectators') point of view
it has not. The Mother has a two-fold temporal perspective of the action of their
drama: one, of the action "having taken" place; and two, of its "taking" place. One
has a similar perspective in cinematographic representation through the device of the
flashback. However, in such narration the chronological sequence of events is ordinarily
respected; the denouement is held in abeyance and is not divulged. Here the Mother
has, in a sense, revealed the ending. She has declared that the younger children "non
sono più" and that the daughter "has fled."*
[1] **qua**   *mentally place a comma after the word to indicate a pause.*
[2] **passione**   *suffering.*

LA FIGLIASTRA. L'ho ancora qui negli orecchi! M'ha reso folle quel grido! – Lei può rappresentarmi come vuole signore: non importa! Anche vestita; purché abbia almeno le braccia – solo le braccia – nude, perché, guardi, stando cosí,

si accosterà al Padre e gli appoggerà la testa sul petto   5

con la testa appoggiata cosí, e le braccia cosí al suo collo, mi vedevo pulsare qui, nel braccio qui, una vena; e allora, come se soltanto quella vena viva mi facesse ribrezzo, strizzai gli occhi, cosí, cosí, ed affondai la testa nel suo petto!

Voltandosi verso la Madre: 10

Grida, grida, mamma!

Affonderà la testa nel petto del Padre, e con le spalle alzate come per non sentire il grido, soggiungerà con voce di strazio soffocato:

Grida, come hai gridato allora!

LA MADRE (*avventandosi per separarli*).[3] No! Figlia, figlia mia!   15

E dopo averla staccata da lui:

Bruto, bruto, è mia figlia! Non vedi che è mia figlia?

IL CAPOCOMICO (*arretrando, al grido, fino alla ribalta, tra lo sgomento degli Attori*). Benissimo; sí, benissimo![4] E allora, sipario, sipario!   20

IL PADRE (*accorrendo a lui, convulso*). Ecco, sí: perché è stato veramente cosí, signore!

---

[3] **avventandosi per separarli** rushing to separate them. *The horrible moment is made real; the event of the past has suddenly fused with the present (as in the case of the appearance of Madama Pace) and the fiction of their story has suddenly become actuality.*

[4] **benissimo** *The Director is still unaware of the meaning which the reenactment of such a scene holds for the Characters. He persists in looking upon it merely from the point of view of its theatrical possibilities, its stageworthiness.*

IL CAPOCOMICO (*ammirato e convinto*). Ma sí, qua, senz'altro! Sipario! Sipario!

Alle grida reiterate del Capocomico, il Macchinista butterà giú il sipario, lasciando fuori, davanti alla ribalta, il Capocomico e il Padre.[5]

IL CAPOCOMICO (*guardando in alto, con le braccia alzate*). Ma che 5 bestia! Dico sipario per intendere che l'Atto deve finir cosí, e m'abbassano il sipario davvero!

Al Padre, sollevando un lembo della tenda per rientrare nel palcoscenico:

Sí, sí, benissimo! benissimo! Effetto sicuro! Bisogna finir cosí. 10 Garantisco, garantisco, per questo Primo Atto!

Rientrerà col Padre.

————

Riaprendosi il sipario si vedrà che i Macchinisti e Apparatori avranno disfatto quel primo simulacro di scena e messo su, invece, una piccola vasca da giardino. 15

Da una parte del palcoscenico staranno seduti in fila gli Attori e dall'altra i Personaggi. Il Capocomico sarà in piedi, in mezzo al palcoscenico, con una mano sulla bocca a pugno chiuso in atto di meditare.

IL CAPOCOMICO (*scrollandosi dopo una breve pausa*). Oh, dunque: veniamo al Secondo Atto! Lascino, lascino fare a me, come 20 avevamo prima stabilito, che andrà benone!

LA FIGLIASTRA. La nostra entrata in casa di lui

indicherà il Padre

[5] **Padre**   *A perfect example of the theatrical wizardry of Pirandello.*

a dispetto di[6] quello lí!

indicherà il Figlio.

IL CAPOCOMICO (*spazientito*). Sta bene; ma lasci fare a me, le dico!
LA FIGLIASTRA. Purché appaja chiaro il dispetto!
LA MADRE (*dal suo canto tentennando il capo*). Per tutto il bene che   5
ce n'è venuto...[7]
LA FIGLIASTRA (*voltandosi a lei di scatto*). Non importa! Quanto piú
danno a noi, tanto piú rimorso per lui!
IL CAPOCOMICO (*spazientito*). Ho capito, ho capito! E si terrà conto
di questo in principio sopratutto! Non dubiti!   10
LA MADRE (*supplichevole*). Ma faccia che si capisca bene, la prego,
signore, per la mia coscienza, ch'io cercai in tutti i modi –
LA FIGLIASTRA (*interrompendo con sdegno, e seguitando*). – di placarmi,
di consigliarmi che questo dispetto non gli fosse fatto!

Al Capocomico: 15

La contenti, la contenti, perché è vero! Io ne godo moltissimo,
perché, intanto, si può vedere: piú lei è cosí supplice, piú tenta
d'entrargli nel cuore, e piú quello lì[8] si tien lontano «as–sen–te»!
Che gusto!
IL CAPOCOMICO. Vogliamo insomma cominciarlo, questo Secondo   20
Atto?
LA FIGLIASTRA. Non parlo piú. Ma badi che svolgerlo tutto nel
giardino, come lei vorrebbe, non sarà possibile!
IL CAPOCOMICO. Perché non sarà possibile?
LA FIGLIASTRA. Perché lui   25

indicherà di nuovo il Figlio

---

[6] **a dispetto di**   in defiance of.
[7] **il bene che ce n'è venuto**   for all the good it's done us.
[8] **quello lì**   *the Son, who from this point on will assume a more assertive role, albeit against his will.*

se ne sta sempre chiuso in camera, appartato! E poi, in casa, c'è da svolgere tutta la parte di quel povero ragazzo lí, smarrito, come le ho detto.

IL CAPOCOMICO. Eh già! Ma d'altra parte, capiranno, non possiamo mica appendere i cartellini o cambiar di scena a vista, tre o 5 quattro volte per Atto!

IL PRIMO ATTORE. Si faceva un tempo...[9]

IL CAPOCOMICO. Sí, quando il pubblico era forse come quella bambina lí!

LA PRIMA ATTRICE. E l'illusione, piú facile!   10

IL PADRE (con uno scatto, alzandosi). L'illusione? Per carità, non dicano l'illusione! Non adoperino codesta parola, che per noi è particolarmente crudele!

IL CAPOCOMICO (stordito). E perché, scusi?

IL PADRE. Ma sí, crudele! crudele! Dovrebbe capirlo!   15

IL CAPOCOMICO. E come dovremmo dire allora? L'illusione da creare, qua, agli spettatori –

IL PRIMO ATTORE. – con la nostra rappresentazione –

IL CAPOCOMICO. – l'illusione d'una realtà!

IL PADRE. Comprendo, signore. Forse lei invece, non può com- 20 prendere noi. Mi scusi! Perché – veda – qua per lei e per i suoi attori si tratta soltanto – ed è giusto – del loro giuoco.

LA PRIMA ATTRICE (interrompendo sdegnata). Ma che giuoco! Non siamo mica bambini! Qua si recita sul serio.

IL PADRE. Non dico di no. E intendo, infatti, il giuoco della loro 25 arte, che deve dare appunto – come dice il signore – una perfetta illusione di realtà.

IL CAPOCOMICO. Ecco, appunto!

IL PADRE. Ora, se lei pensa che noi come noi[10]

indicherà sé e sommariamente gli altri cinque Personaggi   30

non abbiamo altra realtà fuori di questa illusione!

[9] **Si faceva un tempo** *in Elizabethan theater. Bertolt Brecht has also made use of such devices.*

[10] **noi come noi** we as we are.

IL CAPOCOMICO (*stordito, guardando i suoi Attori rimasti anch'essi come sospesi e smarriti*). E come sarebbe a dire?[11]

IL PADRE (*dopo averli un po' osservati, con un pallido sorriso*). Ma sí, signori! Quale altra? Quella che per loro è un'illusione da creare, per noi è invece l'unica nostra realtà.   5

Breve pausa. Si avanzerà di qualche passo verso il Capocomico, e soggiungerà:

Ma non soltanto per noi, del resto, badi! Ci pensi bene.

Lo guarderà negli occhi.

Mi sa dire chi è lei?   10

E rimarrà con l'indice appuntato su lui.

IL CAPOCOMICO (*turbato, con un mezzo sorriso*). Come, chi sono? – Sono io!

IL PADRE. E se le dicessi che non è vero, perché lei è me?

IL CAPOCOMICO. Le risponderei che lei è un pazzo!   15

Gli Attori rideranno.

IL PADRE. Hanno ragione di ridere: perché qua si giuoca;

al Direttore:

e lei può dunque obbiettarmi che soltanto per un giuoco quel signore là,   20

indicherà il Primo Attore

che è «lui», dev'esser «me», che viceversa sono io, «questo».[12] Vede che l'ho colto in trappola?

Gli Attori torneranno a ridere.

---

[11] **come sarebbe a dire?** what do you mean by that?
[12] **"questo"** this person (that you see before you).

IL CAPOCOMICO (*seccato*). Ma questo s'è già detto poco fa! Daccapo?[13]

IL PADRE. No, no. Non volevo dir questo, infatti. Io la invito anzi a uscire da questo giuoco

guardando la Prima Attrice, come per prevenire[14]   5

– d'arte! d'arte! – che lei è solito di fare qua coi suoi attori; e torno a domandarle seriamente: chi è lei?

IL CAPOCOMICO (*rivolgendosi quasi strabiliato, e insieme irritato, agli Attori*). Oh, ma guardate che ci vuole una bella faccia tosta![15] Uno che si spaccia[16] per personaggio, venir a domandare a me,   10 chi sono!

IL PADRE (*con dignità, ma senza alterigia*). Un personaggio, signore, può sempre domandare a un uomo chi è. Perché un personaggio ha veramente una vita sua, segnata di caratteri[17] suoi, per cui è sempre «qualcuno». Mentre un uomo – non dico lei, adesso –   15 un uomo così in genere,[18] può non esser «nessuno».[19]

IL CAPOCOMICO. Già! Ma lei lo domanda a me, che sono il Direttore! il Capocomico! Ha capito?

IL PADRE (*quasi in sordina, con melliflua umiltà*). Soltanto per sapere, signore, se veramente lei com'è adesso, si vede... come vede per   20 esempio, a distanza di tempo,[20] quel che lei era una volta, con

---

[13] **Daccapo?**   Are we going to go over all that again?

[14] **prevenire**   as if to head her off. *What he means is that he realizes perfectly well that their "giuoco" is an artistic one and that he does not mean to be derogatory in his use of the word.*

[15] **bella faccia tosta**   it takes cheek.

[16] **si spaccia**   passes himself off.

[17] **caratteri**   features.

[18] **un uomo così in genere**   just any man in general.

[19] **può non esser "nessuno"**   can be "no one."

[20] **a distanza di tempo**   in perspective. *The discussion that follows is quite specious as Pirandello will himself observe in the stage directions for the Director's next lines. Therefore keep in mind that the Father's involved reasoning (even though it does make good sense) is meant to be bewildering. To make it all the more so, the continuity of the speech is broken by qualifying and parenthetical remarks. The meaning of it boils down to this: "Do you really see yourself today to be the person you once were with*

tutte le illusioni che allora si faceva; con tutte le cose, dentro e intorno a lei, come allora le parevano – ed erano, erano realmente per lei! – Ebbene, signore; ripensando a quelle illusioni che adesso lei non si fa piú; a tutte quelle cose che ora non le «sembrano» piú come per lei «erano» un tempo; non si sente 5 mancare, non dico queste tavole di palcoscenico, ma il terreno, il terreno sotto i piedi, argomentando che ugualmente «questo» come lei ora si sente, tutta la sua realtà d'oggi cosí com'è, è destinata a parerle illusione domani?

IL CAPOCOMICO (*senza aver ben capito, nell'intontimento della speciosa* 10 *argomentazione*). Ebbene? E che vuol concludere con questo?

IL PADRE. Oh, niente, signore. Farle vedere che se noi (*indicherà di nuovo sé e gli altri Personaggi*) oltre la illusione, non abbiamo altra realtà, è bene che anche lei diffidi della realtà sua, di questa che lei oggi respira e tocca in sé, perché – come quella di jeri – è 15 destinata a scoprirlesi [21] illusione domani.

IL CAPOCOMICO (*rivolgendosi a prenderla in riso*). Ah, benissimo! E dica per giunta [22] che lei, con codesta commedia che viene a rappresentarmi qua, è piú vero e reale di me!

IL PADRE (*con la massima serietà*). Ma questo senza dubbio, signore! 20

IL CAPOCOMICO. Ah sí?

IL PADRE. Credevo che lei lo avesse già compreso fin da principio.

IL CAPOCOMICO. Piú reale di me?

IL PADRE. Se le sua realtà può cangiare dall'oggi al domani...

IL CAPOCOMICO. Ma si sa che può cangiare, sfido! Cangia continua- 25 mente; come quella di tutti!

IL PADRE (*con un grido*). Ma la nostra no, signore! Vede? La differenza è questa! Non cangia, non può cangiare, né esser altra, mai, perché già fissata – cosí – «questa» – per sempre – (è

---

all the illusions that you once possessed? Realizing that these illusions no longer exist, don't you feel the very ground give way beneath your feet considering that your reality of today will appear an illusion tomorrow?" Pascal has expressed the same idea more succinctly. " There is no man who differs more from another than he does from himself at another time."

[21] **scoprirlesi**   to reveal itself to you.

[22] **per giunta**   in addition.

terribile, signore!) realtà immutabile, che dovrebbe dar loro
un brivido nell'accostarsi a noi!

IL CAPOCOMICO (*con uno scatto, parandoglisi*[23] *davanti per un'idea
che gli sorgerà all'improvviso*). Io vorrei sapere però, quando mai
s'è visto un personaggio che, uscendo dalla sua parte, si sia messo 5
a perorarla cosí come fa lei, e a proporla, a spiegarla. Me lo sa
dire? Io non l'ho mai visto!

IL PADRE. Non l'ha mai visto, signore, perché gli autori nascon-
dono di solito il travaglio della loro creazione. Quando i
personaggi son vivi, vivi veramente davanti al loro autore, 10
questo non fa altro che seguirli nelle parole, nei gesti ch'essi
appunto gli propongono; e bisogna ch'egli li voglia com'essi si
vogliono; e guai se non fa cosí! Quando un personaggio è nato,
acquista subito una tale indipendenza anche dal suo stesso autore,
che può esser da tutti immaginato in tant'altre situazioni in cui 15
l'autore non pensò di metterlo, e acquistare anche, a volte, un
significato che l'autore non si sognò mai di dargli![24]

IL CAPOCOMICO. Ma sí, questo lo so!

IL PADRE. E dunque, perché si fa meraviglia di noi? Immagini per
un personaggio la disgrazia che le ho detto, d'esser nato vivo 20
dalla fantasia d'un autore che abbia voluto poi negargli la vita,
e mi dica se questo personaggio lasciato cosí, vivo e senza vita,
non ha ragione di mettersi a fare quel che stiamo facendo noi,
ora, qua davanti a loro, dopo averlo fatto a lungo a lungo, creda,
davanti a lui per persuaderlo, per spingerlo, comparendogli ora 25
io, ora lei,

indicherà la Figliastra

ora quella povera madre...

LA FIGLIASTRA (*venendo avanti come trasognata*). È vero, anch'io,
anch'io, signore, per tentarlo, tante volte, nella malinconia di quel 30
suo scrittojo, all'ora del crepuscolo, quand'egli, abbandonato

---

[23] **parandoglisi** springing up before him.
[24] **dargli** *Think of the various interpretations of* Hamlet.

su una poltrona, non sapeva risolversi a girar la chiavetta
della luce e lasciava che l'ombra gl'invadesse la stanza e che
quell'ombra brulicasse di noi,[25] che andavamo a tentarlo...

*Come se si vedesse ancora là in quello scrittojo e avesse fastidio della
presenza di tutti quegli Attori.*   5

Se loro tutti se n'andassero![26] se ci lasciassero soli! La mamma
lí, con quel figlio – io con quella bambina – qual ragazzo là
sempre solo – e poi io con lui

indicherà appena il Padre

– e poi io sola, io sola... – in quell'ombra   10

*balzerà a un tratto, come se nella visione che ha di sé, lucente in
quell'ombra e viva, volesse afferrarsi*

ah, la mia vita! Che scene, che scene andavamo a proporgli! –
Io, io lo tentavo piú di tutti!

IL PADRE. Già! Ma forse è stato per causa tua; appunto per codeste 15
tue troppe insistenze, per le tue troppe incontinenze!

LA FIGLIASTRA. Ma che! Se[27] egli stesso m'ha voluta cosí!

Verrà presso al Capocomico per dirgli come in confidenza:

Io credo che fu piuttosto, signore, per avvilimento o per sdegno
del teatro, cosí come il pubblico solitamente lo vede e lo vuole... 20

IL CAPOCOMICO. Andiamo avanti, andiamo avanti, santo Dio, e
veniamo al fatto, signori miei!

LA FIGLIASTRA. Eh, ma mi pare, scusi, che di fatti ne abbia fin
troppi, con la nostra entrata in casa di lui!

Indicherà il Padre.   25

[25] **brulicasse di noi** swarm or seethe with us.
[26] **Se... se n'andassero!** If you were all to leave!
[27] **Se** *omit in translation.*

Diceva che non poteva appendere i cartellini o cangiar di scena ogni cinque minuti![28]

IL CAPOCOMICO. Già! Ma appunto! Combinarli, aggrupparli in un'azione simultanea e serrata;[29] e non come pretende lei, che vuol vedere prima il suo fratellino che ritorna dalla scuola e 5 s'aggira come un'ombra per le stanze, nascondendosi dietro gli usci a meditare un proposito, in cui – com'ha detto? –

LA FIGLIASTRA. – si dissuga,[30] signore, si dissuga tutto!

IL CAPOCOMICO. Non ho mai sentito codesta parola! E va bene: «crescendo soltanto negli occhi»,[31] è vero? 10

LA FIGLIASTRA. Sissignore: eccolo lí!

Lo indicherà presso la Madre.

IL CAPOCOMICO. Brava! E poi, contemporaneamente, vorrebbe anche quella bambina che giuoca, ignara, nel giardino. L'uno in casa, e l'altra nel giardino, è possibile?[32] 15

LA FIGLIASTRA. Ah, nel sole, signore, felice! È l'unico mio premio, la sua[33] allegria, la sua festa, in quel giardino; tratta dalla miseria, dallo squallore di un'orribile camera dove dormivamo tutti e quattro – e io con lei – io, pensi! con l'orrore del mio corpo contaminato, accanto a lei che mi stringeva forte forte coi suoi 20 braccini amorosi e innocenti. Nel giardino, appena mi vedeva, correva a prendermi per mano. I fiori grandi non li vedeva; andava a scoprire invece tutti quei «pittoli pittoli»[34] e me li voleva mostrare, facendo una festa, una festa!

Cosí dicendo, straziata dal ricordo, romperà in un pianto lungo, 25 *disperato, abbattendo il capo sulle braccia abbandonate sul tavolino.*

[28] **minuti!** *See page 88, footnote 9.*

[29] **aggrupparli... serrata** bring the scenes together into a closeknit and simultaneous action.

[30] **si dissuga** consumes himself.

[31] **crescendo... occhi** his eyes growing wider and wider.

[32] **è possibile** *They are discussing details of how to* **aggrupparli in un'azione simultanea.**

[33] **sua** her (*la Bambina*).

[34] **"pittoli pittoli"** *baby talk for "piccoli piccoli."*

La commozione vincerà tutti. Il Capocomico le si accosterà quasi paternamente, e le dirà per confortarla:

IL CAPOCOMICO. Faremo il giardino, faremo il giardino, non dubiti: e vedrà che ne sarà contenta! Le scene le aggrupperemo lí!   5

Chiamando per nome un Apparatore:

Ehi, càlami qualche spezzato d'alberi![35] Due cipressetti qua davanti a questa vasca!

Si vedranno calare dall'alto del palcoscenico due cipressetti. Il Macchinista, accorrendo, fermerà coi chiodi i due pedani.   10

IL CAPOCOMICO (*alla Figliastra*). Cosí alla meglio, adesso, per dare un'idea.

Richiamerà per nome l'Apparatore.

Ehi, dammi ora un po' di cielo!
L'APPARATORE (*dall'alto*). Che cosa?   15
IL CAPOCOMICO. Un po' di cielo! Un fondalino, che cada qua dietro questa vasca!

Si vedrà calare dall'alto del palcoscenico una tela bianca.

IL CAPOCOMICO. Ma non bianco! T'ho detto cielo! Non fa nulla, lascia: rimedierò io.   20

Chiamando:

Ehi, elettricista, spegni tutto e dammi un po' di atmosfera... atmosfera lunare... blu, blu alle bilance,[36] e blu sulla tela, col riflettore... Cosí! Basta!

---

[35] **spezzato d'alberi**   stage set with trees. *In the scene that follows, the spectator is given a glimpse of how scenery and lighting are manipulated back stage.*
[36] **alle bilance**   from the bridge (*the pipe or batten for the spots*).

*Si sarà fatta, a comando, una misteriosa scena lunare, che indurrà gli
Attori a parlare e muoversi come di sera, in un giardino, sotto la luna.*[37]

IL CAPOCOMICO (*alla Figliastra*). Ecco, guardi! E ora il giovinetto,
invece di nascondersi dietro gli usci delle stanze, potrebbe
aggirarsi qua nel giardino, nascondendosi dietro gli alberi. Ma 5
capirà che sarà difficile trovare una bambina che faccia bene la
scena con lei, quando le mostra i fiorellini.

Rivolgendosi al Giovinetto:

Venga, venga avanti lei, piuttosto! Vediamo di concretare un
po'![38]   10

E poiché il ragazzo non si muove:

Avanti, avanti!

*Poi, tirandolo avanti, cercando di fargli tener ritto il capo che ogni
volta ricasca giú:*

Ah, dico, un bel guajo,[39] anche questo ragazzo... Ma com'è?... 15
Dio mio, bisognerebbe pure che qualche cosa dicesse...

*Gli s'appresserà, gli poserà una mano sulla spalla, lo condurrà dietro
allo spezzato d'alberi:*

Venga, venga un po': mi faccia vedere! Si nasconda un po
qua... Cosí... Si provi a[40] sporgere un po' il capo, a spiare... 20

*Si scosterà per vedere l'effetto: e appena il Giovinetto eseguirà l'azione
tra lo sgomento degli Attori che ne restano impressionatissimi:*

Ah, benissimo... benissimo...

[37] **luna**   *Imagine the sudden change in atmosphere.*
[38] **Vediamo di concretare un po'!**   Let's see if we can put it together!
[39] **un bel guajo**   a real drawback.
[40] **Si provi a**   try to.

Rivolgendosi alla Figliastra:

E dico, se la bambina, sorprendendolo cosí a spiare, accorresse a
lui e gli cavasse di bocca[41] almeno qualche parola?
LA FIGLIASTRA (*sorgendo in piedi*). Non speri che parli, finché c'è
quello lí![42]   5

Indicherà il Figlio.

Bisognerebbe che lei mandasse via, prima, quello lí.
IL FIGLIO (*avviandosi risoluto verso una delle due scalette*). Ma prontis-
simo! Felicissimo! Non chiedo di meglio!
IL CAPOCOMICO (*subito trattenendolo*). No! Dove va? Aspetti!   10

*La Madre si alzerà, sgomenta, angosciata dal pensiero che se ne vada
davvero, e istintivamente leverà le braccia quasi per trattenerlo, pur
senza muoversi dal suo posto.*

IL FIGLIO (*arrivando alla ribalta, al Capocomico che lo tratterrà*). Non
ho proprio nulla, io, da far qui! Me ne lasci andare, la prego!   15
Me ne lasci andare!
IL CAPOCOMICO. Come non ha nulla da fare?
LA FIGLIASTRA (*placidamente, con ironia*). Ma non lo trattenga! Non
se ne va!
IL PADRE. Deve rappresentare la terribile scena del giardino con   20
sua madre!
IL FIGLIO (*subito, risoluto, fieramente*). Io non rappresento nulla! E
l'ho dichiarato fin da principio!

Al Capocomico:

Me ne lasci andare!   25
LA FIGLIASTRA (*accorrendo, al Capocomico*). Permette, signore?

---

[41] **gli cavasse di bocca**   managed to get him to say.
[42] **quello lí**   *because he does not "belong" in that setting of the garden. Normally he
would be occupying his own room.*

Gli farà abbassare le braccia, con cui trattiene il Figlio.

Lo lasci!

Poi, rivolgendosi a lui, appena il Capocomico lo avrà lasciato:

Ebbene, vattene!

Il Figlio resterà proteso verso la scaletta, ma, come legato da un potere 5
occulto, non potrà scenderne gli scalini; poi, tra lo stupore e lo sgo-
mento degli Attori, si moverà lentamente lungo la ribalta, diretto
all'altra scaletta del palcoscenico; ma giuntovi, resterà anche lí proteso,
senza poter discendere. La Figliastra, che lo avrà seguito con gli occhi
in atteggiamento di sfida, scoppierà a ridere.   10

– Non può, vede? non può! Deve restar qui, per forza, legato
alla catena, indissolubilmente. Ma se io che prendo il volo, signore, quando accade ciò che deve accadere – proprio per l'odio
che sento per lui, proprio per non vedermelo piú davanti –
ebbene, se io sono ancora qua, e sopporto la sua vista e la sua 15
compagnia – si figuri se può andarsene via lui[43] che deve, deve
restar qua veramente con questo suo bel padre, e quella madre
là, senza piú altri figli che lui...[44]

Rivolgendosi alla Madre:

– E su, su, mamma! Vieni...   20

Rivolgendosi al Capocomico per indicargliela:

– Guardi, s'era alzata, s'era alzata per trattenerlo...

[43] **si figuri se può andarsene via lui** *She means that as long as she has not yet fled*
he is obliged to remain present.
[44] **senza piú altri figli che lui** *The significance of this remark will soon be apparent.*
***La Madre** has already made an allusion to the absence of the other two children (page*
84, footnote 99).

Alla Madre, quasi attirandola per virtú magica:

– Vieni, vieni...

Poi, al Capocomico:

– Immagini che cuore può aver lei di mostrare qua ai suoi attori
quello che prova; ma è tanta la brama d'accostarsi a lui, che –   5
eccola – vede? – è disposta a vivere la sua scena!

*Difatti la Madre si sarà accostata, e appena la Figliastra finirà di
proferire le ultime parole, aprirà le braccia per significare che accon-
sente.*

IL FIGLIO (*subito*). Ah, ma io no! Io no! Se non me ne posso andare,   10
resterò qua; ma le ripeto che io non rappresento nulla![45]
IL PADRE (*al Capocomico, fremendo*). Lei lo può costringere, signore!
IL FIGLIO. Non può costringermi nessuno!
IL PADRE. Ti costringerò io!
LA FIGLIASTRA. Aspettate! Aspettate! Prima, la bambina alla vasca!   15

*Correrà a prendere la Bambina, si piegherà sulle gambe[46] davanti a
lei, le prenderà la faccina tra le mani.*

Povero amorino mio, tu guardi smarrita, con codesti occhioni
belli: chi sa dove ti par d'essere! Siamo su un palcoscenico, cara!
Che cos'è un palcoscenico? Ma, vedi? un luogo dove si giuoca   20
a far sul serio. Ci si fa la commedia. E noi faremo ora la commedia. Sul serio, sai! Anche tu...

---

[45] **Ah, ma io no!... nulla!** *From this point on il Figlio will refuse to participate in
the scene to be performed, the episode that took place in the garden, because, as he has
maintained from the outset, he had nothing to do with it or with the other members of
the family. He insists, moreover, that the stage-set is wrong and does not conform to
the actual setting and that the presence of the Actors disconcerts him.*
[46] **si piegherà sulle gambe** she crouches.

L'abbraccerà, stringendosela sul seno e dondolandosi un po'.

Oh amorino mio, amorino mio, che brutta commedia farai tu!
che cosa orribile è stata pensata per te! Il giardino, la vasca...
Eh, finta, si sa! Il guajo è questo, carina: che è tutto finto, qua!
Ah, ma già forse a te bambina, piace piú una vasca finta che una   5
vera; per poterci giocare, eh? Ma no, sarà per gli altri un gioco;
non per te, purtroppo, che sei vera, amorino, e che giochi per
davvero in una vasca vera, bella, grande, verde, con tanti bambú che vi fanno l'ombra, specchiandovisi, e tante tante anatrelle
che vi nuotano sopra, rompendo quest'ombra. Tu la vuoi   10
acchiappare, una di queste anatrelle...

Con un urlo che riempie tutti di sgomento:

no, Rosetta mia, no![47] La mamma non bada a te, per quella
canaglia di figlio là! Io sono con tutti i miei diavoli in testa...
E quello lí...   15

Lascerà la Bambina e si rivolgerà col solito piglio[48] al Giovinetto:

Che stai a far qui, sempre con codest'aria di mendico? Sarà
anche per causa tua, se quella piccina affoga: per codesto tuo
star cosí, come se io facendovi entrare in casa non avessi pagato
per tutti!   20

*Afferrandogli un braccio per forzarlo a cacciar fuori[49] dalla tasca una
mano:*

Che hai lí? Che nascondi? Fuori, fuori questa mano!

---

[47] **no, Rosetta mia, no!** *She shouts as if to stop Rosetta* (**la Bambina**) *from
reaching for the duckling. It was presumably as a result of this act that the child,
unattended, fell into the fountain and drowned.*
[48] **col solito piglio** with her customary manner toward.
[49] **cacciar fuori** remove, pull forth.

Gli strapperà la mano dalla tasca e, tra l'orrore di tutti, scoprirà ch'essa impugna una rivoltella. Lo mirerà un po' come soddisfatta: poi dirà, cupa:

Ah! Dove, come te la sei procurata?[50]

E, poiché il Giovinetto, sbigottito, sempre con gli occhi sbarrati e vani, non risponderà:

Sciocco, in te, invece d'ammazzarmi, io, avrei ammazzato uno di quei due; o tutti e due: il padre e il figlio!

Lo ricaccerà dietro al cipressetto da cui stava a spiare; poi prenderà la Bambina e la calerà dentro la vasca, mettendovela a giacere in modo che resti nascosta; infine, si accascerà lí, col volto tra le braccia appoggiate all'orlo della vasca.

IL CAPOCOMICO. Benissimo!

Rivolgendosi al Figlio:

E contemporaneamente...

IL FIGLIO *(con sdegno).* Ma che contemporaneamente! Non è vero, signore! Non c'è stata nessuna scena tra me e lei!

Indicherà la Madre.

Se lo faccia dire da lei stessa, come è stato.

Intanto la Seconda Donna e l'Attor Giovane si saranno staccati dal gruppo degli Attori e l'una si sarà messa a osservare con molta attenzione la Madre che le starà di fronte, e l'altro il Figlio, per poterne poi rifare le parti.

---

[50] **come te la sei procurata?**   how did you get it?

LA MADRE. Sí, è vero, signore! Io ero entrata nella sua camera.[51]

IL FIGLIO. Nella mia camera, ha inteso? Non nel giardino!

IL CAPOCOMICO. Ma questo non ha importanza! Bisogna raggrup-
par l'azione, ho detto!

IL FIGLIO (*scorgendo l'Attor Giovane che l'osserva*). Che cosa vuol lei? 5

L'ATTOR GIOVANE. Niente; la osservo.

IL FIGLIO (*voltandosi dall'altra parte, alla Seconda Donna*). Ah – e
qua c'è lei? Per rifar la sua parte?

Indicherà la Madre.

IL CAPOCOMICO. Per l'appunto! Per l'appunto! E dovrebbe esser 10
grato, mi sembra, di questa loro attenzione!

IL FIGLIO. Ah, sí! Grazie! Ma non ha ancora compreso che questa
commedia lei[52] non la può fare? Noi non siamo mica dentro di
lei, e i suoi attori stanno a guardarci da fuori. Le par possibile
che si viva davanti a uno specchio[53] che, per di piú, non con- 15
tento d'agghiacciarci con l'immagine della nostra stessa espressione, ce la ridà come una smorfia irriconoscibile di noi stessi?

IL PADRE. Questo è vero! Questo è vero! Se ne persuada!

IL CAPOCOMICO (*all'Attor Giovane e alla Seconda Donna*). Va bene,
si levino davanti!   20

IL FIGLIO. È inutile! Io non mi presto.

IL CAPOCOMICO. Si stia zitto, adesso, e mi lasci sentir sua madre!

Alla Madre:

Ebbene? Era entrata?

LA MADRE. Sissignore, nella sua camera, non potendone piú. Per 25

---

[51] **camera**   *She confirms the fact that though there was a confrontation in his room (and
not in the garden) no actual exchange of words took place. Il Figlio is seeking every
possible reason to avoid playing out the scene between him and his mother.*

[52] **lei**   you (*il Capocomico*).

[53] **specchio**   *He is referring to the Actors who in their intention to reflect the Characters,
will assume the function of a mirror.*

votarmi[54] il cuore di tutta l'angoscia che m'opprime. Ma appena
lui mi vide entrare –

IL FIGLIO. – nessuna scena! Me ne andai; me n'andai per non fare
una scena. Perché non ho mai fatto scene, io; ha capito?

LA MADRE. È vero! È cosí. È cosí!   5

IL CAPOCOMICO. Ma ora bisogna pur farla questa scena tra lei e
lui! È indispensabile!

LA MADRE. Per me, signore, io sono qua![55] Magari[56] mi desse lei
il modo di potergli parlare un momento, di potergli dire tutto
quello che mi sta nel cuore.   10

IL PADRE (*appressandosi al Figlio, violentissimo*). Tu la farai! per tua
madre! per tua madre!

IL FIGLIO (*piú che mai risoluto*). Non faccio nulla!

IL PADRE (*afferrandolo per il petto, e scrollandolo*). Per Dio, obbedisci!
Obbedisci! Non senti come ti parla? Non hai viscere di figlio?[57]   15

IL FIGLIO (*afferrandolo anche lui*). No! No! e finiscila una buona
volta!

*Concitazione generale. La Madre, spaventata, cercherà di interporsi,
di separarli.*

LA MADRE (*c. s.*). Per carità! Per carità!   20

IL PADRE (*senza lasciarlo*). Devi obbedire! Devi obbedire!

IL FIGLIO (*colluttando con lui e alla fine buttandolo a terra presso la
scaletta, tra l'orrore di tutti*). Ma che cos'è codesta frenesia che
t'ha preso? Non ha ritegno di portare davanti a tutti la sua
vergogna e la nostra! Io non mi presto! non mi presto! E inter-   25
preto cosí la volontà di chi[58] non volle portarci sulla scena!

IL CAPOCOMICO. Ma se ci siete venuti!

IL FIGLIO (*additando il Padre*). Lui, non io!

IL CAPOCOMICO. E non è qua anche lei?

---

[54] **votarmi** = vuotarmi.
[55] **io sono qua!** I am here to do just that!
[56] **Magari** If only.
[57] **viscere di figlio?** filial emotion?
[58] **di chi** the author.

IL FIGLIO. C'è voluto venir lui,[59] trascinandoci tutti e prestandosi
anche a combinare di là[60] insieme con lei non solo quello che è
realmente avvenuto; ma come se non bastasse, anche quello che
non c'è stato!

IL CAPOCOMICO. Ma dica, dica lei almeno che cosa c'è stato! Lo 5
dica a me! Se n'è uscito dalla sua camera, senza dir nulla?

IL FIGLIO (*dopo un momento d'esitazione*). Nulla. Proprio, per non
fare una scena!

IL CAPOCOMICO (*incitandolo*). Ebbene, e poi? che ha fatto?

IL FIGLIO (*tra l'angosciosa attenzione di tutti, movendo alcuni passi sul* 10
palcoscenico). Nulla... Attraversando il giardino...

S'interromperà, fosco, assorto.

IL CAPOCOMICO (*spingendolo sempre piú a dire, impressionato dal*
ritegno di lui). Ebbene? attraversando il giardino?

IL FIGLIO (*esasperato, nascondendo il volto con un braccio*). Ma perché 15
mi vuol far dire, signore? È orribile!

La Madre tremerà tutta, con gemiti soffocati, guardando verso la
vasca.[61]

IL CAPOCOMICO (*piano, notando quello sguardo, si rivolgerà al Figlio*
con crescente apprensione). La bambina? 20

IL FIGLIO (*guardando davanti a sé, nella sala*).[62] Là, nella vasca...

IL PADRE (*a terra,*[63] *indicando pietosamente la Madre*). E lei lo
seguiva, signore!

[59] **C'è voluto venir lui** He's the one who wanted to come. *Note the use of*
essere as the auxiliary verb.
[60] **di là** nei camerini.
[61] **guardando verso la vasca** *Remember that la* **Bambina** *is playing in it.*
[62] **nella sala** of the theater.
[63] **a terra** *Visualize the scene: il* **Padre** *is still on the floor (page 103, line 22);*
la **Figliastra** *is slumped by the fountain, her head in her arms; il* **Figlio** *although*
looking straight ahead into the audience, begins reluctantly to lapse into the enactment
of his role, and probably begins to move slightly from stage left toward the fountain;
la **Madre** *perhaps follows behind with imploring look and arms outstretched;*
il **Capocomico** *is on the edge of the scene, perhaps right of center; the Actors as*
onlookers are placed on both sides of the stage.

IL CAPOCOMICO (*al Figlio, con ansia*). E allora, lei?

IL FIGLIO (*lentamente, sempre guardando davanti a sé*). Accorsi; mi precipitai per ripescarla... Ma a un tratto m'arrestai, perché dietro quegli alberi vidi una cosa che mi gelò: il ragazzo, il ragazzo che se ne stava lí fermo, con occhi da pazzo, a guardare 5 nella vasca la sorellina affogata.

La Figliastra, rimasta curva presso la vasca a nascondere la Bambina, risponderà come un'eco dal fondo, singhiozzando perdutamente.

Pausa.[64]

Feci per accostarmi; e allora...   10

Rintronerà dietro gli alberi, dove il Giovinetto è rimasto nascosto, un colpo di rivoltella.

LA MADRE (*con un grido straziante, accorrendo col Figlio e con tutti gli Attori in mezzo al subbuglio generale*). Figlio! Figlio mio!

E poi, fra la confusione e le grida sconnesse degli altri: 15

Ajuto! Ajuto!

IL CAPOCOMICO (*tra le grida, cercando di farsi largo,*[65] *mentre il Giovinetto sarà sollevato da capo e da piedi e trasportato via, dietro la tenda bianca*). S'è ferito? s'è ferito davvero?

Tutti, tranne il Capocomico e il Padre, rimasto per terra presso la 20 *scaletta, saranno scomparsi dietro il fondalino, abbassato, che fa da cielo, e vi resteranno un po' parlottando angosciosamente. Poi, da una parte e dall'altra di esso, rientreranno in iscena gli Attori.*

LA PRIMA ATTRICE (*rientrando da destra, addolorata*). È morto! Povero ragazzo! È morto! Oh che cosa!   25

---

[64] **pausa** *A gripping pause during which only the sound of sobbing will be heard in the theater. As it subsides imagine the shattering effect of the explosion that follows.*
[65] **farsi largo** shove his way past.

IL PRIMO ATTORE (*rientrando da sinistra, ridendo*). Ma che morto!
Finzione! finzione! Non ci creda!
ALTRI ATTORI DI DESTRA. Finzione? Realtà! realtà! È morto!
ALTRI ATTORI DA SINISTRA. No! Finzione! Finzione!
IL PADRE (*levandosi e gridando tra loro*). Ma che finzione! Realtà, 5
realtà, signori! realtà!

E scomparirà anche lui, disperatamente, dietro il fondalino.

IL CAPOCOMICO (*non potendone piú*). Finzione! realtà! Andate al
diavolo tutti quanti! Luce! Luce! Luce!

D'un tratto, tutto il palcoscenico e tutta la sala del teatro sfolgoreranno 10
di vivissima luce. Il Capocomico rifiaterà come liberato da un incubo, e
tutti si guarderanno negli occhi, sospesi e smarriti.

Ah! Non m'era mai capitata una cosa simile! Mi hanno fatto
perdere una giornata![66]

Guarderà l'orologio.   15

Andate, andate! Che volete piú fare adesso? Troppo tardi per
ripigliare la prova. A questa sera![67]

E appena gli Attori se ne saranno andati, salutandolo:

Ehi, elettricista, spegni tutto!

Non avrà finito di dirlo, che il teatro piomberà per un attimo nella piú 20
fitta oscurità.[68]

Eh, perdio! Lasciami almeno accesa una lampadina, per vedere
dove metto i piedi!

---

[66] **giornata**   a day's work.
[67] **A questa sera!**   Until this evening!
[68] **oscurità**   *The stage hands follow directions literally. Pirandello is theatrical to the*
very end.

Subito, dietro il fondalino, come per uno sbaglio d'attacco,[69] *s'accenderà un riflettore verde, che proietterà, grandi e spiccate, le ombre dei Personaggi, meno il Giovinetto e la Bambina.*[70] *Il Capocomico, vedendole, schizzerà via dal palcoscenico, atterrito. Contemporaneamente, si spegnerà il riflettore dietro il fondalino, e si rifarà sul palco-* 5 *scenico il notturno azzurro di prima. Lentamente, dal lato destro della tela verrà prima avanti il Figlio, seguito dalla Madre con le braccia protese verso di lui; poi dal lato sinistro il Padre. Si fermeranno a metà del palcoscenico, rimanendo lì come forme trasognate. Verrà fuori, ultima, da sinistra, la Figliastra che correrà verso una* 10 *delle scalette; sul primo scalino si fermerà un momento a guardare gli altri tre e scoppierà in una stridula risata, precipitandosi poi giù per la scaletta; correrà attraverso il corridoio tra le poltrone; si fermerà ancora una volta e di nuovo riderà, guardando i tre rimasti lassú; scomparirà dalla sala,*[71] *e ancora, dal ridotto, se ne udrà la risata.* 15 *Poco dopo calerà la tela.*

———

[69] **sbaglio d'attacco**   a wrong switch.
[70] **meno... la Bambina**   *We can now understand the previous allusions concerning their fate* (*page 84, footnote 99, and page 98, footnote 44*).
[71] **scomparirà dalla sala**   *We now fully realize the significance of the Mother's remark "Se n'è fuggita" (page 84, footnote 99) and the Stepdaughter's "prenderò il volo" (page 32, footnote 94).*

Alberto Moravia

AND *Agostino*

A LBERTO MORAVIA is basically a moralist in the European
sense of the word, that is, he is an observer of human behavior like La Rochefoucauld, Leopardi, and Mauriac, and
like them, too, he is basically pessimistic about man. Indeed, one
of the dominant themes of his fiction is the moral decadence of
the social milieu from which he himself has sprung, the middle
class. He depicts it as corrupt and sordid, totally lacking in moral
fiber and religious values, concerned only with materialistic and
sensual gratifications. The picture that emerges is that of a depressing wasteland. Especially indicted is the futile way of life of the
members of this class. Many of Moravia's memorable characters,
particularly his male characters, are depicted as aimless, alienated
human beings who have lost or seem never to have possessed a
sense of identity. Devoid of conscience, they listlessly grope for
meaning in their lives and a sensation of existence which constantly
elude them. The atmosphere pervading their world is one of
apathy and indifference or, to use one of Moravia's favorite words,
noia, the title of the novel which won for him the coveted Viareg-
gio Prize of 1961. They are for the most part barren creatures
unable to achieve the normal and wholesome fulfillments of other
human beings. They suffer from inertia and frustration and are
essentially failures in their respective endeavors. Such is the condition, for example, of the protagonist Dino in *La noia* (1960), of
Michele in *Gli indifferenti* (1929), of Mino in *La romana* (1941),
Silvio in *Amore coniugale* (1949), and Marcello in *Il conformista*
(1951). To the extent that it is possible with an adolescent whose

character is as yet unshaped, it is also the condition of Agostino, the principal character of *Agostino*. In fact, Agostino may be said to possess in larval form all the characteristics demonstrated by the adult protagonists above. He is essentially a Moravian antihero in germ.

The stunted nature of these individuals is often reflected in their family makeup, which is usually defective in some way: the marriage is childless (*Amore coniugale*, *Il conformista*, and *Il disprezzo*) or the father dead, in which case the family attachment usually consists of the mother and a single offspring (*La romana*, *La ciociara*, *La noia*, and *Agostino*). In the latter two novels the relationship between mother and son is tenuous and estranged, with the mother seeking her fulfillments to the exclusion of her son, while the son, who in both cases is the protagonist, is left to pursue his hollow fate.

Moravia equates the wealth and indolence of the middle class with detachment and sterility. Besides being incapable of entering into a meaningful and satisfying rapport with their surrounding world, these bourgeois figures seem destined to remain nonparticipants, mere spectators incapable of consummating acts that require simple, instinctive responses. They are often cast in the role of concealed observers (Silvio in *Amore coniugale*, Marcello in *Il conformista*), spying on the actions of others, like Peeping Toms stealing vicarious sensations which they can never hope to experience in reality. They are, in short, sensitive, effete, introverted spirits— observers, not agents. Even Agostino at his tender age strikes us by his ineptitude for the harsh, practical realities of life and by his engrossment of mind.

As a result of the somewhat abstract and intellectualistic bent of his characters, Moravia's fiction is relatively unspectacular in events. His stories unfold in a sustained, measured prose characterized by a tendency to indulge in pictorially descriptive details, as well as by a preponderant use of cogitative verbs: *si domandava perché, osservava che, si accorgeva che, non metteva in dubbio, non poteva fare a meno di pensare, ricordava che*, etcetera.

Moravia is a master of analytical writing. He is capable of keen psychological penetration and skillfully probes complicated states of mind and ambivalent feelings. Desire and frustration, attraction and repugnance—each mental attitude is relentlessly explored, each recess of the heart is methodically laid bare. Yet, despite this careful description of the introspective meanderings of the mind and of psychological complexity, the storyline and narrative thrust remain firm and sure. Moravia is above all a storyteller with an innate sense of structure and pace.

Present in *Agostino* are other elements characteristic of Moravia's fiction. In other novels, the type of effete protagonist described above is often confronted by a secondary male character, his antithesis—a decisive, brutish type, all raw instinct and spontaneity, who serves to underline the protagonist's ineptitude and impotence. Thus we have (spanning the various stages of Moravia's production): Michele of *Gli indifferenti* confronted by the crude and lecherous Leo; Mino of *La romana* confronted by Sonzogno, a vulgar ex-boxer and criminal; Dino of *La noia* confronted by the bestial Balestrieri; and Silvio of *Amore coniugale* confronted by Antonio, the satyr-like village barber. Serving a similar function in *Agostino* is the gang of roughnecks as a whole, and specifically the figure of Tortima who incarnates the quality of sound virility denied Agostino. Like most of his adult antecedents and kindred spirits, Tortima is a representative of the lower working classes. Thus is illustrated Moravia's theme of the moral degeneracy of the middle class. In such a dualistic arrangement the secondary character of vulgar origin stands for action and productivity, hence success, the protagonist, for apathy and sterility, hence failure.

It is not the intent here to reduce Moravia's narrative to a formula, but rather to show that *Agostino*, which is a novel of adolescence and seems therefore on the surface to be a departure from the bulk of his work, is in reality identifiable as essentially Moravian in its thematic concerns. Even the themes of sex and money, so prominent in the rest of his writing, are to be found in our text. Moravia has often been the target of criticism because of the

conspicuous presence of the subject of sex in his writing. Nevertheless, if apparent immorality insinuates itself into his work, it ought
to be considered, as one Italian critic has, "a moral immorality."
Sexual encounters in his novels are negative and joyless, their
description often repellently clinical. Whether they represent
shabby attempts to cheat boredom or desperate efforts to enter
into possession of reality, such recourse is shown to be futile when
love is absent or when one human being uses another as a means
and not as an end. In *Agostino*, although actual erotic description
is not indulged in, the whole world of sex—an obscure, yet to be
discovered world from the vantage point of the adolescent—
serves as a dominant background.

   Moravia is also intrigued by the subject of money and the instinct for its acquisition, a subject which must be understood in
terms of his image of the middle class, according to which idleness
equals decadence and the acquisition of money equals resourceful-
ness and a secure rapport with reality. The episode of Agostino's
pretense at being the hardworking son of a *bagnino* (pages 180–183)
should be viewed in this light. Moravia also frequently alludes to
a mysterious connection between money and sex. In *La romana*
the heroine Adriana has interesting reflections on this subject. In
Il disprezzo Emilia's love for her husband is in a direct ratio with
his self-sufficiency as a provider. In *La noia* the connection is
broadly hinted at in a bizzarely amusing scene in which Dino
blankets Cecilia with banknotes just as the mythical Danae is
showered with gold. In *Agostino* the question is put forthrightly:
"Che rapporto c'era tra il denaro, che serve di solito ad acquistare
oggetti ben definiti e di qualità riscontrabile, e le carezze, la nudità,
la carne femminile ? . . . L'idea del denaro che avrebbe dato in cambio di quella vergognosa e proibita dolcezza, gli pareva strana e
crudele . . ." (p. 188).

   In the final episode of the novel, Agostino is almost initiated
into these mysteries of money and sex. But they are glimpsed
only darkly. He does not comprehend all the dimensions of their
meaning. He will no doubt one day cross the threshold of

adulthood and have the experience that will "conclude one period of his life and open another."

• • •

As a novel of adolescence *Agostino* ranks among the best works of the genre. It traces with rare psychological intuition the development of the most anxious and awkward periods of a young person's life. The uncertainties and frustrations provoked by the arousal of the senses and the revelations of sexual realities are vividly and imaginatively recorded. Especially effective is the representation of Agostino's painful emancipation from parental ties and his efforts to wean himself from a maternal veneration or quasi-incestuous attachment, and replace it with other modes of feeling. Few novels have focused so effectively on the tormented ambivalent attitudes of this "sgraziata età di transizione" (page 202).

Masterfully depicted too is Agostino's incipient awareness of the discrepancy between appearance and reality, and the duplicity and deception of the conventional world of adults.

An adolescent's discovery of the "phoniness" of the adult world is always a shattering and chastening experience. Each of us makes it sooner or later; each of us responds to it in his own way. The response of an American adolescent has been forcefully captured in Salinger's *Catcher in the Rye* in the figure of Holden Caulfield. His response essentially is one of protest and rebellion, and results in nervous collapse. That of Agostino is ultimately one of compromise and adjustment—adjustment to the role which the conventional world compels him to assume. Though reluctantly, he does resign himself to the realization that ". . . bisognava continuare a vivere nel solito modo" (p. 202).

Agostino already gives signs of being congenitally like other Moravian protagonists. One suspects that the frustrations of the thirteenth summer of his life will not be the last and that he is well on his way to becoming another of those fiberless, middle-class "uomini falliti" of Moravian stamp.

• • •

Alberto Moravia, whose real name is Alberto Pincherle, was born in 1907 in Rome where he lives and where he may often be seen strolling through the streets of the center or sitting at Caffé Rosati in Piazza del Popolo. Among his close friends are prominent film directors, actors and actresses, painters, and writers. He participates actively in the intellectual life of his country as coeditor of the important cultural journal *Nuovi Argomenti*, as the film critic for the weekly review *L'Espresso*, and as a spokesman on literary and social issues.

Moravia's debut as a novelist was most auspicious with the publication in 1929 of his brilliant *Gli indifferenti*, actually written two years earlier when he was barely twenty years old. Since that time he has produced a steady stream of novels, short stories, essays, journalistic pieces, and plays. His novels number thirteen in all and include works which have been translated into all major languages, especially *La romana* (*The Woman of Rome*) and *La ciociara* (*Two Women*) both of which have been made into successful films, *Gli indifferenti* (*The Age of Indifference*), *La noia* (*The Empty Canvas*), and *Agostino*. Like Pirandello, Moravia has also written a prodigious number of short stories, which are considered among his best writing and among the best short stories of contemporary literature. These too have been abundantly translated. Attesting to the esteem in which he is held by his countrymen is the publication of his complete works in a de luxe edition by the Bompiani publishing firm, an honor usually reserved for the classics.

AGOSTINO

ROMANZO DI
Alberto Moravia

NEI PRIMI GIORNI D'ESTATE, Agostino e sua madre uscivano tutte le mattine sul mare in patino. Le prime volte la madre aveva fatto venire anche un marinaio, ma Agostino aveva mostrato per così chiari segni che la presenza dell'uomo l'annoiava, che da allora i remi furono affidati a lui. Egli remava con un piacere profondo su 5 quel mare calmo e diafano del primo mattino e la madre seduta di fronte a lui, gli discorreva pianamente, lieta e serena come il mare e il cielo, proprio come se lui fosse stato un uomo e non un ragazzo di tredici anni. La madre di Agostino era una grande e bella donna ancora nel fiore degli anni; e Agostino provava un sentimento di 10 fierezza ogni volta che si imbarcava con lei per una di quelle gite mattutine. Gli pareva che tutti i bagnanti della spiaggia li osservassero ammirando sua madre e invidiando lui; convinto di avere addosso tutti gli sguardi, gli sembrava di parlare con una voce più forte del solito, di gestire in una maniera particolare, di essere 15 avvolto da un'aria teatrale ed esemplare come se invece che sopra una spiaggia, si fosse trovato con la madre sopra una ribalta, sotto gli occhi attenti di centinaia di spettatori. Talvolta la madre si presentava in un costume nuovo; e lui non poteva fare a meno di[1] notarlo ad alta voce, con desiderio segreto che altri lo udisse; 20 oppure lo mandava a prendere qualche oggetto nella cabina restando ritta in piedi sulla riva presso il patino. Egli obbediva con una gioia segreta, contento di prolungare sia pure di[2] pochi momenti lo spettacolo della loro partenza. Finalmente salivano

[1] **non poteva fare a meno di**   he could not help.
[2] **sia pure di**   even for just.

sul patino, Agostino si impadroniva dei remi e lo spingeva al largo.[3] Ma ancora a lungo restavano nel suo animo il turbamento e l'infatuazione di questa sua filiale vanità.

Come si trovavano a gran distanza dalla riva, la madre diceva al figlio di fermarsi, si metteva in capo la cuffia di gomma,[4] si toglieva i sandali e scivolava in acqua. Agostino la seguiva. Ambedue nuotavano intorno al patino abbandonato coi remi penzolanti, parlando lietamente con voci che suonavano alte nel silenzio del mare piatto e pieno di luce. Talvolta la madre indicava un pezzo di sughero galleggiante a qualche distanza e sfidava il figlio a raggiungerlo a nuoto. Ella concedeva al figlio un metro di vantaggio; poi, a grandi bracciate, si slanciavano verso il sughero. Oppure gareggiavano a tuffarsi dal sedile del patino. L'acqua liscia e pallida si squarciava sotto i loro tuffi. Agostino vedeva il corpo della madre inabissarsi circonfuso di un verde ribollimento e subito le si slanciava dietro,[5] con desiderio di seguirla ovunque, anche in fondo al mare. Si gettava nella scia materna[6] e gli pareva che anche l'acqua così fredda e unita[7] serbasse la traccia del passaggio di quel corpo amato. Finito il bagno, risalivano sul patino e la madre guardando intorno al mare calmo e luminoso diceva: «Come è bello, nevvero?». Agostino non rispondeva perchè sentiva che il godimento di quella bellezza del mare e del cielo, egli lo doveva soprattutto all'intimità profonda in cui erano immersi i suoi rapporti con sua madre. Non ci fosse stata questa intimità, gli accadeva talvolta di pensare, che sarebbe rimasto di questa bellezza? Restavano ancora a lungo ad asciugarsi, nel sole che, avvicinandosi il mezzodì, si faceva più ardente; poi la madre si distendeva sulla traversa che univa le due navicelle del patino e supina, i capelli nell'acqua, il viso rivolto al cielo, gli occhi chiusi, pareva assopirsi; mentre Agostino, seduto sul banco, si guardava

[3] **al largo**   away from shore.
[4] **cuffia di gomma**   rubber bathing cap.
[5] **le si slanciava dietro**   he would fling himself after her.
[6] **nella scia materna**   in his mother's wake.
[7] **unita**   dense, compact.

intorno, guardava la madre e non fiatava per timore di turbare quel sonno. Ad un tratto la madre apriva gli occhi e diceva che era un piacere nuovo stare distesa sul dorso con gli occhi chiusi, sentendo l'acqua trascorrere e ondeggiare sotto la schiena; oppure domandava ad Agostino che le porgesse il portasigarette; o 5 meglio che accendesse lui stesso la sigaretta e gliela desse; tutte cose che Agostino eseguiva con compunta[8] e trepida attenzione. Quindi la madre fumava in silenzio e Agostino se ne stava[9] chino, voltandole le spalle ma con la testa girata di fianco,[10] in modo da poter vedere le nuvolette di fumo azzurro che indicavano il luogo 10 dove la testa della madre riposava, i capelli sparsi nell'acqua. Ancora, la madre che non sembrava mai saziarsi del sole, pregava Agostino di remare e di non voltarsi: intanto lei si sarebbe tolto il reggipetto e abbassato il costume sul ventre in modo da esporre tutto il corpo alla luce solare. Agostino remava e si sentiva fiero di 15 questa incombenza come di un rito a cui gli fosse concesso di partecipare. E non soltanto non gli veniva in mente di voltarsi, ma sentiva quel corpo, là dietro di lui, nudo al sole, come avvolto in un mistero cui[11] doveva la massima venerazione.

Una mattina la madre si trovava sotto l'ombrellone, e Agostino 20 seduto sulla rena accanto a lei, aspettava che venisse la solita ora della gita in mare. Tutto ad un tratto l'ombra di una persona ritta parò il sole davanti a lui: levati gli occhi, vide un giovane bruno e adusto che tendeva la mano alla madre. Non ci fece caso[12] pensando ad una delle solite visite casuali; e, tiratosi un po' da parte, 25 aspettò che la conversazione fosse finita. Ma il giovane non sedette come gli era proposto, e indicando sulla riva il patino bianco con il quale era venuto, invitò la madre per una passeggiata in mare. Agostino era sicuro che la madre avrebbe rifiutato questo come tanti altri simili inviti precedenti; grande perciò fu la sua sorpresa 30

---

[8] **compunta**   apprehensive.
[9] **se ne stava**   remained.
[10] **di fianco**   sideways.
[11] **cui**   *when a preposition is omitted before **cui** it is usually understood to be **a**.*
[12] **non ci fece caso**   he did not pay attention to it.

vedendola subito accettare, cominciare senz'altro[13] a radunare la
roba, i sandali, la cuffia, la borsa, e poi levarsi in piedi. La madre
aveva accolto la proposta del giovane con una semplicità affabile
e spontanea in tutto simile a quella che metteva nei rapporti con
il figlio; con la stessa semplicità e spontaneità, volgendosi ad   5
Agostino che era rimasto seduto e badava, a testa china, a far
scorrere la rena nel pugno chiuso, ella gli disse che facesse pure il
bagno da solo, lei andava per un breve giro e sarebbe tornata tra
non molto.[14] Il giovane intanto, come sicuro del fatto suo,[15] già
si avviava verso il patino; e la donna docilmente si incamminò   10
dietro di lui con la solita lentezza maestosa e serena. Il figlio,
guardandoli, non potè fare a meno di dirsi che quella fierezza,
quella vanità, quell'emozione che provava durante le loro partenze
per il mare, adesso dovevano essere nell'animo di quel giovane.
Vide la madre salire sul patino e il giovane, tirando indietro il   15
corpo e puntando i piedi contro il fondo, con poche remate
vigorose portare l'imbarcazione fuori dell'acqua bassa della riva.
Il giovane remava, la madre di fronte a lui si teneva con le due
mani al sedile e pareva chiacchierare. Poi il patino gradualmente
rimpicciolì, entrò nella luce abbagliante che il sole spandeva sulla   20
superficie del mare e in essa lentamente si dissolse.[16]

Rimasto solo, Agostino si distese nella sedia a sdraio[17] di sua
madre e un braccio sotto la nuca, gli occhi rivolti al cielo, assunse
un atteggiamento riflessivo e indifferente. Gli pareva che, come
tutti i bagnanti della spiaggia dovevano aver notato nei giorni   25
passati le sue partenze con sua madre, così, allo stesso modo, non
potesse esser loro sfuggito[18] che quel giorno la madre l'aveva
lasciato a terra per andarsene con il giovane del patino. Per questo
egli non doveva assolutamente mostrare i sentimenti di disappunto

[13] **senz'altro**   without hesitation.
[14] **tra non molto**   in a little while.
[15] **sicuro del fatto suo**   sure of himself.
[16] **si dissolse**   *from* ***dissolversi***.
[17] **sedia a sdraio**   beach chair.
[18] **non potesse esser loro sfuggito**   it could not have escaped them.

e di delusione che l'amareggiavano. Ma per quanto cercasse[19] di
darsi un'aria di compostezza e di serenità, gli sembrava egualmente
che tutti dovessero leggergli in viso l'inconsistenza e lo sforzo di
questo atteggiamento. Ciò che lo offendeva di più non era tanto
il fatto che la madre gli avesse preferito il giovane, quanto la feli- 5
cità gioiosa, sollecita, come premeditata con la quale aveva accettato l'invito. Era come se ella avesse deciso dentro di sè di non
lasciarsi sfuggire l'occasione; e, appena si presentasse, di coglierla
senza esitare. Era come se ella durante tutti quei giorni in cui era
uscita in mare con lui, si fosse sempre annoiata; e non ci fosse 10
venuta che in mancanza di compagnia migliore. Un ricordo
confermava questo suo malumore. Era accaduto ad un ballo in
una casa amica a cui si era recato insieme con sua madre. Con loro
si trovava una sua cugina che durante i primi giri, disperata di
vedersi negletta dai ballerini, aveva accettato un paio di volte di 15
andare con lui, ragazzo dai pantaloni corti. Ma aveva ballato
di malagrazia, con un viso lungo e pieno di scontento; e Agostino,
sebbene assorto a sorvegliare i propri passi, si era presto accorto di
questo sdegnoso e per lui poco lusinghiero stato d'animo. Tuttavia
l'aveva invitata una terza volta; e si era molto stupito di vederla 20
ad un tratto sorridere e alzarsi sollecitamente dandosi con le due
mani un colpo alla gonna spiegazzata. Soltanto, invece di corrergli
tra le braccia,[20] la cugina lo evitava e andava incontro ad un giovane che al disopra[21] della spalla di Agostino le aveva rivolto un
cenno d'invito. Tutta questa scena non era durata più di cinque 25
secondi e nessuno se n'era accorto fuorchè Agostino stesso. Ma
egli era rimasto oltremodo umiliato; e aveva avuto l'impressione
che tutti avessero notato il suo smacco.

Adesso, dopo la partenza di sua madre con il giovane del patino,
paragonava i due fatti e li trovava identici. Come la cugina, sua 30
madre non aveva aspettato che l'occasione propizia per abban-
donarlo. Come la cugina, con la stessa facilità premurosa, aveva

---

[19] **per quanto cercasse**   no matter how much he tried.
[20] **corrergli tra le braccia**   rush into his arms.
[21] **al disopra**   above.

accettato la prima compagnia che le fosse capitata.[22] E a lui, in
ambedue i casi, era accaduto di ruzzolare giù da un'illusione come
da una montagna, restando tutto ammaccato e dolente.

La madre quel giorno rimase in mare un paio d'ore; dall'om-
brellone egli la vide scendere sulla riva, porgere la mano al giovane 5
e senza fretta, la testa china sotto il sole di mezzogiorno, avviarsi
verso la cabina. La spiaggia ormai era deserta; e questo era una
consolazione per Agostino, sempre convinto che la gente avesse
gli occhi fissi sopra di loro. «Che cosa hai fatto?» gli chiese la
madre con tono indifferente. «Mi sono molto divertito» incomin- 10
ciò Agostino; e inventò che era stato in mare anche lui con i
ragazzi della cabina attigua alla loro. Ma già la madre non l'ascol-
tava più, correva verso la cabina per rivestirsi. Agostino decise che
il giorno dopo, appena avesse visto spuntare sul mare il patino
bianco del giovane si sarebbe allontanato con qualche pretesto; in 15
modo da non soffrire per la seconda volta l'affronto di essere
lasciato a terra. Ma il giorno dopo, appena fece il gesto di allontanarsi, si sentì richiamare da sua madre. «Vieni» ella diceva
alzandosi e radunando la roba «si va in mare». Agostino pensando
che la madre avesse in mente di congedare il giovane e restare sola 20
con lui, la seguì. Il giovane li aspettava ritto sul patino; la madre
lo salutò e disse semplicemente: «Porto anche mio figlio». Così
Agostino assai scontento si ritrovò seduto accanto alla madre, di
fronte al giovane che remava.

Agostino aveva sempre visto sua madre ad un modo, ossia 25
dignitosa, serena, discreta. Fu assai stupito osservando, durante la
gita, il cambiamento intervenuto non soltanto nei suoi modi e nei
suoi discorsi, ma anche, si sarebbe detto, nella sua persona; quasi
che, addirittura, ella non fosse più stata la donna di un tempo.
Erano appena usciti in mare che la madre, con una frase pungente 30
e allusiva, per Agostino affatto oscura, aveva iniziato una curiosa
e serrata conversazione. Si trattava, a quel che poté capire[23]

---

[22] **che le fosse capitata**   that happened to turn up.
[23] **a quel che poté capire**   from what he could understand.

apparenza vs. realtà
discopre la falsità degli adulti

Agostino, di un'amica del giovane la quale aveva un altro corteggiatore piú fortunato e accetto del giovane stesso; ma questo non
fu che il pretesto; poi il discorso continuò insinuante, insistente,
dispettoso, malizioso. Dei due la madre pareva la piú aggressiva e
al tempo stesso la piú disarmata; mentre il giovane badava a[24] 5
risponderle con una calma quasi ironica, come sicuro del fatto suo.
La madre pareva a momenti scontenta e addirittura[25] adirata con
il giovane; di che Agostino si rallegrava; ma subito dopo, con sua
delusione, una frase lusinghiera di lei, distruggeva questa prima
impressione. Oppure la madre muoveva al giovane, con un tono 10
risentito, una filza[26] di oscuri rimproveri. Ma invece di vedere il
giovane offendersi, Agostino sorprendeva sul suo viso un'espressione di fatua vanità; e concludeva che quei rimproveri non erano
tali che in apparenza; e nascondevano un senso affettuoso che lui
non era in grado[27] di afferrare. Di lui, poi, tanto la madre quanto 15
il giovane, parevano persino ignorare l'esistenza; come se non ci
fosse stato; e la madre spinse questa ostentata ignoranza fino al
punto da ricordare al giovane che se il giorno avanti era andata
sola con lui, questo era stato da parte sua un errore che non si
sarebbe piú ripetuto. D'ora in poi, sempre, il figlio sarebbe stato 20
presente. Discorso questo che Agostino ritenne offensivo, quasi
che lui non fosse stato una persona dotata di volontà indipendente,
bensí un oggetto di cui si poteva disporre secondo le piú capric-
ciose convenienze.

Una sola volta parve che la madre si accorgesse della sua pre- 25
senza; e fu quando il giovane, lasciati ad un tratto i remi, si chinò
in avanti con un viso intensamente malizioso e le disse sottovoce
una breve frase che Agostino non riuscí a capire. Questa frase
ebbe il potere di far sobbalzare la madre di esagerato scandalo e di
finto orrore. «Abbiate almeno riguardo a[28] questo innocente» 30

---

[24] **badava a**   took care to.
[25] **addirittura**   downright, positively.
[26] **muoveva... una filza**   directed . . . a string.
[27] **non era in grado**   was incapable.
[28] **abbiate almeno riguardo a**   at least have consideration for.

ella rispose indicando Agostino seduto al suo fianco. Agostino, al
sentirsi chiamare innocente, fremette tutto di ripugnanza; come a
vedersi gettare addosso un cencio sporco e non potere liberarsene.
Come si furono alquanto allontanati dalla riva, il giovane propose alla madre di fare il bagno. Allora Agostino che aveva tante   5
volte ammirato la discrezione e la semplicità con cui ella si
lasciava scivolare nell'acqua non poté fare a meno di essere
dolorosamente stupito dai gesti nuovi che adesso ella metteva in
quell'atto antico. Il giovane si era gettato in mare ed era già
rispuntato a galla[29] che[30] la madre stava ancora esistante ad   10
assaggiare l'acqua con il piede, fingendo non si capiva se spavento
o ritrosia. Si schermiva, protestava ridendo e afferrandosi con le
mani al sedile, finalmente si sporse con tutto un fianco e una
gamba, in un atteggiamento quasi indecente e si lasciò cadere
malamente tra le braccia del compagno. I due andarono sotto   15
insieme e insieme tornarono a galla. Agostino rannicchiato sul
sedile vide il volto ridente della madre accanto a quello bruno e
serio del giovane; e gli parve che le guancie si toccassero. Nell'acqua limpida si potevano vedere i due corpi dimenarsi l'uno
accanto all'altro, come desiderosi di intrecciarsi, urtandosi con le 20
gambe e con i fianchi. Agostino li guardava, guardava la spiaggia
lontana e si sentiva superfluo e vergognoso. Alla vista del suo viso
accigliato, la madre ebbe dall'acqua, dove si dimenava, per la
seconda volta nella mattina, una frase che umiliò e riempí di
vergogna Agostino. «Perché stai cosí serio?... non vedi come è   25
bello qui?... Dio mio che figlio serio che ho». Agostino non rispose e si limitò a girare altrove gli occhi. Il bagno durò a lungo, la
madre e il compagno giocavano nell'acqua come due delfini e
parevano essersi del tutto dimenticati di lui. Finalmente risalirono.
Il giovane rimontò di un balzo[31] sul patino e poi si chinò a tirar 30
su la madre che dall'acqua invocava il suo aiuto. Agostino guardava, vide le mani del giovane che per sollevare la donna,

---

[29] **a galla**   at the surface.
[30] **che**   while.
[31] **di un balzo**   in a bound.

affondavano le dita nella carne bruna, là dove il braccio è più
dolce e più largo, tra l'omero e l'ascella. Poi ella sedette sospirando
e ridendo accanto ad Agostino; e con le unghie aguzze si staccò
dal petto il costume fradicio in modo che non vi aderissero le
punte dei capezzoli e la rotondità dei seni. Ma Agostino ricordava 5
che quando erano soli, la madre, forte come era, non aveva
bisogno di alcun aiuto per issarsi sul patino; e attribuí quella
richiesta di aiuto e quei dimenamenti del corpo che pareva compiacersi in femminili goffaggini, al nuovo spirito che aveva già
operato [32] in lei tanti e cosí sgradevoli cambiamenti. In verità, non 10
poté fare a meno di pensare, pareva che la madre, donna grande e
piena di dignità, risentisse quella grandezza come un impaccio di
cui si sarebbe disfatta volentieri; e quella dignità come un'abitu-
dine noiosa a cui, ormai, le convenisse sostituire non si capiva che
maldestra monelleria. [33]   15
    Risaliti i due sul patino, si iniziò il ritorno. Questa volta i remi
furono affidati ad Agostino e i due sedettero sopra la traversa che
congiungeva le due navicelle. Egli prese a remare piano, nel sole
che bruciava, domandandosi spesso che senso avessero le voci, le
risa e i movimenti che gli giungevano da dietro le spalle. Ogni 20
tanto la madre, come ricordandosi della sua presenza, tendeva un
braccio e gli faceva all'indietro [34] una maldestra carezza sulla nuca;
oppure lo solleticava sotto l'ascella, domandandogli se fosse
stanco. «No, non sono stanco» rispondeva Agostino. Udiva il
giovane dire ridendo «gli fa bene remare» e dava con rabbia un 25
colpo piú forte con i remi. La madre si appoggiava con la testa al
sedile su cui stava Agostino e teneva le gambe lunghe distese,
questo egli lo sapeva; ma non sempre gli sembrava che questo
atteggiamento fosse mantenuto. Ad un certo punto, anzi, ci fu un
tramestio e come una breve lotta, la madre parve quasi soffocare, 30
si levò balbettando qualcosa, il patino pencolò da un lato e

---

[32] **operato**   brought about.
[33] **a cui... non si capiva... monelleria**   which she felt should be replaced by a
     kind of awkward childish behavior.
[34] **all'indietro**   from behind.

Agostino ebbe per un momento contro la guancia il ventre della
madre che gli parve vasto quanto il cielo e curiosamente pulsante
come per una vita che non le appartenesse o comunque sfuggisse
al suo controllo.[35] «Torno a sedere» ella disse stando in piedi, a
gambe larghe,[36] le mani aggrappate alla spalla del figlio «se mi 5
promettete di esser buono». «Lo prometto» giunse con falsa e
giocosa solennità la risposta del giovane. Goffamente ella si lasciò
di nuovo scivolare sulla traversa delle navicelle, e in quest'atto
sfregò il ventre contro la guancia del figlio. Rimase ad Agostino,
sulla pelle, quell'umidore del ventre chiuso nel costume fradicio, 10
umidore quasi annullato e reso fumante da un calore piú forte; e
pur provandone[37] un vivo senso di torbida ripugnanza, per
un'ostinazione dolorosa non volle asciugarsi.

Appena si furono alquanto avvicinati alla riva, il giovane balzò
agilmente sul sedile e afferrando i remi ne scacciò Agostino che fu 15
costretto a prendere il suo posto presso la madre. Ella gli cinse
subito la cintola con un braccio, gesto insolito e, in quel momento,
ingiustificato, chiedendogli: «come va? sei contento?», con un
tono che non pareva aspettare alcuna risposta. Sembrava oltremodo lieta; e ad un tratto si mise a cantare, altro fatto insolito, 20
con una voce melodiosa e certi patetici gorgheggi che facevano
rabbrividire Agostino. Pur cantando non cessava di stringerlo al
suo fianco infradiciandolo coll'acqua di cui era imbevuto il suo
costume e che pareva riscaldata e resa simile ad una specie di
sudore da quel suo acre, violento calore animale. Cosí, la donna 25
cantando, il figlio lasciandosi stringere con animo pieno di fastidio
e il giovane remando, in un quadro che Agostino sentiva falso e
accomodato, ritornarono a riva.

Il giorno dopo il giovane si ripresentò, la madre fece venire
anche Agostino e si ripeterono a un dipresso[38] le medesime scene 30

---

[35] **come per... controllo**   as though it stemmed from a life that did not belong
  to her or at any rate over which she had no control.
[36] **a gambe larghe**   her legs far apart.
[37] **e pur provandone**   and though experiencing from it.
[38] **a un dispresso**   more or less.

del giorno prima. Poi, dopo un'interruzione di un paio di giorni
ci fu una nuova gita. Finalmente, crescendo, come pareva, l'intimità tra la madre e il giovane, costui venne tutte le mattine a
prenderla; e tutte le mattine toccò ad Agostino di accompagnarli
e assistere alle loro conversazioni e ai loro bagni. Egli provava   5
una viva ripugnanza per queste passeggiate; e, alla fine, incominciò a ricorrere a mille pretesti per sottrarvisi.[39] Ora scompariva e
non si faceva più vedere se non quando la madre, dopo averlo
chiamato e cercato a lungo, lo costringeva a mostrarsi non tanto
con i suoi richiami, quanto con la pietà dolorosa che destavano in   10
lui la sua noia e il suo disappunto; ora si immusoniva sul patino
sperando che i due comprendessero e si decidessero a lasciarlo
stare. Ma alla fine egli era sempre più debole e pietoso di sua madre
e del giovane. Ai quali invece bastava che lui venisse;[40] poi dei
suoi sentimenti, come potè ben presto capire, non si curavano più   15
che tanto.[41] Così, nonostante ogni suo sforzo, le gite continua-
vano.

Un giorno Agostino stava seduto nella rena dietro la sedia a
sdraio della madre, aspettando di veder il patino bianco spuntare
sul mare e la madre agitare un braccio in segno di saluto chia-   20
mando per nome il giovane. Ma l'ora in cui di solito il giovane
appariva era passata; e la madre lasciava capire chiaramente, con
l'espressione delusa e annoiata, che non sperava più che venisse.
Agostino si era spesso domandato quel che avrebbe provato in tal
caso; e aveva sempre pensato che la sua gioia sarebbe stata almeno   25

---

[39] **sottrarvisi**   avoid them. (*Lit.*, *Take himself away from them.* **vi** = **a** *plus the
antecedent;* **a** *is used with verbs of privation.*)
[40] **Ai quali... venisse**   *A construction of this kind, ungrammatical in English, is
acceptable in Italian.*
[41] **più che tanto**   scarcely at all.

tanto grande quanto l'amarezza materna. Fu stupito di non
risentire invece che una vuota delusione; e comprese ad un tratto
che quelle umiliazioni e quelle ripugnanze delle gite quotidiane gli
erano ormai quasi diventate negli ultimi tempi una ragione di
vita.[42] Cosí, piú di una volta, per un torbido e inconsapevole 5
desiderio di far soffrire la madre, le domandò se quel giorno non
andassero in mare per la solita passeggiata. Ella gli rispose ogni
volta che non lo sapeva, ma che era probabile che quel giorno non
ci sarebbero andati. Stava distesa nella sedia a sdraio, un libro
aperto sulle ginocchia; ma non leggeva, spesso gli occhi le[43] anda- 10
vano al mare, che nel frattempo si era riempito di bagnanti e di
imbarcazioni, con lo sguardo particolare di chi cerchi[44] invano
qualcosa. Agostino, dopo essere rimasto a lungo dietro la seggiola
della madre, strisciando nella rena le girò intorno e ripeté con un
tono di voce che avvertiva lui stesso fastidioso e quasi canzona- 15
torio: «Ma è proprio vero? Oggi non si va in mare?». La madre
forse sentí la canzonatura e il desiderio di farla soffrire; o forse
quelle parole imprudenti bastarono a far traboccare un'irritazione
a lungo covata.[45] Ella levò una mano e con un colpo che Agostino
sentí molle, quasi involontario e già pentito nel momento in cui 20
lo vibrava,[46] lasciò andare un manrovescio molto forte sulla guancia del ragazzo. Agostino non disse nulla; ma, fatta una capriola
sulla rena, si allontanò per la spiaggia, a testa bassa, verso le cabine.
«Agostino... Agostino» udí chiamare piú volte. Poi il richiamo
tacque; e voltandosi gli parve persino di vedere, tra tutte le imbar- 25
cazioni che gremivano il mare, il patino candido del giovane. Ma
ormai non gli importava piú nulla di tutto questo; come chi abbia
trovato un tesoro e corra a nascondersi per guardarlo a suo agio,
con lo stesso senso pungente di scoperta egli correva a rintanarsi
con il suo schiaffo, cosa tanto nuova per lui da parergli incredibile. 30

---

[42] **ragione di vita**   reason for existence.
[43] **le**   *omit in translation.*
[44] **di chi cerchi**   of a person who searches.
[45] **a lungo covata**   harbored for a long time.
[46] **vibrare (un colpo)**   to strike.

La guancia gli bruciava, aveva gli occhi pieni di lagrime che
tratteneva a stento; e temendo che sgorgassero prima che giun-
gesse in qualche riparo, correva curvo sopra se stesso. L'amarezza
accumulata per tutti quei giorni in cui era stato costretto ad
accompagnare il giovane e la madre nelle loro gite, gli faceva ora 5
un torbido rigurgito; e quasi gli pareva che liberandosene con un
pianto abbondante, avrebbe capito finalmente qualcosa di quelle
oscure vicende. Come giunse davanti la cabina, esitò un momento
cercando un luogo dove rifugiarsi. Poi gli parve che la cosa più
semplice fosse rinchiudersi nella cabina stessa. La madre doveva 10
ormai essere in mare, nessuno l'avrebbe disturbato. Agostino salí
in fretta la scaletta, aprí l'uscio e senza richiuderlo del tutto andò
a sedersi in un angolo, sopra uno sgabello.

Si rannicchiò con le ginocchia contro il petto, la testa appoggiata contro la parete, e presosi il viso[47] tra le mani incominciò 15
cosïenziosamente a piangere. Lo schiaffo gli balenava tra le
lagrime; e si domandava perchè mai[48] pur dandoglielo cosí forte
la mano della madre fosse stata tanto irresoluta e molle. Al cocente
senso di umiliazione che[49] destava in lui la percossa, si mescolavano, piú forti ancora se era possibile, mille sensazioni sgradevoli 20
che in quegli ultimi tempi avevano ferito la sua sensibilità. Fra
tutte, una gli tornava con piú insistenza alla memoria, quella del
ventre della madre chiuso nella maglia fradicia, premuto contro
la sua guancia, fremente e agitato da non sapeva che vogliosa
vitalità.[50] Come certi altri schiaffi dati sui vestiti vecchi vi fanno 25
apparire larghe chiazze di polvere; cosí quella percossa ingiusta
vibrata per impazienza dalla madre gli risvegliava nitida la sensazione del ventre di lei premuto contro la sua guancia. Gli pareva
che questa sensazione a momenti si sostituisse a quella della percossa;
a momenti invece si mescolava ed era al tempo stesso palpito e brucio- 30
re. Ma mentre capiva che lo schiaffo persistesse riaccendendosi

[47] **presosi il viso**   having taken his face.
[48] **perchè mai**   why in the world.
[49] **che**   *object of* **destava; percossa** *is the subject.*
[50] **non sapeva che vogliosa vitalità**   he knew not by what eager vitality.

ogni tanto sulla guancia come un fuoco che si estingue, oscure[51] gli restavano invece le ragioni della tenace sopravvivenza di quella lontana sensazione. Perché, tra tante, gli era rimasta impressa e cosí viva proprio quella? Non avrebbe saputo dirlo; soltanto gli pareva che finché fosse vissuto gli sarebbe bastato 5 riandare con la memoria a[52] quel momento della sua vita per riavere intatto sulla guancia il palpito del ventre e la bagnata ruvidezza della maglia fradicia.

Piangeva piano per non disturbare questo dolente lavorio della memoria, pur piangendo schiacciava con le punte delle dita sulla 10 pelle intrisa le lagrime che lente ma ininterrotte gli spicciavano dagli occhi.[53] Nella cabina c'era una rada e afosa oscurità; ebbe ad un tratto la sensazione che l'uscio si aprisse; e quasi desiderò che la madre, pentita e affettuosa, gli ponesse una mano sulla spalla e prendendogli il mento rivolgesse a sé il suo viso. E già si preparava 15 con le labbra a mormorare «mamma», quando udí un passo entrare nella cabina e la porta richiudersi senza per questo[54] che alcuna mano gli sfiorasse le spalle e gli accarezzasse il capo.

Allora sollevò il capo e guardò. Ritto presso la fessura della porta socchiusa, in atteggiamento di chi spii, vide un ragazzo che 20 gli parve essere della sua stessa età. Indossava un paio di pantaloni corti, dal bordo rimboccato,[55] e una canottiera scollata con un largo buco in mezzo alla schiena. Un raggio sottile e fulgido di sole, passando tra le connessure delle assi della cabina, faceva brillare sopra la sua nuca folti ricci color rame.[56] A piedi nudi, le 25 mani alla fessura della porta, egli sorvegliava la spiaggia e non pareva essersi accorto della presenza di Agostino.

Agostino si asciugò gli occhi con il rovescio della mano e incominciò «di un po'...[57] cosa vuoi?». Ma l'altro si voltò e gli fece

---

[51] **oscure**   *modifies* **ragioni.**
[52] **riandare... a**   to recall ....
[53] **gli spicciavano dagli occhi**   dropped from his eyes.
[54] **senza per questo**   without nevertheless.
[55] **dal bordo rimboccato**   with cuff rolled up.
[56] **color rame** = **color di rame.**
[57] **di un po'**   say there.

cenno di tacere. Voltandosi mostrò un brutto viso lentigginoso in
cui era notevole il roteare delle pupille di un celeste torvo.
Agostino credette di riconoscerlo; era in tutti i casi qualche figlio
di bagnino o di marinaio; doveva averlo visto, pensò, spingere in
mare i patini o fare simili cose in prossimità dello stabilimento.   5
«Si gioca a guardie e ladri»[58] disse il ragazzo dopo un momento
voltandosi verso Agostino. «Non debbono vedermi».

«Che cosa sei tu?» domandò Agostino asciugandosi in fretta le
lagrime.

«Un ladro, naturalmente» rispose l'altro senza voltarsi.   10

Agostino considerava il ragazzo; non sapeva se gli era simpatico,
ma nella voce c'era un rozzo accento dialettale che gli riusciva
nuovo e l'incuriosiva. Inoltre, adesso, l'istinto gli suggeriva che
quel ragazzo rifugiatosi nella sua cabina era un'occasione,
non avrebbe saputo dir quale; e che non doveva lasciarsela   15
sfuggrie.

«Mi fai giocare anche a me?» chiese arditamente.

L'altro si voltò e gli diede una squadrata[59] insolente. «Che
c'entri tu?» disse svelto «noi si gioca tra amici».

«Ebbene» disse Agostino con vergognosa insistenza «fate gio-   20
care anche me».

Il ragazzo levò le spalle dicendo: «ormai è troppo tardi, siamo
già alla fine della partita...».

«Sarà per la prossima partita...».

«Non ne facciamo altre» disse il ragazzo osservandolo dubbioso   25
e come stupito da tanta insistenza «dopo si va in pineta».

«Se mi volete, ci verrò anch'io».

Il ragazzo si mise a ridere tra divertito e sprezzante: «Sei un bel
tipo tu... ma noi non ti si vuole...».[60]

Agostino non si era mai trovato in questa condizione; ma   30
l'istinto, come gli aveva suggerito di chiedere al ragazzo di unirsi
alla partita, cosí adesso gli consigliò di adoperare qualsiasi mezzo

---

[58] **guardie e ladri**   cops and robbers.
[59] **squadrata**   a glance which sized him up.
[60] **noi non ti si vuole** = **non ti vogliamo.**

pur di farsi accettare...[61] «Senti» disse irresoluto «se... se mi fai
entrare nel vostro gruppo... ti do qualcosa...».

L'altro si voltò subito, l'occhio acceso di avidità.

«Che cosa mi dai?».

«Quello che vuoi».

«Dì tu quello che mi vuoi dare».

Agostino indicò un veliero assai grande, con tutte le vele appic-
cate, che giaceva in fondo alla cabina insieme con altre cianfrusa-
glie.

«Ti dò quello».

«E io che me ne faccio?» rispose il ragazzo con una spallucciata.

«Puoi venderlo» propose Agostino.

«Non me lo prendono» disse il ragazzo con aria di esperienza
«direbbero che è roba rubata...».

Agostino disperato si guardò intorno. All'attaccapanni pende-
vano i vestiti della madre; in terra le scarpe; sopra un tavolino un
fazzoletto e qualche altro cencio; non c'era proprio alcun oggetto
nella cabina che gli sembrasse di poter offrire.[62]

«Di un po'» disse il ragazzo vedendo il suo smarrimento «hai
delle sigarette?...».

Agostino ricordò che proprio quel mattino sua madre aveva
messo nella gran borsa che pendeva all'attaccapanni due scatole di
sigarette molto fini; e giubilante si affrettò a rispondere:

«Sì quelle le ho... le vuoi?».

«E si domanda?»[63] disse l'altro con ironico disprezzo; «che
scemo sei... dammele, via».

Agostino staccò la borsa dall'attaccapanni, frugò, ne trasse le
due scatole che, come incerto sulla quantità che l'altro volesse,
mostrò al ragazzo.

«Le prendo tutte e due» disse quello con disinvoltura afferrando
le scatole. Guardò la marca, fece schioccare la lingua in segno di
apprezzamento e soggiunse: «di un po'... devi essere ricco tu...».

---

[61] **pur di... accettare**   to have them accept him.
[62] **che gli sembrasse di poter offrire**   which he felt he could offer.
[63] **E si domanda?**   Are you asking?

Agostino non seppe cosa rispondere. Il ragazzo proseguí: «io mi chiamo Berto e tu?».

Agostino disse il suo nome. Ma già l'altro non gli dava più retta.[64] Aperta con le dita impazienti una delle scatole, rotti i sigilli dell'involucro di cartone, ne toglieva una sigaretta e la 5 portava alle labbra. Poi trasse di tasca un fiammifero da cucina, l'accese sfregandolo contro la parete della cabina e soffiata una prima boccata di fumo, si affacciò di nuovo cautamente alla fessura della porta.

«Vieni, andiamo» disse dopo un momento facendo cenno ad 10 Agostino di seguirlo. Uno dietro l'altro uscirono dalla cabina.

Sulla spiaggia, Berto prese subito dalla parte[65] della strada, dietro le file delle cabine.

Camminando sulla rena scottante, tra i cespugli di ginestre e di cardi, egli disse: «ora si va alla tana... tanto quelli[66] sono passati e 15 mi stanno cercando piú in giú...».

«Dov'è la tana?» domandò Agostino.

«Al bagno Vespucci» rispose il ragazzo. Teneva la sigaretta con vanità, tra due dita, come sfoggiandola e ne aspirava con caparbia voluttà lunghe boccate. «Tu non fumi?» domandò ad Agostino. 20

«Non mi piace» rispose Agostino che si vergognava di rispondere che non aveva mai neppure pensato a fumare. Ma Berto rise: «O piuttosto dí che la tua mamma non te lo permette... dí la verità». Però pronunziò queste parole senza amicizia, con una specie di disprezzo. Porse ad Agostino la sigaretta, e disse: «Su, 25 fuma anche tu...».

Erano giunti sul lungomare e camminavano a piedi nudi sul pietrisco aguzzo,[67] tra le aride aiuole. Agostino portò la sigaretta alle labbra, e aspirò un po' di fumo rigettandolo subito fuori senza inghiottirlo. 30

Berto rise con disprezzo. «Questo lo chiami fumare» esclamò,

---

[64] **non gli dava più retta**   didn't pay any more attention to him.
[65] **dalla parte**   in the direction.
[66] **tanto quelli**   anyway they (*his friends*).
[67] **pietrisco aguzzo**   sharp little stones.

«non si fa mica cosí... guarda». Prese a sua volta la sigaretta, aspirò lungamente girando attorno quelle sue oziose e torve iridi celesti, quindi spalancò la bocca e l'avvicinò agli occhi di Agostino. La bocca era vuota, come egli poté vedere, con la lingua che si arricciava in fondo al palato.   5

«Ora guarda» disse Berto chiudendo la bocca. E soffiò in faccia ad Agostino una nuvola di fumo. Agostino tossí e rise trepidamente. «Prova ora» soggiunse Berto.

Passò accanto a loro un tramvai fischiando e sventolando le tendine al vento. Agostino aspirò una nuova boccata e con uno 10 sforzo penoso inghiottí il fumo. Ma il fumo gli andò di traverso[68] ed egli si mise a tossire, assai lamentosamente. Berto gli riprese la sigaretta e dandogli una gran manata sulla schiena, disse: «bravo... si vede che sei un gran fumatore...».

Dopo quest'esperimento camminarono in silenzio. Gli stabili- 15 menti si seguivano agli stabilimenti, con le loro file di cabine verniciate di colori chiari, i loro ombrelloni sbilenchi,[69] i loro archi melensamente trionfali. La spiaggia, tra una cabina e l'altra, appariva gremita, ne giungeva un brusio festivo, anche il mare scintillante era affollato di bagnanti.   20

«Dov'è il bagno Vespucci?» domandò Agostino affrettando il passo dietro il suo nuovo amico.

«E' l'ultimo...».

Agostino si domandò se non gli convenisse tornare indietro: la madre, se non era andata in patino, certamente lo cercava. Ma il 25 ricordo dello schiaffo soffocò quest'ultimo scrupolo. Ché[70] quasi gli parve, andando con Berto, di perseguire non sapeva che oscura e giustificata vendetta. «E il fumo dal naso» gli domandò ad un tratto Berto fermandosi «sai cacciarlo?».[71]

Agostino scosse la testa; e quello, stringendo tra le labbra la 30 sigaretta ormai ridotta ad un mozzone, ne aspirò il fumo e lo

---

[68] **gli andò di traverso**   went down the wrong way.
[69] **sbilenchi**   askew.
[70] **Ché = perché.**
[71] **cacciarlo**   blow it out.

rigettò dalle narici. «Ora» soggiunse «mi farò uscire il fumo dagli occhi. Tu, però, mettimi la mano sul petto e guardami negli occhi». Ignaro, Agostino si avvicinò a lui, gli mise la palma sul petto e guardò in quelle pupille, aspettando di vederne uscire davvero il fumo. Ma Berto con subitanea perfidia, gli schiacciò 5 con forza la sigaretta accesa sul dorso della mano e, gettando via il mozzicone, fece un salto di gioia, gridando: «o che scemo... che scemo... si vede proprio che non sai nulla...».

Il dolore aveva quasi accceccato Agostino, il suo primo movimento fu di gettarsi su Berto e percuoterlo. Ma l'altro, come se lo 10 vide correre incontro, si fermò, strinse i pugni contro il petto e con due soli colpi allo stomaco lo fece rimanere senza fiato e quasi tramortito. «Pochi discorsi[72] con me» disse con cattiveria, «se vuoi, avrai la tua parte...». Agostino furioso si scagliò di nuovo contro di lui, ma si sentiva debolissimo e predestinato ad essere 15 sconfitto. Questa volta Berto gli afferrò la testa e prendendola sotto l'ascella, quasi strangolò Agostino. Il quale cessò affatto di dibattersi e supplicò con voce soffocata che lo lasciasse. Berto lo liberò e fatto un salto indietro, si fermò su due piedi mettendosi di nuovo in posizione di combattimento. Ma Agostino aveva sentito 20 scricchiolare le vertebre del collo e piú che spaventato era stupefatto dalla straordinaria brutalità del ragazzo. Gli pareva incredibile che a lui, Agostino, cui[73] tutti avevano sempre voluto bene, ora si potesse fare un male cosí deliberato e spietato. Soprattutto questa spietatezza lo stupiva e lo sgomentava come un tratto 25 affatto nuovo e quasi affascinante a forza di essere mostruoso.

«Io non ti ho fatto alcun male» disse con voce ansimante, «ti ho dato le sigarette... e tu...». Egli non finí la frase e le lagrime gli riempirono gli occhi.

«Uh, piant'in tasca»[74] gridò Berto sarcastico: «le rivuoi le tue 30 sigarette?... non so che farmene delle tue sigarette... riprendile e torna dalla mamma».

[72] **pochi discorsi**   no kidding around.
[73] **cui = a cui.**
[74] **piant'in tasca**   cry-baby.

«Non importa» disse Agostino sconsolato scuotendo il capo, «ho detto cosí per dire...[75] tienile pure».

«E allora andiamo» disse Berto: «siamo arrivati».

Agostino, portando alla bocca la scottatura che gli bruciava forte, levò gli occhi e guardò. Sulla spiaggia in quel punto non c'erano che poche cabine, cinque o sei in tutto, sparse l'una a gran distanza dall'altra. Erano cabine povere, di legno grezzo, tra l'una e l'altra si scorgeva la spiaggia e il mare egualmente deserti. Soltanto alcune popolane stavano all'ombra di una barca tirata a secco, quali in piedi quali[76] sdraiate sulla rena, tutte vestite di certi antiquati costumi neri dalle mutande lunghe orlate di bianco,[77] indaffarate ad asciugarsi e ad esporre al sole le membra troppo bianche. Un arco dall'insegna dipinta di azzurro portava la scritta: «Bagno Amerigo Vespucci». Una bassa baracca verde affondata nella sabbia indicava la dimora del bagnino. Dopo questo bagno Vespucci, il litorale, sprovvisto cosí di cabine sulla spiaggia come di case[78] sulla strada, continuava a perdita d'occhio,[79] in una solitudine di sabbia battuta dal vento, tra lo scintillio azzurro del mare e il verde polveroso della pineta.

Dalla strada, le dune piú alte in quel punto che altrove nascondevano tutto un lato della baracca. Poi, come salirono in cima alle dune, si scoprí una tenda rappezzata e sbiadita di un rosso rugginoso che doveva essere stata ritagliata in una vecchia vela di paranza. Questa tenda era legata per due capi a due pertiche[80] conficcate nella sabbia e per gli altri due alla baracca.

«Quella è la tana» disse Berto.

Si vedeva sotto la tenda, un uomo seduto presso un tavolinetto sbilenco, in atto di accendersi un sigaro. Due o tre ragazzi

---

[75] **cosí per dire**   just to talk, without meaning it.

[76] **quali... quali**   some . . . some.

[77] **orlate di bianco**   edged in white.

[78] **sprovvisto cosí... di case**   empty of cabins on the beach just as it was of houses.

[79] **a perdita d'occhio**   as far as the eye could see.

[80] **per due capi a due pertiche**   by two ends to two poles.

circondavano l'uomo distesi sulla sabbia. Berto spiccò una corsa[81] e cadde a sua volta ai piedi dell'uomo gridando: «Tana». Un po' imbarazzato, Agostino si avvicinò al gruppo. «E questo è Pisa» disse Berto indicando Agostino. Il quale si meravigliò di questo soprannome datogli con tanta rapidità. Non erano ancora passati 5 cinque minuti che aveva detto a Berto di essere nato a Pisa.

Agostino si distese anche lui in terra. La sabbia in quel luogo non era così pulita come sulla spiaggia. Scorze di cocomero, schegge di legno, cocci verdi di terraglia e ogni sorta di detriti vi apparivano commisti;[82] qua e là la rena era crostosa e dura per le 10 secchiate d'acqua sporca buttate dalla baracca. Agostino osservò che i ragazzi, quattro in tutto, erano vestiti poveramente. Dovevano come Berto essere anche loro figli di marinai e di bagnini. «Era al bagno Speranza» disse Berto tutto di un fiato sempre parlando di Agostino, «dice che vuol giocare anche lui a guardie e 15 ladri... ma il gioco è finito, no? te l'avevo detto io che il gioco era finito...».

Si udí a questo punto gridare: «non vale... non vale».[83] Agostino guardò e vide venire correndo dal mare un altro gruppo di ragazzi, le guardie probabilmente. Il primo era un ragazzotto di 20 forse piú che diciassette anni, in costume da bagno, atticciato e tozzo; poi veniva, con grande meraviglia di Agostino, un negro; terzo un biondo, che dal portamento e dalla bellezza del corpo parve ad Agostino di origine piú signorile degli altri, ma come si avvicinò, il costume tutto rotto e bucato e una certa elementarità 25 di tratti nel bel volto dai grandi occhi cerulei, lo palesò anch'esso popolano. Dietro questi primi tre, seguivano altri quattro ragazzi, tutti della stessa età, tra i tredici anni e i quattordici. Il ragazzotto nerboruto era di gran lunga[84] il piú vecchio e stupiva a prima vista che si mescolasse a quella compagnia fanciullesca. Ma il suo 30 viso color del pane poco cotto, dai tratti inespressivi e ottusi

[81] **spiccò una corsa**   made a dash, dashed forward.
[82] **vi apparivano commisti**   seemed to be mixed together there.
[83] **non vale**   it doesn't count.
[84] **di gran lunga**   by a long shot.

forniva, con la sua brutale stupidità, la ragione di questo inconsueto
sodalizio.[85] Egli non aveva quasi collo e il suo torso, liscio e senza
un pelo, era largo alla cintola e ai fianchi come alle spalle. «Tu ti
sei nascosto in una cabina» gridò con violenza a Berto, «prova a
negarlo... ora i patti escludevano le cabine...».   5

«Non è vero» rispose Berto con eguale violenza: «dí tu Pisa»
soggiunse rivolto ad Agostino, «non mi sono affatto nascosto in
una cabina... si stava io e lui[86] dietro l'angolo della baracca della
Speranza... vi abbiamo visti passare... nevvero Pisa?».

«Veramente» disse Agostino incapace di mentire, «tu ti sei   10
nascosto nella mia cabina...».

«Ecco vedi» gridò l'altro scuotendo il pugno sotto il naso a
Berto, «ti schiaccerei la testa... bugiardo che sei...».

«Spia» gridò Berto in faccia ad Agostino: «ti avevo detto di
restare dov'eri... dalla mamma hai da tornare...».[87] Era pieno di   15
una violenza incontenibile, bestiale, che oscuramente meravigliava
Agostino. Ma nel gesto che fece per rimproverarlo, una delle
scatole di sigarette gli cadde fuori dalla tasca. Egli fece per racco-
glierla, ma il ragazzotto fu piú lesto di lui e chinatosi in fretta
l'afferrò e agitandole per l'aria, trionfante: «sigarette eh» gridò   20
«sigarette...».

«Dammele» gridò Berto avventandosi furioso: «sono mie...
me l'ha regalate Pisa... dammele o ti...».

L'altro fece un passo indietro e aspettò che Berto fosse a tiro.[88]
Come gli fu vicino, prese tra i denti la scatola delle sigarette, e   25
cominciò a martellargli metodicamente con i due pugni lo
stomaco. Poi, con uno sgambetto, lo fece stramazzare a terra.
«Dammele» gridò ancora Berto rotolando nella sabbia. Ma quello
con un riso ottuso gridò: «ne ha delle altre... sotto ragazzi...»[89] e
tutti insieme i ragazzi, con un accordo che stupí Agostino, si   30

[85] **Ma... sodalizio** *His mental retardation accounts for his friendship with the
    younger boys.*
[86] **si stava io e lui** both he and I were.
[87] **hai da tornare** you better go back.
[88] **a tiro** within range.
[89] **sotto ragazzi** jump on him, boys.

buttarono su Berto. Per un momento, ai piedi dell'uomo che
continuava a fumare appoggiato al tavolino, ci fu un aggrovig-
liarsi di corpi in un gran polverio di rena. Finalmente il biondo
che pareva il piú agile, si districò dal mucchio e si levò agitando
trionfante per aria la seconda scatola di sigarette. Si levarono uno   5
per uno anche gli altri; e per ultimo Berto. Tutto il suo brutto
viso lentigginoso era contratto da un intenso furore. «Cani...
ladri» gridò agitando il pugno e singhiozzando. Lagrimava con
rabbia e ad Agostino faceva un certo effetto strano e nuovo vedere
il suo tormentatore a sua volta tormentato e trattato non meno   10
spietatamente di quanto avesse poco avanti trattato lui. «Cani...
cani» gridò ancora. Il ragazzotto gli si avvicinò e gli lasciò andare
un ceffone che suonò secco e fece saltare di gioia gli altri compagni.
«La vuoi smettere si o no?». Berto, come forsennato, corse
all'angolo della baracca, si chinò, afferrò con le due mani una   15
pietra enorme e la scagliò contro il suo nemico; il quale si scansò
leggermente con un fischio di derisione. «Cani» gridò ancora
Berto singhiozzando e tuttavia tenendosi per prudenza dietro
l'angolo della baracca. Singhiozzava grosso, con una furia persino
nel pianto in cui pareva sfogarsi non si capiva che amarezza vol-   20
gare e ripugnante. Ma i compagni già non si occupavano piú di
lui. Si erano di nuovo sdraiati sulla rena. Il ragazzotto apriva la
scatola di sigarette e così il biondo. Ad un tratto l'uomo seduto al
tavolino, che aveva assistito a questa rissa senza far motto,[90] disse:
«Datemi quelle sigarette».   25

Agostino guardò l'uomo. Era grande e grosso, poteva, avere un
po' meno di cinquant'anni. Aveva una testa sorniona e fredda-
mente benevola. Calvo, con la fronte curiosamente conformata
come una sella, i piccoli occhi ammiccanti, il naso rosso e aquilino,
le narici scoperte e piene di venuzze vermiglie ripugnanti a vedersi.   30
Aveva baffi spioventi e sotto i baffi la bocca un po' storta che
stringeva il sigaro. Indossava un camiciotto sbiadito e un paio di
pantaloni di cotone turchino, un pantalone gli scendeva fino alla

---

[90] **senza far motto**   without uttering a word.

caviglia, l'altro era rimboccato sotto il ginocchio. La pancia
l'aveva cinta da una fascia nera. Ultimo particolare che accrebbe
in Agostino il primo ribrezzo, egli si accorse che il Saro, cosí si
chiamava il bagnino, aveva in ambo le mani non cinque ma sei
dita che davano alle mani un aspetto enorme e numeroso e più che 5
dita parevano tozzi tentacoli. Agostino studiò a lungo quelle mani
ma non gli riusci di capire se il Saro avesse due indici o due medi o
due anulari. Parevano tutti di eguale lunghezza, fuorché il mignolo che spuntava un po' fuori dalla mano come un rametto alla
base di un tronco nodoso. Il Saro si tolse di bocca il mezzo sigaro 10
e ripeté semplicemente: «Allora queste sigarette...».

Il biondo si levò e andò a mettere la scatola sul tavolino.
«Bravo Sandro» disse il Saro.

«E se io non volessi darle?»[91] gridò con tono di sfida il ragazzotto.   15

«Dalle, Tortima... farai bene a darle» gridarono da piú parti
varie voci. Il Tortima si guardò attorno, guardò il Saro che, le sei
dita della mano destra sulla scatola di sigarette, lo fissava con i
piccoli occhi socchiusi e poi, dopo aver proferito «e sia...[92] ma
non è giusto», si levò e venne a mettere anche lui la scatola sulla 20
tavola.

«Ora farò le parti»[93] disse il Saro con una voce dolce e affabile.
Senza togliersi di bocca il sigaro, strizzando gli occhi, aprí una
delle scatole, prese una sigaretta con quelle sue dita molteplici e
tozze che parevano inabili ad afferrare e la gettò al negro: «Toh[94] 25
Homs». Ne prese un'altra e la buttò ad un altro ragazzo; una terza
la fece volare tra le mani riunite di Sandro; una quarta che andò a
colpire il viso stolido di Tortima; e cosí via. «Tu la vuoi?»
domandò a Berto, che, ringoiate le lagrime, era tornato zitto zitto
a sdraiarsi tra i compagni. Quello, mortificato, accennò di sí e gli 30
arrivò in volo la sigaretta. Ricevuta ciascuno dei ragazzi la sua

---

[91] **E se io non volessi darle?**   And suppose I didn't want to give them?
[92] **e sia**   so be it.
[93] **farò le parti**   I'll divide them.
[94] **Toh**   Here, grab.

sigaretta, egli fece per chiudere la scatola ancora mezza piena, ma
si fermò e chiese ad Agostino: «e tu Pisa la vuoi?». Agostino
avrebbe voluto rifiutarla; ma Berto gli diede un pugno alle costole
sussurrandogli: «chiedila, scemo... si fuma poi insieme». Agostino
disse che la voleva ed ebbe anche lui la sua sigaretta. Il Saro allora   5
chiuse la scatola.

«E le altre... le altre» gridarono tutti insieme i ragazzi.

«Le altre le avrete i giorni prossimi» rispose il Saro calmo.
«Pisa... prendi queste sigarette e va a riporle nella baracca...».

Nessuno fiatò. Agostino, assai impacciato, prese le due scatole e   10
scavalcando i corpi distesi dei ragazzi, andò alla baracca ed entrò.
La baracca, come appariva, non aveva che una sola stanza; e gli
piacque per la sua piccolezza come una casa di fiaba. Il soffitto era
basso, di travi imbiancate, le pareti di assi grezze. Due finestre
minuscole ma complete, con davanzale, piccoli vetri quadrati,   15
sportelli, tendine e persino qualche vaso di fiori, diffondevano una
luce bassa e smorzata. Un angolo era occupato dal letto, ben
rincalzato, con un guanciale bianco di bucato[95] e una coperta
rossa, in un altro c'era un tavolo rotondo e tre seggiole. Sopra il
piano di marmo di un cassettone si vedevano due di quelle   20
bottiglie che contengono piccoli velieri o navi a vapore. Le pareti
erano tutte coperte di vele agganciate a chiodi, di remi appaiati e
di altri attrezzi marittimi. Agostino pensò che dovesse essere molto
invidiabile chi possedeva una baracca come quella cosí piccola e
cosí comoda. Si avvicinò alla tavola sulla quale era posata una   25
grossa ciotola slabbrata[96] di porcellana piena di mezzi sigari, vi
depose le due scatole di sigarette e riuscí fuori nella luce del sole.

Tutti i ragazzi, distesi bocconi sulla sabbia intorno il Saro,
fumavano adesso con dei gran gesti dimostrativi di delizia. E
intanto discutevano di qualcosa che non gli riuscí di afferrare.   30
«E io ti dico che è lui» affermava in quel momento Sandro.

«La madre è una bella donna» disse una voce ammirativa, «è la
piú bella donna della spiaggia... io e Homs un giorno siamo stati

---

[95] **bianco di bucato**   freshly laundered.
[96] **ciotola slabbrata**   chipped bowl.

sotto la cabina per vederla spogliarsi... ma ci è caduta la veste sugli occhi e non abbiamo veduto nulla... ha certe gambe... e un petto».

«Il marito non si vede mai» osservò una terza voce.

«Non aver paura... lei si consola... sai con chi? con quel giovanotto della villa Sorriso... quello bruno... lui viene a prenderla 5 tutti i giorni con il patino».

«Fosse soltanto lui...[97] chiunque si fa avanti se la prende» disse qualcuno con malignità.

«Sí ma non è lui» insistette un altro.

«Dì su,[98] Pisa» domandò ad un tratto Sandro con autorità ad 10 Agostino: «tua madre non è quella signora che sta al bagno Speranza? Alta, bruna, con le gambe lunghe... e porta il costume a due perzi a strisce? e ha un neo a sinistra presso la bocca?».

«Sí, perché?» domandò Agostino impacciato.

«E' lui... è lui» disse Berto trionfante. E in uno slancio di invidiosa 15 malignità: «Sei tu che reggi il lume[99] eh?... andate in patino al largo lei tu e il ganzo... sei tu che reggi il lume». Queste parole furono seguite da uno scoppio generale di risa. Anche il Saro sotto i baffi sorrise.

«Non so cosa dite» rispose Agostino impacciato e incompren- 20 sivo arrossendo. Sentiva che avrebbe dovuto protestare; ma quegli scherzi grossolani destavano in lui un sentimento inaspettato, quasi crudele, di compiacimento; come se con quelle parole, i ragazzi ignari avessero vendicato tutte le umiliazioni che da ultimo la madre gli aveva inflitto. D'altra parte lo paralizzava lo 25 stupore di scoprirli cosí bene informati sulle cose sue.

«Eh va là[1] innocentino» disse la solita voce maligna.

«Chissà che fanno... vanno sempre lontano... dí un po'» interrogò il Tortima con sorniona serietà, «dicci che fanno... lui la bacia eh?». Egli si mise il dorso della mano contro le labbra e vi 30 schioccò un grosso bacio.

---

[97] **Fosse soltanto lui...**   If it were only he . . .
[98] **Dì su**   say now.
[99] **reggi il lume**   you play the chaperon (*lit., you carry the lantern*).
[1] **Eh va là**   come on now.

«Veramente» disse Agostino, il viso acceso di vergogna «andiamo al largo per fare il bagno».

«Ah, ah, il bagno» dissero piú voci sarcastiche.

«Mia madre fa il bagno e anche Renzo...».

«Ecco si chiama Renzo» disse uno con sicurezza come ritro- 5
vando il filo perduto della memoria; «Renzo... è un bruno alto».

«Renzo e la mamma che fanno?» domandò ad un tratto Berto
tutto ringalluzzito; «fanno...?» egli fece un gesto espressivo con
la mano «e tu stai a guardarli eh?».

«Io» ripeté Agostino spaurito volgendosi intorno. Tutti ride- 10
vano soffocando le risate nella sabbia. Il solo Saro lo osservava con
attenzione senza muoversi né far motto. Disperato egli lo guardò
come per implorare aiuto.

Il Saro parve afferrare quello sguardo. Si tolse il sigaro di bocca
e disse: «ma non vedete che non sa nulla?».   15

Un improvviso silenzio seguí la gazzarra. «Come non sa
nulla?» domandò il Tortima che non aveva capito.

«Non sa nulla» ripeté il Saro con semplicità. E quindi rivolto ad
Agostino, raddolcendo la voce: «Dì Pisa... un uomo e una
donna... che fanno? lo sai?».   20

Tutti parevano trattenere persino il fiato. Agostino guardò il
Saro che fumava e lo considerava tra le palpebre socchiuse,
guardò i ragazzi che parevano tutti gonfi di risa maltrattenute,
quindi ripeté meccanicamente, gli occhi rabbuiati come da una
nube: «un uomo e una donna?».   25

«Sí tua madre e Renzo» spiegò con brutalità Berto.

Agostino avrebbe voluto dire: «non parlate di mia madre».
Ma la domanda mentre risvegliava in lui tutto un brulichio di
sensazioni e di ricordi oscuri, lo sconcertava troppo per permettergli di parlare. «Non lo sa» tagliò corto il Saro passando il sigaro 30
dall'angolo destro a quello sinistro della bocca: «su... chi glielo
vuol dire?». Agostino si guardò intorno sperduto: pareva proprio
di essere a scuola, ma quale maestro e quali scolari.[2] «Io... io... io»

---

[2] **quale... scolari** what a teacher and what pupils!

gridarono tutti insieme i ragazzi. Lo sguardo incerto del Saro
spaziò per un momento su tutti quei visi infiammati di emula-
zione; poi egli disse: «Anche voi non lo sapete veramente... lo
avete soltanto udito dire... lo dica chi lo sa davvero...». Agostino
vide tutti i ragazzi ammutolire e guardarsi. «Tortima» disse qual- 5
cuno. Un'espressione di vanità illuminò il volto al ragazzotto; e
fece per alzarsi; ma con estremo rancore Berto disse: «se l'è tutto
inventato... non è vero nulla». «Come non è vero nulla?» gridò il
Tortima scagliandosi contro Berto, «le bugie le dici tu, bastar-
do...». Ma Berto questa volta era stato lesto a scappare e sporgen- 10
dosi dall'angolo della baracca, il rosso viso lentigginoso deformato
dall'odio, si mise a far delle boccacce e a tirar la lingua al Tortima.
Il quale, minacciandolo con il pugno gridò: «non tornare, sai».
Ma la sua canditatura in qualche modo era stata sfatata [3] da questo
intervento di Berto. «Lo dica Sandro» gridarono tutti i ragazzi ad 15
una voce.

Bello ed elegante, le braccia incrociate sul largo petto bruno su
cui sfavillavano come oro radi peluzzi biondi, Sandro si fece
avanti nel cerchio dei ragazzi sdraiati sulla rena. Agostino notò
che aveva gambe forti e abbronzate tutte avvolte come da un 20
polverio aureo. Altri peli biondi gli scappavano all'inguine fuori
dalle sdruciture [4] delle rosse mutandine da bagno. «E' molto semplice» egli disse con una voce chiara e forte. E parlando lentamente
e aiutandosi con gesti efficaci ma privi, si sarebbe detto, di vol-
garità, spiegò ad Agostino ciò che gli pareva di aver sempre 25
saputo e come per un profondo sonno dimenticato. La sua spiegazione fu seguita da altre dimostrazioni meno sobrie. Alcuni dei
ragazzi facevano gesti triviali con le mani, altri ripetevano ad alta
voce parole nuove e brutte all'orecchio di Agostino, due dissero:
«gli mostriamo come si fa» e caddero abbracciati sussultando e 30
dimenandosi, l'uno sull'altro, sulla sabbia scottante. Sandro contento del successo, si era ritirato da parte e finiva in silenzio la sua

---

[3] **sfatata**   discredited.
[4] **gli... sdruciture**   showed around his groin through the tears.

sigaretta. «Ora hai capito?» domandò il Saro appena la gazzarra si
fu un poco attenuata.

Agostino accennò di sí con la testa. In realtà non aveva tanto
compreso quanto assorbito la nozione come si assorbe un farmaco
o un veleno e l'effetto lí per lí[5] non si fa sentire ma si sa che il   5
dolore o il benessere non potrà fare a meno di verificarsi piú tardi.
La nozione non era nella sua mente vuota, dolente e attonita
bensí in qualche altra parte del suo essere, nel suo cuore gonfio di
amarezza, in fondo al suo petto che si stupiva di accoglierla. Era,
la nozione, simile ad un oggetto rutilante e abbagliante che non si   10
può guardare per lo splendore che emana e di cui si indovinano a
mala pena i contorni. Gli pareva di averla sempre posseduta; ma
mai risentita con tutto il suo sangue come in quel momento.

«Renzo e la madre di Pisa» udí dire da qualcuno alle sue spalle:
«io sono Renzo e tu sei la madre di Pisa, proviamo». Si voltò di   15
scatto e vide Berto che con un gesto sguaiato e un'ancor piú
sguaiata cerimonia, domandava inchinandosi ad un altro: «signora... volete favorire in patino...[6] si va a fare il bagno... Pisa ci
accompagna...»; e allora un'ira improvvisa l'accecò e si slanciò su
Berto gridando: «ti proibisco di parlare di mia madre». Ma prima   20
ancora che potesse accorgersi di quello che era successo, si ritrovò
supino sulla sabbia, tenuto fermo dalle ginocchia di Berto e
tempestato di pugni su tutto il viso. Gli venne da piangere,[7] ma
comprendendo che le lagrime avrebbero offerto il destro[8] a nuove
beffe con uno sforzo supremo riuscí a dominarsi. Quindi, copren-   25
dosi il viso con un braccio, stette immobile come morto. Berto,
dopo un poco, lo lasciò; e lui, malconcio, tornò a sedersi ai piedi
del Saro. Ora, con volubilità, i ragazzi già parlavano d'altro.
Uno di essi domandò a bruciapelo[9] ad Agostino: «siete ricchi
voialtri?».

[5] **lí per lí**   there on the spot.
[6] **volete favorire in patino**   won't you please step into the boat.
[7] **Gli venne da piangere**   He felt like crying.
[8] **avrebbe offerto il destro**   would have exposed him.
[9] **a bruciapelo**   pointblank.

Agostino adesso era tanto intimorito che non sapeva piú che dire. Rispose tuttavia: «credo di sí».

«Quanto... un milione... due milioni... tre milioni?».

«Non lo so» disse Agostino impacciato.

«Avete una casa grande?».   5

«Sí» disse Agostino; e rassicurato dal tono piú cortese che assumeva il dialogo non poté resistere ad una vanità di proprietario: «abbiamo venti stanze».

«Venti stanze» ripeté una voce ammirativa.

«Bum» disse un'altra voce con incredulità.   10

«Abbiamo due salotti» disse Agostino «e poi c'è lo studio di mio padre...».

«Il cornuto» disse una voce. «Che era di mio padre» si affrettò a soggiungere Agostino quasi con speranza che questo particolare gli attirasse la simpatia dei ragazzi, «mio padre è morto».   15

Ci fu un momento di silenzio. «Allora tua madre è vedova?» domandò il Tortima.

«Eh già... si capisce» dissero alcune voci in tono di canzonatura.

«Che c'entra... poteva essersi risposata» si difese il Tortima.

«No... non s'è risposata» disse Agostino.   20

«E avete anche l'automobile?» domandò un'altra voce.

«Sí».

«Con l'autista?».

«Sí».

«Dí a tua madre che sono pronto a farle da autista» gridò 25
qualcuno.

«E in quei salotti che ci fate?» chiese il Tortima che piú di tutti pareva impressionato dai racconti di Agostino. «Ci date dei balli?».

«Sí, mia madre riceve»[10] rispose Agostino.   30

«Chissà quante belle donne» disse il Tortima come parlando a se stesso: «quante persone vengono?».

«Ma, non so».

[10] **riceve** entertains.

«Quante?».

«Venti o trenta» rispose Agostino ormai rassicurato e non poco vano del successo ottenuto.

«Venti o trenta... e che fanno?».

«Che vuoi che facciano» disse Berto con ironia, «balleranno, si divertiranno... sono ricchi loro, mica poveri come noi... faranno l'amore...».

«No... l'amore no» disse Agostino coscienzioso anche per mostrare che ormai intendeva perfettamente quel che la frase volesse dire.

Il Tortima pareva lottare con un'idea oscura che non riusciva a formulare. Finalmente disse: «ma se io, ad un tratto, mi presentassi in uno di quei ricevimenti... e dicessi... eccomi qui... che cosa faresti tu?».

E cosí dicendo, si levò in piedi e fece proprio il gesto di chi si presenta, con spavalderia, il petto in fuori e le mani sulle anche. Tutti i ragazzi scoppiarono a ridere. «Ti pregherei di andartene via» disse Agostino con semplicità, incoraggiato dalle risa dei ragazzi.

«E se io m'ostinassi a non andarmene?».

«Ti farei mandar via dai camerieri».

«Avete anche dei camerieri?» chiese qualcuno.

«No... ma quando ci sono dei ricevimenti, mia madre li affitta».

«Toh... proprio come tuo padre». Uno dei ragazzi doveva essere figlio di un cameriere.

«E se io resistessi ai camerieri... gli rompessi il muso e poi mi facessi in mezzo[11] alla sala e gridassi: «siete un mucchio di mascalzoni e di troie»... che cosa diresti tu?» insistette il Tortima minaccioso avvicinandosi ad Agostino e girandogli sotto il naso il pugno come per farglielo odorare. Ma questa volta tutti insorsero contro il Tortima, non tanto perché parteggiassero per Agostino quanto per il desiderio di udire altri particolari di quella favolosa ricchezza.

---

[11] **mi facessi in mezzo** (*and suppose*) I were to stand in the middle.

«Ma lascialo stare... ti caccerebbero a pedate e farebbero anche bene» si sentiva protestare d'ogni parte. Berto con disprezzo disse: «che c'entri tu... tuo padre fa il marinaio... anche tu farai il marinaio... e se ti presentassi in casa di Pisa certo non grideresti nulla... mi par di vederti...» soggiunse levandosi in piedi e fingendo la supposta umiltà del Tortima in casa di Agostino, «scusate, sta qui di casa il signor Pisa?... scusate... sono venuto... non importa, scusate tanto... scusate il disturbo, tornerò» mi par di vederti... faresti degli inchini fin sulle scale...».

Tutti i ragazzi risero. Il Tortima stupido quanto brutale non osò mettersi contro quelle risa; ma cercando in qualche modo una rivalsa, domandò ad Agostino: «sai fare il braccio di ferro?».

«Il braccio di ferro?» ripeté Agostino.

«Non sa che cos'è il braccio di ferro» dissero parecchie voci ironiche.

Sandro si avvicinò, prese il braccio ad Agostino, glielo ripiegò costringendolo a stare con la mano in aria e il gomito puntato nella rena. Intanto il Tortima si era disteso bocconi per terra e aveva messo il braccio nello stesso modo. «Devi spingere da una parte» disse Sandro, «Tortima spingerà dall'altra».

Agostino prese la mano del Tortima. Costui, con un colpo solo, gli atterrò il braccio e si levò trionfante.

«Vediamo io» disse Berto; con la stessa facilità del Tortima, egli atterrò il braccio ad Agostino e si levò a sua volta. «Io... io» gridarono i compagni. Uno dopo l'altro si provarono e vinsero tutti Agostino. Si presentò alfine il negro; e una voce disse: «se ti fai vincere da Homs... beh, allora hai proprio le braccia di panno». Agostino decise che almeno il negro non l'avrebbe vinto.

Il negro aveva braccia sottili, color del caffè tostato, gli parve che le sue fossero più forti. «Su Pisa» disse il negro con una melensa spavalderia, distendendosi davanti a lui. Aveva una voce senza nerbo, come di femmina, e appena il suo viso fu ad un palmo da quello di Agostino, costui vide che non aveva il naso schiacciato, come si poteva supporre, bensí aquilino, piccolo e

ritorto in se medesimo come un riccio [12] di carne unta e nera, con
una specie di neo piú chiaro, quasi giallo, sopra una delle narici.
Anche la bocca non era grossa come quella dei negri, ma sottile e
violacea. Gli occhi li aveva tondi e bianchi, oppressi dalla fronte
gonfia su cui si levava una gran zazzera fuligginosa. [13] «Su Pisa...   5
non ti farò male» soggiunse inserendo in quella di Agostino la
mano delicata dalle sottili dita nere unghiate di rosa. [14] Agostino
aveva notato che se avesse tirato un po' piú su l'omero avrebbe
potuto, senza parer di nulla, pesare con tutta la persona sulla
propria mano; e questo semplice accorgimento gli permise   10
dapprima di reggere e contenere lo sforzo di Homs. Per un lungo
momento contrastarono senza superarsi, in un cerchio attento di
ragazzi. Agostino stava con il viso teso ma fermo, contratto tutto
il corpo nello sforzo, il negro invece faceva una grande smorfia,
digrignando i denti bianchi e strizzando gli occhi. «Vince Pisa»   15
disse ad un tratto una voce in tono di meraviglia. Ma nello stesso
momento un terribile dolore corse ad Agostino per la spalla e
tutto il braccio; sfinito, egli abbandonò la presa dicendo: «no, è
piú forte di me». «La prossima volta mi vincerai» disse il negro
levandosi, con una sua cortesia antipatica e melliflua.   20

«Anche Homs ti vince... sei proprio buono a nulla» disse il
Tortima con disprezzo. Ma ora i ragazzi parevano stanchi di
prendere in giro Agostino. «Si va in mare?» propose uno. «Sí...
sí... in mare» gridarono tutti. E a salti e a capriole, [15] eccoli correre
attraverso la spiaggia, sulla sabbia ardente, verso il mare. Agostino,   25
seguendoli da lontano, li vide gettarsi l'uno dopo l'altro, a capofitto come pesci, nell'acqua bassa, tra grandi schizzi e gridi di
gioia. Come giunse a riva, il Tortima emergendo dall'acqua come
una bestia, prima con la groppa poi con il capo, gli gridò: «tuffati
Pisa... che fai laggiú?».   30

«Sono vestito» disse Agostino.

---

[12] **riccio** twirl.
[13] **zazzera fuligginosa** a mop of sooty hair.
[14] **dalle... rosa** with slender black fingers and pink nails.
[15] **a salti e a capriole** by leaps and cartwheels (*handsprings*).

«Ora ti svesto io» rispose il Tortima con cattiveria. Agostino cercò di sfuggire ma non fece a tempo. Il Tortima l'acchiappò, lo trascinò nonostante i suoi sforzi e cadendo insieme con lui, con maligna spietatezza,[16] gli tenne la testa sott'acqua fin quasi a farlo soffocare. «Arrivederci Pisa» gridò poi slanciandosi a nuoto. Poco 5 piú lontano si vedeva Sandro in piedi sopra un patino, in atto di manovrare con eleganza tra i ragazzi che gli schiamazzavano intorno e cercavano di arrampicarsi sulle navicelle. Fradicio e ansimante, Agostino tornò a riva e per un momento guardò il patino carico di ragazzi che si allontanava sul mare deserto, nel 10 sole accecante. Poi, camminando in fretta sulla sabbia specchiante, in riva al mare, si avviò verso il bagno Speranza.

Non era cosí tardi come temeva; giunto allo stabilimento scoprí che la madre non era ancora tornata. La spiaggia si vuotava; pochi bagnanti indugiavano ancora, radi e isolati nel mare che 15 scintillava forte; la gente, languida e accaldata, se ne andava in fila sotto il sole meridiano per il sentiero di tavole[17] che portava alla strada. Agostino sedette sotto l'ombrellone e aspettò. Gli pareva che la gita della madre si prolungasse fuori dell'ordinario; e dimenticando che il giovane del patino era arrivato molto piú 20 tardi del solito e che non era stata la madre a volersene andar sola bensí lui a scomparire, si diceva che quei due avevano certamente approfittato della sua assenza a quel modo che dicevano i ragazzi e il Saro. Non provava a questo pensiero alcun senso di gelosia bensí un fremito tutto nuovo e strano di complicità, di curiosità e 25 di cupa e compiaciuta approvazione. Era giusto che sua madre agisse a quel modo con il giovane, che se ne andasse ogni giorno

---

[16] **maligna spietatezza**   malicious cruelty.
[17] **sentiero di tavole**   board walk.

con lui in patino e che in quel momento, lontano dagli sguardi
indiscreti, tra cielo e mare, si abbandonasse tra quelle braccia; era
giusto e lui ormai era perfettamente in grado di rendersene conto.
Tra questi pensieri scrutava il mare cercandovi i due amanti.

Finalmente il patino apparve, non piú che un punto chiaro sul 5
mare deserto, rapidamente si avvicinò, egli vide sua madre seduta
sul banco e il giovane che remava. I remi si alzavano e si abbassa-
vano e ogni colpo di remi era accompagnato da uno scintillio
fulgido dell'acqua smossa. Allora si levò e andò sulla riva. Voleva
vedere sbarcare la madre, osservare bene in lei le tracce di quell'in- 10
timità a cui aveva per tanto tempo partecipato senza comprenderla
e che ora, alla luce delle rivelazioni del Saro e dei ragazzi, gli
sembrava che dovesse apparirgli in una maniera tutta nuova,
piena di una evidenza impudica e parlante.[18] Dal patino, prima
ancora che approdasse, la madre gli fece un gran cenno di saluto 15
con la mano; poi saltò allegramente nell'acqua e in pochi passi fu
accanto al figlio. «Hai fame?... ora andiamo subito a mangiare...
arrivederci... arrivederci... a domani» soggiunse con una voce
melodiosa voltandosi e salutando il giovane. Ad Agostino parve
piú contenta del solito; e pur seguendola attraverso la spiaggia 20
non poté fare a meno di pensare che c'era stata nei suoi saluti al
giovane una gioia ebbra e patetica; come se quel giorno fosse veramente accaduto ciò che la presenza del figlio aveva sin allora
impedito. Ma qui si fermavano le sue osservazioni e i suoi sospetti;
per il resto, salvo quella gioia goffa e così diversa dalla solita dignità, 25
non gli era possibile capire in alcun modo quel che fosse avvenuto
durante la gita e se tra i due corressero[19] già rapporti d'amore. Il
viso, il collo, le mani, il corpo, per quanto scrutati con nuova e
crudele consapevolezza, non rivelavano i segni dei baci e delle
carezze che avevano ricevuto. Agostino piú guardava sua madre 30
e piú si sentiva deluso.

«Siete stati soli... oggi, senza di me» provò a dirle mentre si
avviavano alla cabina. Quasi sperando che ella gli rispondesse:

[18] **impudica e parlante**   shameless and eloquent.
[19] **corressero**   existed.

«sí... e finalmente abbiamo potuto amarci». Ma la madre parve
interpretare questa frase come una allusione allo schiaffo e alla
fuga susseguente. «Non parleremo piú di quello che è avvenuto»
ella disse fermandosi ad un tratto, stringendolo con le due mani
per le spalle, e fissandolo in viso con quei suoi occhi ridenti ed 5
eccitati. «Nevvero? Io so che tu mi vuoi bene... dammi un bacio
e non se ne parli piú».[20] Agostino si trovò ad un tratto con il viso
su quel collo un tempo cosí dolce per il profumo e il calore di cui
era castamente avvolto; ma gli parve di avvertire sotto le labbra
un palpito nuovo seppure debole, come l'ultimo guizzo dell'aspro 10
risentimento che doveva aver suscitato in quella carne la bocca
del giovane. Poi la madre salí in fretta la scaletta della cabina; e il
viso acceso da non sapeva che vergogna, egli si distese nella
rena.

Piú tardi, mentre si avviava con lei verso casa, rimescolò a lungo 15
in fondo all'animo conturbato i nuovi e ancora oscuri sentimenti.
Strano a dirsi, mentre prima, quando era ancora ignaro del bene e
del male, i rapporti di sua madre con il giovane gli erano apparsi,
seppure in una maniera misteriosa, tutti intrisi di colpevolezza, ora
che le rivelazioni del Saro e dei suoi discepoli gli avevano aperto 20
gli occhi e confermato quei primi dolenti sospetti della sensibilità,
era pieno di dubbi e di insoddisfatta curiosità. Gli è che[21] prima
era stato l'affetto filiale, geloso e ingenuo, a destare il suo animo,
mentre ora, in questa nuova e crudele chiarezza, quest'affetto pur
senza venir meno,[22] si trovava in parte sostituito da una curiosità 25
acre e disamorata, a cui quei primi leggeri indizi parevano insuffi-
cienti e insipidi. Se prima ogni parola, ogni gesto che gli fossero
sembrati stonati l'avevano offeso senza illuminarlo e quasi aveva
desiderato di non accorgersene, ora invece che le teneva gli occhi
addosso, quelle goffaggini e quelle stonature che prima l'avevano 30
tanto scandalizzato, gli sembravano poca cosa e quasi si augurava[23]

---

[20] **non se ne parli piú**   let's not talk about it anymore.
[21] **Gli è che**   The fact of the matter is that.
[22] **pur senza venir meno**   even without diminishing.
[23] **si augurava**   he hoped.

di sorprenderla in quegli atteggiamenti di scoperta e invereconda
naturalezza di cui il Saro e i ragazzi gli avevano poco avanti
fornito la nozione.

⌐A dire il vero non gli sarebbe forse venuto cosí presto il
desiderio di spiare e sorvegliare sua madre con il preciso proposito 5
di distruggere l'aura di dignità e di rispetto che l'aveva sin'allora
avvolta ai suoi occhi, se il caso non l'avesse quello stesso giorno
messo con violenza su questa strada.⌐Tornati a casa, madre e figlio
pranzarono quasi senza parlarsi. La madre pareva distratta; e
Agostino, tutto ai suoi[24] nuovi e per lui incredibili pensieri, contro 10
il solito era taciturno. Ma poi, dopopranzo, venne ad un tratto ad
Agostino un desiderio irresistibile, di uscire di casa e raggiungere
la banda dei ragazzi. Gli avevano detto che si riunivano allo
stabilimento Vespucci nelle prime ore del pomeriggio per decidere
le scorribande e le prodezze[25] della giornata; e, passato il primo 15
sentimento di ripugnanza e di timore, quella compagnia brutale e
umiliante tornava ad esercitare sul suo animo un'oscura attrattiva.
Egli era nella sua stanza, disteso sopra il letto, nella penombra rada
e calda delle persiane accostate;[26] e giocava, come soleva, supino
e con gli occhi rivolti al soffitto, con la peretta di legno della luce 20
elettrica. Di fuori giungevano solo pochi rumori, rotolare di
ruote di una carrozza solitaria, acciottolio di piatti e di bicchieri
nelle sale aperte sulla strada di una pensione che stava di fronte alla
casa; per contrasto con questo silenzio del pomeriggio estivo, i
rumori della casa si trovavano come isolati e resi più distinti. Udí 25
cosí la madre entrare nella stanza accanto, e poi camminare con i
tacchi sonori sulle mattonelle del pavimento. Ella andava e veniva,
apriva e chiudeva cassetti, smuoveva seggiole, toccava oggetti.
«Ora si corica» egli pensò ad un tratto riscotendosi dal torpore che
l'aveva pian piano investito, «e allora non potrò più avvertirla che 30
voglio andarmene sulla spiaggia». Spaventato, si levò dal letto e

[24] **tutto ai suoi**   completely given over to his.
[25] **le scorribande e le prodezze**   raids and exploits.
[26] **nella penombra... accostate**   in the close and warm semidarkness created by
the closed shutters.

uscí dalla stanza. La sua camera dava sopra il ballatoio,[27] di fronte
alla scala, la porta della madre era attigua alla sua. Egli si avvicinò,
ma trovandola socchiusa, invece di bussare come sempre faceva,
forse guidato inconsapevolmente da quel suo nuovo desiderio di
sorprendere l'intimità materna, sospinse dolcemente il battente   5
aprendolo a metà. La camera della madre, molto piú grande della
sua, aveva il letto accanto alla porta; e proprio di fronte alla porta
un cassettone sormontato da un largo specchio. La prima cosa che
vide fu la madre ritta in piedi davanti a questo cassettone.

    Ella non era nuda come aveva quasi presentito e sperato affac-   10
ciandosi,[28] bensí quasi spogliata e in atto di togliersi davanti allo
specchio la collana e gli orecchini. Indossava una camiciola di velo
che non le giungeva che a mezz'anca. Poi, sotto i due rigonfi
ineguali e sbilanciati dei lombi, uno piú alto e come contratto
l'altro piú basso e come disteso e indolente, le gambe eleganti si   15
assottigliavano in un atteggiamento neghittoso dalle cosce lunghe
e forti giú giú per il polpaccio fino all'esiguità del calcagno.[29] Le
braccia alzate a staccare la fibbia della collana imprimevano al
dorso tutto un movimento visibile entro la trasparenza del velo,
per cui il solco che spartiva quella larga carne matura pareva   20
confondersi e annullarsi in due groppe diverse,[30] l'una in basso
sotto le reni, l'altra in alto sotto la nuca. Le ascelle si spalancavano
all'aria come due fauci di serpenti; e come lingue nere e sottili ne
sporgevano i lunghi peli molli che parevano avidi di stendersi
senza piú la costrizione pesante e sudata del braccio. Tutto il corpo   25
grande e splendido sembrava, sotto gli occhi trasognati di Agostino, vacillare e palpitare nella penombra della camera e come
per una lievitazione della nudità ora slargarsi smisuratamente
riassorbendo nella rotondità fenduta e dilatata dei fianchi cosí le

---

[27] **dava sopra il ballatoio**   faced onto the deck (*balcony*).
[28] **affacciandosi**   looking in from the door.
[29] **si assottigliavano... calcagno**   tapered indolently from her long strong
      thighs down along the calf to the narrowness of her heel.
[30] **per cui il solco... groppe diverse**   by which the furrow that divided that
      broad mature flesh seemed to fuse and fold into two separate masses.

gambe come il torso e la testa ora invece ingigantirsi affusolandosi
e stirandosi verso l'alto,[31] toccando con un'estremità il pavimento
e con l'altra il soffitto. Ma nello specchio, in un'ombra misteriosa
di pittura annerita, il viso pallido e lontano pareva guardarlo con
occhi lusinghieri e la bocca sorridergli tentante.   5

Il primo impulso di Agostino, a tale vista, fu di ritirarsi in
fretta; ma subito questo nuovo pensiero: «è una donna», lo fermò,
le dita aggrappate alla maniglia, gli occhi spalancati. Egli sentiva
tutto il suo antico animo filiale ribellarsi a quella immobilità e
tirarlo indietro; ma quello nuovo,[32] ancora timido eppure già   10
forte, lo costringeva a fissare spietatamente gli occhi riluttanti là
dove il giorno prima non avrebbe osato levarli. Cosí, in questo
combattimento tra la ripugnanza e l'attrattiva, tra la sorpresa e il
compiacimento, piú fermi e piú nitidi[33] gli apparvero i particolari
del quadro che contemplava: il gesto delle gambe, l'indolenza   15
della schiena, il profilo delle ascelle; e gli sembrarono in tutto
rispondenti a quel suo nuovo sentimento che non aveva bisogno
che di queste conferme per signoreggiare appieno la sua fantasia.
Precipitando ad un tratto dal rispetto e dalla riverenza nel sentimento contrario, quasi avrebbe voluto che quelle goffaggini si   20
sviluppassero sotto i suoi occhi in sguaiataggini, quella nudità in
procacità, quell'incoscienza in colpevole nudità. I suoi occhi da
attoniti si facevano curiosi, pieni di un'attenzione che gli pareva
quasi scientifica e che in realtà doveva la sua falsa obbiettività alla
crudeltà del sentimento che la guidava. Intanto, mentre il sangue   25
gli saliva rombando alla testa, si ripeteva «è una donna... nient'altro
che una donna»; e gli parevano, queste parole, altrettante[34]
sferzate sprezzanti e ingiuriose su quel dorso e su quelle gambe.

---

[31] **come per una lievitazione... verso l'alto**   and as if by a kind of levitation
     of the naked flesh seemed at times to broaden out enormously, encompassing
     her legs as well as her torso and head in the cloven and expanded curvature of
     her hips, and at times to tower gigantically in tapering and stretching up-
     wards . . . . (*Needless to say this description is surrealistic.*)

[32] **nuovo**   *modifies* ***animo.***

[33] **fermi e piú nitidi**   *modify* ***particolari.***

[34] **altrettante**   just so many.

La madre, toltasi la collana e posatala sul marmo del cassettone, incominciò, riunendo con gesto grazioso le due mani al lobo dell'orecchio, a svitare uno degli orecchini. In questo gesto, teneva la testa inclinata sulla spalla, girandola alquanto verso la stanza. E allora Agostino temette che ella lo vedesse nel grande specchio 5 della psiche situata poco lontano, nel vano della finestra; nel quale, infatti, poteva scorgersi tutto intero, ritto e furtivo, tra i battenti della porta. Levata con sforzo la mano, batté leggermente contro lo stipite domandando: «si può».

«Aspetta un momento caro» disse la madre tranquillamente. 10 Agostino la vide muoversi, scomparire dai suoi occhi; poi, dopo un leggero tramestio, ella riapparve indossando una lunga vestaglia di seta azzurra.

«Mamma» disse Agostino senza levare gli occhi, «io vado sulla spiaggia». 15

«A quest'ora?» disse la madre distrattamente «ma fa caldo... non sarebbe meglio che tu dormissi un poco?» Una mano si sporse e gli fece una carezza sulla guancia. Con l'altra mano la madre si ravviava dietro la nuca una ciocca allentata dei suoi lisci capelli neri. 20

Agostino, tornato per l'occorrenza bambino, non disse nulla, restando, come soleva fare quando qualche sua richiesta non veniva accolta, ostinatamente muto, gli occhi rivolti a terra, il mento inchiodato sul petto. Questo gesto era ben noto alla madre che l'interpretò nella maniera solita. «Ebbene se proprio ci 25 tieni»[35] ella soggiunse «va pure... ma prima passa in cucina e fatti dare[36] la merenda... ma non mangiarla subito, mettila in cabina... e soprattutto non fare il bagno prima delle cinque... del resto a quell'ora verrò io e faremo il bagno assieme». Erano le solite raccomandazioni. 30

Agostino non rispose nulla e corse via a piedi nudi per i gradini di pietra della scala. Udí dietro di lui, la porta della camera della madre chiudersi dolcemente.

[35] **ci tieni**   you insist.
[36] **fatti dare**   have yourself served.

Discese di corsa la scala, nel vestibolo si infilò i sandali, aprí la porta e uscí nella strada. L'investirono subito la bianca vampa, il silenzioso fervore del solleone. In fondo alla strada, in un'aria tremolante e remota, il mare scintillava immobile. All'estremità opposta la pineta inclinava i rossi tronchi sotto le masse verdi e 5 afose dei rotondi fogliami.

Esitò domandandosi se gli convenisse recarsi al bagno Vespucci lungo il mare o lungo la pineta, poi scelse il primo partito perché, sebbene di gran lunga[37] piú battuta dal sole, quella via non lo esponeva al pericolo di oltrepassare lo stabilimento senza avveder- 10 sene. Percorse tutta la strada fin dove confluiva sul lungomare[38] quindi prese a camminare in fretta rasente i muri.

Non se ne rendeva conto, ma ciò che l'attirava al bagno Vespucci, oltre alla compagnia cosí nuova dei ragazzi, era proprio quel dileggio brutale su sua madre e i suoi supposti amori. Egli 15 avvertiva che l'affetto di un tempo stava cambiandosi in un sentimento tutto diverso, insieme obbiettivo e crudele; e gli pareva che quelle ironie pesanti, per il solo fatto di affrettare questo cambiamento, andassero ricercate e coltivate. Perché poi desiderasse tanto di non amare piú sua madre, perché odiasse questo suo amore, 20 non avrebbe saputo dirlo. Forse per il risentimento di essere stato tratto in inganno[39] e di averla creduta cosí diversa da quella che era nella realtà; forse perché, non avendo potuto amarla senza difficoltà e offesa, preferiva non amarla affatto e non vedere piú in lei che una donna. D'istinto cercava di liberarsi una volta per 25 sempre dall'impaccio e dalla vergogna del vecchio affetto ignaro e tradito; che gli appariva ormai nient'altro che ingenuità e sciocchezza. Per questo, la stessa crudele attrattiva che poco prima l'aveva fatto sostare con gli occhi fissi sul dorso materno, ora lo spingeva a ricercare la compagnia umiliante e brutale dei ragazzi. 30 Quei discorsi irriverenti non erano forse, come la nudità intravvista,

---

[37] **di gran lunga**   by far.
[38] **fin dove... sul lungomare**   up to where it joined with the promenade along the beach.
[39] **essere stato tratto in inganno**   having been deceived.

distruttori della vecchia condizione filiale che ora tanto gli
ripugnava? Medicina molto amara, ne sarebbe morto o sarebbe
guarito.

Come giunse in vista allo Stabilimento Vespucci, rallentò il
passo e sebbene il cuore gli battesse a gran colpi e il respiro quasi 5
gli mancasse, assunse un'aria di indifferenza.

Il Saro sedeva come il solito sotto la tenda, al suo sbilenco
tavolinetto su cui si vedevano un fiasco di vino, un bicchiere e una
scodella con i resti di una zuppa di pesce. Ma intorno il Saro non
pareva esserci nessuno. O meglio, come giunse presso la tenda 10
scoprí, tutto nero sulla bianchezza della rena, il negretto Homs.

Il Saro non pareva curarsi piú che tanto[40] del negro e fumava
assorto, un vecchio e sdrucito cappelluccio di paglia calato sugli
occhi. «Non ci sono?» domandò Agostino con voce di delusione.

Il Saro levò gli occhi verso di lui, lo considerò un momento, 15
quindi disse: «Sono andati tutti a Rio». Rio era una località deserta
del litorale, qualche chilometro piú in là, dove, tra sabbie e
canneti, sfociava un fiumicello.

«Ah» fece Agostino con disappunto, «sono andati a Rio... e a
che fare?».   20

Fu il negro a rispondergli. «Sono andati a far colazione» e
accennò un gesto espressivo portando la mano alla bocca. Ma il
Saro scosse la testa e disse: «voialtri ragazzi non sarete contenti
finché non vi sarete buscata qualche fucilata».[41] Era chiaro che la
colazione non era che un pretesto per andare a rubacchiare frutta 25
nei campi, cosí parve almeno ad Agostino di capire.

«Io non ci sono andato» ribatté il negro come per farsi valere[42]
presso il Saro, in tono di adulazione.

«Tu non ci sei andato perché non ti hanno voluto» disse il Saro
con tranquillità.   30

Il negro protestò dimenandosi nella rena: «no, non ci sono
andato per restare con te».

---

[40] **piú che tanto**   scarcely.
[41] **finché... fucilata**   until you catch a load of buckshot.
[42] **per farsi valere**   to make himself appreciated.

Aveva una voce melata e cantante. Sprezzantemente il Saro disse: «chi ti dà il diritto di darmi del tu,[43] moro?... non siamo mica fratelli, mi pare...».

«No... non siamo fratelli» rispose quello senza scomporsi, anzi giubilante, come se avesse trovato un piacere profondo in questa osservazione.

«E allora sta al posto tuo» finí il Saro. Quindi rivolto ad Agostino: «sono andati a rubare frutta e granturco... ecco la colazione».

«E torneranno?» domandò Agostino ansioso.

Il Saro non disse nulla, guardava Agostino e pareva seguire un suo calcolo. «Non torneranno cosí presto» rispose poi lentamente, «non prima di stanotte... ma se vogliamo, noi possiamo raggiungerli...».

«E in che modo?».

«Con la barca» disse il Saro.

«Oh sí, andiamo in barca» gridò il negro. Zelante ed eccitato si levò e venne accanto all'uomo. Ma il Saro non lo guardò neppure. «Ho la barca a vela... in mezz'ora o poco piú siamo a Rio... se il vento è buono».

«Sí, andiamo» disse Agostino contento, «ma se sono per i campi... come faremo a trovarli?».

«Non aver paura» disse il Saro levandosi e dandosi un'assestata[44] alla fascia nera che gli cingeva la pancia, «si trovano di certo». Quindi si voltò verso il negro che lo spiava ansioso e soggiunse: «tu moro, aiutami a portare la vela e l'albero».

«Subito... subito Saro» ripeté il negro giubilante; e seguí il Saro nella baracca.

Rimasto solo, Agostino si levò in piedi e si guardò intorno. Si era levato un piccolo maestrale e il mare, tutto increspato, si era fatto di un azzurro quasi violetto. In un polverio di sole e di sabbia, il litorale, tra il mare e la pineta, appariva deserto a perdita d'occhio. Agostino che non sapeva dove fosse Rio,

---

[43] **darmi del tu**   address me familiarly.
[44] **dandosi un'assestata**   straightening out.

seguiva con occhio invaghito la linea capricciosa, tutta sporgenze
e rientranze,[45] della spiaggia solitaria lungo il mare. Dove era
Rio? forse laggiú, dove la furia del sole confondeva cielo, mare e
sabbia in una sola diffusa caligine? La gita lo attraeva infinitamente
e per niente al mondo avrebbe rinunziato a farla.   5

Fu scosso da queste riflessioni dalle voci dei due che uscivano
dalla baracca. Il Saro portava su un braccio tutto un mucchio di
cordami e di vele e stringeva nell'altra mano un fiasco; dietro di
lui veniva il negro, imbracciando come una lancia un lungo albero
per metà dipinto di verde. «Allora si va» disse il Saro senza   10
guardare Agostino e avviandosi lungo la spiaggia. Ad Agostino
parve, non sapeva perché, curiosamente precipitoso, contro il suo
solito. Anche notò che quelle sue ripugnanti narici scoperte parevano piú rosse e infiammate del solito, come se tutte quelle
venuzze che vi si ramificavano, si fossero ad un tratto inturgidite 15
di un sangue piu abbondante e piú acceso. «Si va... si va» cantarel-
lava il negro improvvisando dietro il Saro, con quell'albero sotto
il braccio, una specie di danza sopra la sabbia. Ma il Saro era ormai
presso le cabine; e allora il negro rallentò il passo aspettando
Agostino. Come questi gli fu presso, il negro fece un cenno di   20
intelligenza.[46] Interdetto, Agostino si fermò.

«Senti» disse il negro con aria familiare: «io debbo parlare con
Saro di certe cose... per questo, fammi il piacere... non venire...
vattene...».

«Perché?» domandò Agostino stupito.   25

«Se ti ho detto che debbo parlare con Saro da solo a solo»[47]
disse l'altro con impazienza, battendo il piede in terra.

«Io debbo andare a Rio» rispose Agostino.

«Ci andrai un'altra volta».

«No... non posso».   30

Il negro lo guardò, nei suoi occhi bianchi, nelle sue narici unte
e frementi, si leggeva una passione ansiosa che ripugnava ad

[45] **tutta sporgenze e rientranze** all promontories and inlets.
[46] **un cenno di intelligenza** a sign of mutual understanding.
[47] **da solo a solo** privately.

Agostino. «Senti Pisa» disse, «se non vieni... ti do una cosa che non
hai mai visto». Lasciò cadere l'albero e si frugò in tasca. Apparve
una fionda fatta con una forcella di pino e due elastici legati insieme. «Non è bella?» disse il negro mostrandogliela.

Ma Agostino voleva andare a Rio; e poi la insistenza del negro   5
l'insospettiva. «No... non posso» rispose.

«Prendi la fionda» disse l'altro cercandogli la mano e tentando
di ficcargli l'oggetto nella palma, «prendi la fionda e vattene».

«No» ripeté Agostino, «è impossibile».

«Ti do la fionda e queste carte» disse il negro. Si frugò ancora   10
nelle tasche e trasse un piccolo mazzo di carte dal rovescio rosa e
dal taglio dorato,[48] «prendi tutte e due e vattene... con la fionda
potrai ammazzare gli uccelli... le carte sono nuove...».

«Ti ho detto di no» disse Agostino.

Il negro lo guardò turbato e supplichevole. Grosse gocce di   15
sudore gli imperlavano la fronte, il viso gli si contrasse ad un
tratto in una espressione lamentosa. «Ma perché non vuoi?»
piagnucolò.

«Non voglio» disse Agostino; e tutto ad un tratto fuggí verso il
bagnino che aveva ormai raggiunto la barca sulla spiaggia. Udí   20
il negro gridare: «te ne pentirai»; e ansimante raggiunse il Saro.

La barca stava poggiata sopra due rulli di abete grezzo,[49] un po'
dentro la spiaggia. Il Saro, buttate le vele dentro la barca, pareva
spazientito.«Ma che fa?» domandò ad Agostino indicando il negro.

«Ora viene» disse Agostino.   25

Il negro infatti accorreva, l'albero sotto il braccio, spiccando dei
gran salti[50] sulla sabbia. Il Saro prese l'albero con le sei dita della
mano destra e poi con le sei della sinistra lo sollevò e lo piantò in
un foro del sedile di mezzo. Quindi salí nella barca, legò la cima
della vela, fece scorrere la corda; la vela salí fino in vetta all'albero. 30
Il Saro si voltò verso il negro e disse: «ora diamoci sotto».[51]

---

[48] **dal rovescio... dorato**   with pink backs and gilt edges.
[49] **rulli di abete grezzo**   rough hewn logs of fir.
[50] **spiccando dei gran salti**   bounding.
[51] **ora diamoci sotto**   now let's shove.

Il Saro si mise di fianco alla barca afferrando i bordi della prua, il negro si preparò a spingere a poppa. Agostino che non sapeva che fare, guardava. La barca era di media grandezza, metà bianca e metà verde. Sulla prua, a lettere nere, si leggeva «Amelia». «Ah issa» disse il Saro. La barca scivolò sui rulli avanzando sulla 5 sabbia. Il negro, appena il rullo posteriore si trovò fuori della chiglia, si chinò, lo prese in braccio, lo strinse contro il petto come un bambino e saltellando sulla sabbia come per un balletto di nuovo genere, corse a sottoporlo a prua. «Ah... issa» ripeté il Saro.

La barca scivolò di nuovo un bel tratto, di nuovo corse il negro 10 da poppa a prua saltabeccando e caprioleggiando[52] con il rullo tra le braccia, ci fu una nuova spinta finale, quindi la barca discese nell'acqua con la prua in basso e galleggiò. Il Saro salí nella barca e prese ad infilare i remi negli scalmi. Pur infilando i remi, il Saro accennò ad Agostino di salire; con una specie di complicità che 15 pareva escludere il negro. Agostino entrò nell'acqua fino al ginocchio e fece per montare. Non ci sarebbe riuscito se ad un tratto le sei dita della mano destra del Saro non l'avessero afferrato saldamente per un braccio tirandolo su come un gatto. Egli guardò in sú. Il Saro, pur sollevandolo, non lo guardava ma 20 badava a raddrizzare il remo con la mano sinistra. Pieno di ripugnanza per quelle dita che l'avevano ghermito, Agostino andò a sedersi a poppa. «Bravo» disse il Saro, «siediti lí... ora si porta la barca di fuori».

«Aspettatemi, vengo anch'io» gridò il negro dalla riva. Trafelato 25 si gettò in acqua, si fece presso la barca e ne afferrò i bordi. Ma il Saro disse: «no, tu non vieni».

«Come farò?» gridò quello addolorato, «come farò?».

«Prenderai il tram» rispose il Saro remando di lena, in piedi, «vedrai che arrivi prima di noi». 30

«Perché Saro» insistette ancora il negro lamentosamente, correndo nell'acqua accanto alla barca, «perché Saro? Vengo anch'io».

---

[52] **saltabeccando e caprioleggiando** hopping and skipping.

Il Saro, senza dir parola, lasciò i remi, si chinò e mise una mano
larga, enorme, sulla faccia del negro. «Ti ho detto che non verrai»
ripeté calmo, e con una sola spinta rovesciò il negro indietro,
nell'acqua. «Perché Saro?» continuava a gridare il negro, «perché
Saro?», e la sua voce lamentosa, tra gli schizzi dell'acqua, suonava 5
sgradevolmente all'orecchio di Agostino, ispirandogli una torbida
pietà. Egli guardò il Saro che sorrise e disse: «è cosí noioso... che
ce ne facevamo?...».[53]

Ora la barca si era allontanata da riva. Agostino si voltò e vide
il negro uscire dall'acqua agitando il pugno con un gesto di 10
minaccia che gli parve rivolto contro di lui.

Il Saro senza dir parola ritirò i remi e li distese in fondo alla
barca. Quindi andò a prua e legò la vela all'albero distendendola.
La vela sventolò un momento indecisa, come se il vento la perco-
tesse da ambo le parti, quindi, tutto ad un tratto, con uno schiocco 15
forte, piegò a sinistra tendendosi e gonfiandosi. Ubbidiente la barca si piegò anch'essa sul fianco sinistro e cominciò a filare sulle
onde leggere e scherzose del maestrale. «Ecco fatto» disse il Saro,
«ora possiamo distenderci e riposare un poco». Egli si calò in
fondo alla barca e invitò Agostino a stendersi accanto a lui. «Se ci 20
sediamo sul fondo» spiegò come giustificandosi, «la barca corre di
piú». Agostino ubbidí e si trovò seduto sul fondo della barca a
fianco del Saro.

La barca correva agilmente nonostante la sua sagoma panciuta,
inclinata sul fianco, andando su e giú sulle piccole onde e ogni 25
tanto impennandosi come un puledro[54] che morda il freno. Il
Saro stava disteso con la testa appoggiata al sedile e un braccio
girato dietro la nuca di Agostino a regolare la barra del timone e
per un poco non disse nulla. «Vai a scuola?» domandò finalmente.

Agostino lo guardò. Quasi supino, il Saro pareva esporre con 30
voluttà quel suo naso dalle narici scoperte e infiammate al vento
marino come con desiderio di rinfrescarlo. Aveva la bocca

[53] **facevamo**   *translate as if it were in the conditional tense.*
[54] **impennandosi come un puledro**   rearing up like a colt.

semiaperta sotto i baffi, gli occhi socchiusi. Per il camiciotto
sbottonato si vedeva il pelo arruffarsi sul suo petto, grigio e sporco.
«Sí» disse Agostino con un fremito di improvvisa paura.

«Che classe fai?».

«La terza ginnasiale».[55]   5

«Dammi la mano» disse il Saro; e prima che Agostino potesse
rifiutarsi, gli afferrò la mano nella sua. Ad Agostino parve di
sentirsela serrare non in una mano ma in una tagliola. Le sei dita
corte e tozze gli ricoprivano la mano, ne facevano il giro e si
congiungevano di sotto. «E cosa ti insegnano?» continuò il Saro   10
sdraiandosi meglio e come sommergendosi in una specie di
beatitudine.

«Latino... italiano... geografia... storia» balbettò Agostino.

«T'insegnano le poesie... le belle poesie?» domandò il Saro con
una voce dolce.   15

«Sí» disse Agostino, «anche le poesie».

«Dimmene una».

La barca si impennò e il Saro senza muoversi né modificare il
suo atteggiamento di beatitudine, diede un colpo al timone. «Ma
non so» disse Agostino impacciato e spaurito, «mi insegnano   20
tante poesie... Carducci...».

«Ah sí Carducci...» ripeté il Saro meccanicamente, «dimmi una
poesia di Carducci».

«Le fonti del Clitunno»[56] propose Agostino esterrefatto da quella
mano che non lasciava la presa e cercando pian piano di svinco-   25
larla...

«Sí, le fonti del Clitunno» disse il Saro con voce di sogno.

«Ancor dal monte che di foschi ondeggia
frassini al vento mormoranti e lunge»[57]

incominciò Agostino con voce malsicura.   30

---

[55] **la terza ginnasiale**   *third year of the upper grammar school attended by children aged 11–15.*

[56] **Clitunno = Clitumno**   *the title of a celebrated poem by Carducci (see page 264).*

[57] "Still down from the mountain, which undulates with dark ash trees murmuring in the wind."

La barca filava, il Saro sempre sdraiato, il naso al vento, gli occhi chiusi, prese a far dei cenni col capo come scandendo i versi. Attaccandosi ad un tratto alla poesia come al solo mezzo per sottrarsi ad una conversazione che intuiva compromettente e pericolosa, Agostino continuò a recitare lentamente e chiaramente. 5 Intanto cercava di svincolare la mano dalle sei dita che la stringevano. Ma le dita erano piú salde che mai. Agostino vedeva con terrore avvicinarsi la fine della poesia; e, tutto ad un tratto attaccò all'ultima strofa delle Fonti del Clitunno il primo verso di «Davanti a San Guido».[58] Era anche una prova, se ce n'era bisogno, per 10 confermarsi che al Saro non importava nulla della poesia e che altri erano i suoi scopi; quali poi fossero non gli riusciva di capire. L'esperimento riuscí. «*I cipressi che a Bolgheri alti e schietti*» suonò improvvisamente senza che il Saro mostrasse di accorgersi del cambiamento. Allora Agostino interruppe di recitare e disse con 15 voce esasperata: «lasciatemi, vi prego»; cercando insieme di svincolarsi.

Il Saro trasalí, e senza lasciarlo, aprí gli occhi, si voltò e lo guardò. Doveva esserci nel viso di Agostino una tale forsennata ripugnanza, un terrore cosí poco dissimulato, che il Saro parve 20 capire improvvisamente che tutto il suo piano era fallito. Lentamente, un dito dopo l'altro, liberò la mano indolenzita di Agostino e poi disse con voce bassa, come parlando a sé stesso: «di che hai paura? ora ti porto a riva».

Pesantemente si tirò su, e diede un colpo alla barra. La barca 25 voltò la prua verso la riva.

Senza dir parola, fregandosi la mano indolenzita, Agostino si levò dal fondo della barca e andò a sedersi a prua. La barca adesso non era troppo lontana dalla riva. Si vedeva tutta la spiaggia, di bianca deserta sabbia battuta dal sole, larghissima in quel punto; 30 dietro la spiaggia, la pineta si affoltiva, inclinata e livida. Rio era

---

[58] **"Davanti a San Guido''**   *another poem by Carducci. The first poem, incidentally, is quite long. The memorization of it is quite a feat. Italian schoolboys have traditionally been expected to memorize great amounts of their classical literature.*

una fenditura svasata[59] in quella rena alta; piú a monte,[60] i canneti
facevano una macchia verdeazzurra. Ma prima di Rio, Agostino
notò sulla spiaggia un gruppo di persone riunite. Dal gruppo
saliva verso il cielo un lungo filo di fumo nero. Egli si voltò verso
il Saro che seduto a poppa regolava con una mano il timone e   5
domandò: «sbarchiamo qui?».

«Sí, quello è Rio» rispose il Saro con indifferenza.

Come la barca venne sempre piú avvicinandosi a riva, Agostino
vide il gruppo che circondava il fuoco, sparpagliarsi ad un tratto
correndo verso la sponda; e comprese che erano i ragazzi. Li vide 10
che agitavano le mani, senza dubbio gridavano, ma il vento si
portava via le voci. «Sono loro?» domandò trepidante.

«Si sono loro» disse il Saro.

La barca si andava sempre piú accostando e Agostino poté
distinguere chiaramente i ragazzi. Nessuno mancava: c'erano il   15
Tortima, Berto, Sandro e tutti gli altri. E c'era anche, ma questa
scoperta, non sapeva neppur lui perché, gli riuscí sgradevole, il
negro Homs che, come gli altri, saltava e gridava lungo la riva.

La barca filò dritta verso la sponda, quindi il Saro diede un
colpo al timone mettendola di traverso; e gettatosi sulla vela   20
l'abbracciò, la ridusse e la calò. La barca si dondolò immobile
nell'acqua bassa. Il Saro prese dal fondo della barca un ancorotto
e lo lanciò in mare. «Si scende» disse. Scavalcò il bordo della barca
e camminando nell'acqua andò incontro ai ragazzi che lo aspettavano a riva.   25

Agostino vide i ragazzi affollarglisi intorno[61] con una specie di
applauso che il Saro accolse scuotendo il capo. Altro applauso piú
clamoroso salutò anche il suo arrivo; e per un momento si illuse
che fosse di amichevole cordialità. Ma subito si accorse che si
sbagliava. Tutti ridevano tra sarcastici e sprezzanti. Berto gridò: 30
«e bravo il nostro Pisa a cui piacciono le gite in barca»; il Tortima

---

[59] **una fenditura svasata**   a hollowed-out dip in the sand.
[60] **piú a monte**   farther upstream.
[61] **affollarglisi**   crowd around him.

gli fece un versaccio[62] accostando la mano alla bocca; gli altri facevano eco. Persino Sandro, di solito cosí riservato, gli parve che lo guardasse con disprezzo. Quanto al negro, badava a saltellare intorno al Saro che camminava avanti a tutti incontro al fuoco che i ragazzi avevano acceso sulla spiaggia. Stupito, vagamente 5 allarmato, Agostino andò con gli altri a sedersi intorno il fuoco.

I ragazzi avevano fatto con la sabbia compressa e bagnata una specie di rozzo cunicolo. Dentro vi bruciavano pigne secche, aghi di pino e sterpaglia.[63] Collocate di traverso sulla bocca del cunicolo, una decina di pannocchie di granturco arrostivano lenta- 10 mente. Presso il fuoco si vedeva sopra un giornale molta frutta e un grosso cocomero. «E bravo il nostro Pisa» riprese Berto come si furono seduti «tu e Homs ormai siete compagni... avvicinatevi l'uno all'altro... siete, come dire?, fratelli... lui è moro, tu sei bianco, ma la differenza è poca... a tutti e due vi piace di andare 15 in barca...».

Il negro ridacchiava soddisfatto. Il Saro accovacciato badava a rigirare le pannocchie sul fuoco. Gli altri sghignazzavano. Berto spinse la derisione fino a dare uno spintone ad Agostino buttandolo contro il negro, in modo che per un momento essi furono 20 addossati l'uno all'altro l'uno ridacchiante nella sua bassezza e come lusingato, l'altro incomprensivo e pieno di ripugnanza. «Ma io non vi capisco» disse ad un tratto Agostino. «Sono andato in barca... che male c'è?».

«Ah, che male c'è... è andato in barca... che male c'è» ripeterono 25 molte voci ironiche. Alcuni si tenevano la pancia dal gran ridere.

«Eh già, che male c'è» ripeté Berto rifacendogli il verso,[64] «non c'è nessun male... anzi, Homs pensa che sia proprio un bene... non è vero Homs?».

Il negro assentí giubilante. Ora ad Agostino cominciava ad 30 albeggiare seppure in maniera confusa, la verità; chè[65] non

---

[62] **fece un versaccio**   uttered a kind of (*Bronx*) cheer.
[63] **pigne secche... sterpaglia**   dry cones, pine needles, and brush.
[64] **rifacendogli il verso**   mimicking him.
[65] **chè = perché.**

poteva fare a meno di stabilire un nesso tra quelle beffe e lo strano contegno del Saro durante la gita. «Non so che cosa volete dire» dichiarò, «io in questa gita in barca non ho fatto nulla di male... Saro mi ha fatto recitare delle poesie... ecco tutto».

«Ah... ah... le poesie» si sentí gridare d'ogni parte.   5

«Non è vero Saro che ho detto la verità?» gridò Agostino rosso in viso.

Il Saro non disse né sí né no; contentandosi di sorridere e sog-guardandolo, si sarebbe detto, con curiosità. I ragazzi scambiarono questo contegno in apparenza indifferente e in realtà traditore e   10 vanitoso, per una smentita ad Agostino. «Si capisce» si udiva ripetere da molte voci, «va a chiedere all'oste se il vino è buono... non è vero Saro? bella questa... ah, Pisa, Pisa...».

Il negro, soprattutto, vendicativo, pareva godersela. Agostino gli se rivoltò e gli domandò bruscamente tremando per la collera: 15 «che hai da ridere?».

«Io, nulla» disse quello scostandosi.

«E non vi litigate... Saro penserà lui a mettervi d'accordo» disse Berto. Ma già i ragazzi, come se la cosa a cui alludevano fosse pacifica e non meritasse piú neppure di essere discussa, parlavano   20 d'altro. Raccontavano come si fossero insinuati in un campo e vi avessero rubato il granturco e la frutta; come avessero veduto il contadino venirgli incontro[66] furioso, armato di fucile; come fossero scappati e il contadino avesse sparato una fucilata di sale senza tuttavia colpire nessuno. Le pannocchie intanto erano   25 pronte, rosolate e abbrustolite[67] sul fuoco quasi spento. Il Saro le tolse dal fornello e con il solito paterno compiacimento, le distribuí a ciascuno. Agostino approfittò di un momento che tutti erano intenti a mangiare, e con una capriola si fece presso a Sandro che un po' in disparte sgranocchiava il suo granturco.   30

«Io non capisco» incominciò. L'altro gli lanciò uno sguardo d'intelligenza e Agostino comprese che non aveva bisogno di dire

---

[66] **venirgli incontro**   coming toward them (*gli instead of loro*).
[67] **rosolate e abbrustolite**   browned and roasted.

altro. «E' venuto il moro in tramvai» pronunziò Sandro lentamente «e ha detto che tu e il Saro siete andati in barca».

«Ebbene, che male c'è?».

«Io non c'entro» rispose Sandro gli occhi rivolti a terra, «sono
affari vostri... di te e del moro... ma il Saro» egli non finí la frase e 5
guardò Agostino.

«E allora?».

«Beh... io col Saro solo non ci andrei in barca».

«Ma perché?».

Sandro si guardò intorno e poi abbassando la voce diede ad 10
Agostino la spiegazione che questi presentiva senza rendersene
conto. «Ah» fece Agostino. E senza potere dire di piú tornò al
gruppo.

Accovacciato in mezzo ai ragazzi, con quella sua testa bonaria e
fredda reclinata verso la spalla, il Saro pareva proprio un buon 15
papà tra i suoi figlioli. Ma Agostino ora non poteva guardarlo
senza un odio fondo, piú forte ancora di quello che provava
contro il negro. Ciò che soprattutto gli rendeva odioso il Saro era
quella reticenza di fronte alle sue proteste; come a lasciare intendere che le cose di cui lo accusavano i ragazzi erano realmente 20
avvenute. D'altra parte non poteva fare a meno di avvertire non
sapeva che distanza di disprezzo e di derisione tra lui e i compagni;
quella stessa distanza che, ora se ne accorgeva, frapponevano tra
loro e il negro; soltanto che il negro, invece di esserne come lui
umiliato e offeso, pareva in qualche modo goderne. Piú di una 25
volta tentò di attaccare discorso sull'argomento [68] che gli bruciava,
ma sempre incontrò sia la canzonatura sia una noncuranza in-
giuriosa. Del resto, sebbene la spiegazione di Sandro fosse stata
chiarissima, egli non riusciva ancora a comprendere perfettamente
quanto era accaduto. Tutto era oscuro in lui e intorno a lui. Come 30
se invece della spiaggia, del cielo e del mare non vi fossero state
che tenebre, nebbia e forme indistinte e minacciose.

I ragazzi intanto avevano finito di divorare i grani arrostiti

---

[68] **attaccare... sull'argomento**   to broach the subject.

delle pannocchie e buttavano via i torsoli nella sabbia. «Si va a fare il bagno a Rio?» propose qualcuno; e subito la proposta fu accettata. Anche il Saro che doveva poi riportarli tutti in barca allo stabilimento Vespucci, si levò e venne con loro.

Camminando sulla sabbia, Sandro si staccò dal gruppo e venne 5 accanto ad Agostino. «Sei offeso col moro» gli disse sottovoce, «e tu fagli paura».

«In che modo?» domandò Agostino avvilito.

«Picchialo»

«E' piú forte di me» disse Agostino che ricordava la contesa del 10 braccio di ferro, «ma se tu mi aiuti...».

«Come vuoi che ti aiuti... sono cose vostre... tra te e il moro». Sandro disse queste parole con tono particolare, come a lasciare intendere che non pensava diversamente dagli altri sui motivi dell'odio di Agostino contro il negro. Agostino si sentí trafiggere 15 il cuore da una amarezza profonda. Cosí anche Sandro partecipava e credeva alla calunnia, il solo che gli avesse mostrato un po' di amicizia. Dato questo consiglio, Sandro, come se avesse temuto di stargli troppo accanto,[69] lasciò Agostino e raggiunse gli altri. Dalla spiaggia erano passati nella boscaglia bassa dei pini giovani; 20 poi varcarono un sentiero sabbioso ed entrarono nel canneto. Le canne erano folte, molte portavano in cima bianchi pennacchi, i ragazzi apparivano e scomparivano tra quelle lunghe e verdi lance, sdrucciolando sulla melletta e smuovendo le canne con un fruscio arido delle rigide foglie fibrose. Trovarono alla fine un 25 punto dove il canneto si allargarva intorno un po' di proda mel-mosa; come apparvero, grossi ranocchi saltarono d'ogni parte dentro l'acqua compatta e vitrea; e, qui, l'uno contro l'altro, sotto gli occhi del Saro che seduto a ridosso delle canne[70] sopra un sasso pareva assorto a fumare ma in realtà li spiava tra le palpebre 30 socchiuse, presero a spogliarsi. Agostino si vergognava, ma timorso di nuove beffe cominciò anche lui a slacciarsi i pantaloni, procurando di mettervi molta lentezza e sogguardando gli altri.

---

[69] **stargli troppo accanto**   remain too close to him.
[70] **a ridosso delle canne**   with his back to the reeds.

I ragazzi invece parevano gioiosi di mettersi nudi e si strappavano
i panni urtandosi e interpellandosi scherzosamente. Erano, contro
lo sfondo delle canne verdi, tutti bianchi, di una bianchezza
squallida e villosa, dall'inguine fino alla pancia; e questa bianchezza
rivelava nei loro corpi quel non so che di storto, di sgraziato e di 5
eccessivamente muscoloso che è proprio della gente che fatica
manualmente. Soltanto Sandro, biondo all'inguine come in capo,
grazioso e proporzionato, forse anche perché aveva la pelle egualmente abbronzata per tutto il corpo, non pareva neppure nudo; e
per lo meno non nudo in quella laida maniera da piscina popo- 10
lare.[71] I ragazzi preparandosi a tuffarsi, facevano cento lazzi osceni,
scosciandosi,[72] dandosi delle spinte, toccandosi, con un'impudenza e una sfrenata promiscuità che stupiva Agostino affatto
nuovo a questo genere di cose. Era anche lui nudo, i piedi nudi
neri e lordi di melletta fredda, ma volentieri si sarebbe nascosto 15
dietro quelle canne, non fosse altro che per sfuggire agli sguardi
che il Saro, accovacciato e immobile, in tutto simile a un enorme
batrace[73] abitatore del canneto, avventava su di lui tra gli occhi
socchiusi. Soltanto, come il solito, la sua ripugnanza non era piú
forte della torbida attrattiva che lo legava alla banda; e mescolata 20
con essa indissolubilmente, non gli permetteva di capire quanto
piacere si nascondesse in realtà in fondo a quel ribrezzo. I ragazzi
si confrontavano a vicenda, vantando la loro virilità e la loro
prestanza. Il Tortima che era il piú vanitoso e al tempo stesso, cosí
nerboruto e sbilanciato, il piú plebeo e squallido, si esaltò al punto 25
da gridare ad Agostino: «e se io mi presentassi un bel mattino a
tua madre... cosí nudo... lei che direbbe? ci verrebbe con me?».

«No» disse Agostino.

«E io invece dico che ci verrebbe subito» disse il Tortima, «mi
darebbe un'occhiata... tanto per valutarmi... e poi direbbe: «su, 30
Tortima, andiamo».

---

[71] **per lo meno... popolare**   at least not naked in the vulgar, ugly way found in
public swimming pools.
[72] **scosciandosi**   throwing their legs apart.
[73] **batrace**   frog.

Tanta goffaggine fece ridere tutti. E al grido di: «su, Tortima, andiamo» si slanciarono l'uno dopo l'altro nel fiume, buttandosi a capofitto proprio come quei ranocchi che il loro arrivo poco prima aveva disturbato.

La proda era circondata d'ogni parte dalle alte canne, in modo 5 che si vedeva non piú che un tratto del fiume. Ma come furono nel mezzo della corrente, apparve loro il fiumicello intero che con un moto insensibile della compatta e scura acqua di canale andava a sfociare poco piú in giú, tra i sabbioni. A monte il fiume si inoltrava tra due file di bassi e gonfi cespugli argentei che 10 spandevano sull'acqua specchiante certe loro vaghe ombre; fino ad un piccolo ponte di ferro dietro il quale le canne, i pini, i pioppi, folti e premuti gli uni contro gli altri, chiudevano il paesaggio. Una casa rossa, mezzo nascosta tra gli alberi, pareva sorvegliare questo ponte.   15

Per un momento Agostino, nuotando in quell'acqua fredda e possente che pareva voler portar via le gambe, si sentí felice; e dimenticò ogni cruccio e ogni torto. I ragazzi nuotavano in ogni direzione, sporgendo il capo e le braccia sulla verde e liscia super-ficie; le loro voci risuonavano chiare nell'aria ferma e senza vento; 20 attraverso la trasparenza di vetro dell'acqua, i loro corpi parevano bianche propaggini di piante che affiorando dal fondo cupo si muovessero di qua e di là secondo gli strappi della corrente. Egli si avvicinò a Berto che nuotava non lontano e gli domandò:

«Ci sono molti pesci in questo fiume?».   25

Berto lo guardò e gli disse: «che fai qui?... perché non tieni compagnia a Saro?».

«Mi piace nuotare» rispose Agostino addolorato, girando e allontanandosi.

Ma era meno forte ed esperto degli altri; e stancatosi ben 30 presto, si lasciò andare secondo la corrente verso la foce. Presto i ragazzi con le loro grida e i loro schiamazzi gli furono alle spalle;[74] i canneti si diradarono, l'acqua si fece limpida e incolore scoprendo

[74] **gli... alle spalle**   were right behind him.

il fondo sabbioso tutto percorso da fluttuanti increspature[75] grigie. Finalmente, passata una pozza piú profonda, specie di occhio verde della corrente diafana, egli mise i piedi nella sabbia e, lottando contro la forza dell'acqua, uscí sulla proda. Il fiumicello confluiva nel mare arricciandosi e formando come una groppa[76] d'acqua. 5 Perdendo la sua compattezza, la corrente si allargava a ventaglio,[77] si assottigliava, non piú che un velo liquido sui sabbioni lisci. Il mare risaliva il fiume con leggere onde orlate di spuma. Pozze dimenticate dalla corrente riflettevano qua e là il cielo brillante nella sabbia intatta e gonfia d'acqua. Tutto nudo, Agostino pas- 10 seggiò per un poco su quelle sabbie tenere e specchianti, godendo a imprimervi con forza i piedi e a vedere l'acqua subito fiorire e allagare l'orme. Ora provava un vago, disperato desiderio di varcare il fiume e allontanarsi lungo il litorale, lasciando alle sue spalle i ragazzi, il Saro, la madre e tutta la vecchia vita. Chissà che 15 forse, camminando sempre diritto davanti a sé, lungo il mare, sulla rena bianca e soffice, non sarebbe arrivato in un paese dove tutte quelle brutte cose non esistevano. In un paese dove sarebbe stato accolto come voleva il cuore, e dove gli fosse stato possibile dimenticare tutto quanto aveva appreso, per poi riapprenderlo 20 senza vergogna né offesa, nella maniera dolce e naturale che pur doveva esserci[78] e che oscuramente avrebbe voluto. Guardava alla caligine che sull'orizzonte avvolgeva i termini del mare, della spiaggia e della boscaglia e si sentiva attratto da quella immensità come dalla sola cosa che avrebbe potuto liberarlo della presente 25 servitú. Le grida dei ragazzi che si avviavano attraverso la spiaggia verso la barca, lo destarono da queste dolenti fantasie. Uno di loro agitava i suoi vestiti, Berto gridava: «Pisa... si parte». Si scosse e camminando lungo il mare raggiunse la banda.

Tutti i ragazzi si erano affollati nell'acqua bassa; il Saro badava 30 ad avvertirli paternamente che la barca era troppo piccola per

---

[75] **tutto percorso da fluttuanti increspature**   all covered by ripple-like marks.
[76] **groppa**   a swell.
[77] **si allargava a ventaglio**   broadened out, fan-shaped.
[78] **che pur doveva esserci**   that surely must exist.

contenerli tutti; ma si vedeva che faceva per celia.[79] Come
infuriati, i ragazzi si gettarono gridando sulla barca, venti mani
afferrarono i bordi e in un batter d'occhio[80] la barca si trovò
riempita di quei corpi gesticolanti. Alcuni si distesero sul fondo;
altri si ammonticchiarono a poppa, intorno al timone; altri a prua; 5
altri ancora sui sedili; alcuni infine sedettero sui bordi lasciando
penzolare le gambe nell'acqua. La barca era veramente troppo
piccola per tanta gente e l'acqua arrivava fin quasi ai bordi.

«Allora ci siamo tutti» disse il Saro pieno di buon umore. Ritto
in piedi, sciolse la vela e la barca scivolò al largo. I ragazzi salutaro- 10
no con un applauso questa partenza.

Ma Agostino non condivideva il loro buon umore. Spiava
un'occasione favorevole per discolparsi e ottenere giustizia della
calunnia che l'opprimeva. Approfittò di un momento che i ragazzi
discutevano tra di loro, per avvicinarsi al negro che se ne stava 15
tutto solo, inerpicato a prua, e pareva, cosí nero, quasi una polena
di nuovo genere; e stringendogli forte un braccio gli domandò:
«dí un po'... che cosa sei andato a dire poco fa di me?».

Il momento era malscelto, ma Agostino non aveva potuto
prima di allora avvicinare il negro, perché costui, consapevole del 20
suo odio, durante tutto il tempo che erano stati a terra aveva fatto
in modo di star lontano da lui. «Ho detto la verità» disse Homs
senza guardarlo.

«E cioé?»

Il negro ebbe una frase che spaventò Agostino: «non mi 25
stringere, io ho detto soltanto la verità... ma se tu continuerai a
metter su Saro contro di me, io andrò a raccontare ogni cosa a
tua madre... sta attento Pisa».

«Che?» esclamò Agostino intuendo l'abisso che gli si spalancava
sotto i piedi, «cosa dici?... sei pazzo?... io... io». Balbettava, 30
incapace di seguire con le parole quello che l'immaginazione ad
un tratto, come per un lurido strappo,[81] gli mostrava. Ma non

---

[79] **faceva per celia**   he was fooling.
[80] **in un batter d'occhio**   quick as a wink.
[81] **come per... strappo**   like the cruel tearing aside of a curtain.

ebbe il tempo di continuare. Sulla barca era scoppiata una grande sghignazzata.

«Eccoli lí tutti e due, uno accanto all'altro» ripeteva Berto ridendo, «eccoli lí, bisognerebbe avere una macchina fotografica e fotografarli insieme, Homs e Pisa... restate, cari, restate insieme». 5 Il viso bruciante di rossore, Agostino si voltò e vide che tutti ridevano. Lo stesso Saro sorrideva sotto i baffi,[82] gli occhi socchiusi nel fumo del sigaro. Ritraendosi come dal contatto di un rettile, Agostino si staccò dal negro, si prese le ginocchia tra le braccia e guardò il mare con occhi pieni di lagrime. 10

Era ormai il tramonto, rosso e nubiloso all'orizzonte sopra un mare violetto e percosso di luci vetrine e aguzze. La barca, nel vento che si era levato impetuoso, se ne andava come poteva, con tutti quei ragazzi a bordo che la facevano pericolosamente inclinare sopra un fianco. La barca aveva la prua rivolta al largo e pareva 15 che fosse avviata non già a terra ma verso certi foschi profili di isole lontane che tra i rossi fumi del tramonto spuntavano in fondo al mare gonfio come montagne in fondo a un altipiano. Il Saro, assestato tra le ginocchia il cocomero rubato dai ragazzi, l'aveva spaccato con il suo coltello da marinaio e ne tagliava grandi fette 20 consistenti che distribuiva paternamente alla banda. I ragazzi si passavano le fette e le mangiavano con avidità mordendovi dentro e cacciandovi le guance[83] oppure staccandone grossi pezzi di polpa. Poi, una dopo l'altra le scorze rosicchiate fino al bianco volarono soprabordo in mare. Dopo il cocomero, fu la volta del 25 fiasco di vino tratto dal Saro con solennità dal sottopoppa. Il fiasco fece il giro della barca e anche Agostino dovette accettare di inghiottirne un sorso. Era caldo e forte, e gli diede subito alla testa.[84] Riposto il fiasco vuoto, il Tortima intonò e tutti accompagnarono con il ritornello una canzonaccia indecente. Tra le 30 strofe i ragazzi incitavano Agostino a cantare anche lui, tutti si erano accorti della sua cupezza; ma nessuno gli parlava se non per

---

[82] **sotto i baffi** slyly.
[83] **cacciandovi le guance** burying their cheeks in them.
[84] **diede... alla testa** went . . . to his head.

canzonarlo e pungerlo. Agostino ora sentiva una pesantezza, un
senso di oppressione e di chiuso dolore che il mare fresco e ventilato
e l'incendio magnifico del tramonto sulle acque violette gli rendevano piú amaro e insoffribile. Gli pareva sommamente ingiusto
che in quel mare, sotto quel cielo, corresse una barca come la loro,   5
cosí colma di cattiveria, di crudeltà e di perfida corruzione. Quella
barca traboccante di ragazzi in tutto simili a scimmie gesticolanti
e oscene, con quel Saro beato e gonfio al timone, gli pareva tra il
mare e il cielo, una vista triste e incredibile. A momenti si
augurava che affondasse; e pensava che sarebbe morto volentieri   10
tanto si sentiva anche lui infetto di quella impurità e come bacato.[85]
Lontane erano le ore del mattino quando aveva veduto per la
prima volta la tenda rossa dello stabilimento Vespucci; lontane e
come appartenenti ad un'età defunta. Ogni volta che la barca
sormontava un'onda piú grossa tutta la banda dava un urlo che lo   15
faceva trasalire; ogni volta che il negro gli parlava con quella sua
ripugnante e ipocrita umiltà di schiavo, avrebbe voluto non udirlo
e si ritraeva di piú sulla prua. Si rendeva oscuramente conto di
essere entrato, con quella funesta giornata, in un'età di difficoltà e
di miserie, ma non riusciva ad immaginare quando ne sarebbe   20
uscito. La barca errò per un pezzo[86] sul mare, giungendo fin
quasi al porto e poi tornando indietro. Come approdarono,
Agostino corse via senza salutare nessuno. Ma poi, a poca distanza
rallentò il passo. Volgendosi indietro vide lontano, sulla spiaggia
rabbuiata, i ragazzi che aiutavano il Saro a tirare a secco[87] la barca.   25

---

[85] **come bacato**   as if tainted.
[86] **per un pezzo**   for a while.
[87] **tirare a secco**   to beach.

Dopo quel primo giorno incominciò per Agostino un tempo
oscuro e pieno di tormenti. In quel giorno gli erano stati aperti
per forza gli occhi; ma quello che aveva appreso era troppo piú
di quanto potesse sopportare. Piú che la novità, l'opprimeva e
l'avvelenava la qualità delle cose che era venuto a sapere, la loro 5
massiccia e indigesta importanza. Gli era sembrato, per esempio,
che dopo le rivelazioni di quel giorno, i suoi rapporti con sua
madre avrebbero dovuto chiarirsi; e che il malessere, il fastidio,
la ripugnanza che,[88] soprattutto negli ultimi tempi, destavano in
lui le carezze materne, dopo le rivelazioni del Saro, dovessero tro- 10
varsi come d'incanto risolti e pacificati in una nuova e serena
consapevolezza. Ma non era cosí; fastidio, malessere e ripugnanza
sussistevano; soltanto, mentre prima erano stati quelli dell'affetto
filiale attraversato e intorbidato dall'oscura coscienza della femminilità materna, adesso, dopo la mattinata passata sotto la tenda 15
del Saro, nascevano da un sentimento di acre e impura curiosità
che il persistente rispetto familiare gli rendeva intollerabile. Se
prima egli aveva cercato oscuramente di sciogliere quell'affetto da
una ripugnanza ingiustificata, ora gli pareva quasi un dovere di
separare quella sua nuova e razionale conoscenza dal senso promis- 20
cuo e sanguinoso dell'esser lui figlio[89] di quella persona che non
voleva considerare che come una donna. Gli pareva che il giorno
in cui non avesse visto in sua madre che la bella persona che ci
scorgevano il Saro e i ragazzi, ogni infelicità sarebbe scomparsa;
e si accaniva a ricercare le occasioni che lo confermassero in questa 25
convinzione. Ma con il solo risultato di sostituire la crudeltà
all'antica riverenza e la sensualità all'affetto.

La madre, come in passato, non si nascondeva in casa dai suoi
occhi di cui non avvertiva lo sguardo cambiato; e maternamente
impudica, pareva ad Agostino che quasi lo provocasse e lo ricer- 30
casse. Gli accadeva talvolta di sentirsi chiamare e di trovarla alla
teletta, discinta, il petto seminudo; oppure di svegliarsi e di vederla
chinarsi su di lui per il bacio mattutino, lasciando che la vestaglia

---

[88] **che**   *object of* **destavano**.
[89] **dell'esser lui figlio**   of his being the son.

si aprisse e il corpo si disegnasse entro la trasparenza della leggera
camicia ancora spiegazzata della notte. Ella andava e veniva
davanti a lui come se non ci fosse stato, si metteva le calze, se le
toglieva; si infilava gli abiti; si profumava, si imbellettava; e tutti
questi atti che un tempo erano sembrati ad Agostino affatto 5
naturali, ora apparendogli significativi e quasi parti visibili di una
realtà ben piú ampia e pericolosa, gli dividevano l'animo tra la
curiosità e la sofferenza. Si ripeteva: «non è che una donna» con
un'indifferenza obbiettiva di conoscitore;[90] ma un momento
dopo, non sopportando piú l'inconsapevolezza materna e la 10
propria attenzione, avrebbe voluto gridarle: «copriti, lasciami, non
farti piú vedere, non sono piú quello di un tempo». Del resto la
sua speranza di considerare sua madre una donna e niente di piú,
naufragò quasi subito. Ben presto si accorse che pur essendo diventata donna, ella restava ai suoi occhi, piú che mai madre; e com- 15
prese che quel senso di crudele vergogna che per un momento
aveva attribuito alla novità dei suoi sentimenti, non l'avrebbe piú
lasciato. Sempre, capí ad un tratto, ella sarebbe rimasta la persona
che aveva amato di affetto sgombro e puro; sempre ella avrebbe
mescolato ai suoi gesti piú femminili quelli affettuosi che per tanto 20
tempo erano stati i soli che egli conoscesse; sempre, infine, egli
non avrebbe potuto separare il nuovo concetto che aveva di lei dal
ricordo ferito dell'antica dignità.

Egli non metteva in dubbio che tra la madre e il giovane del
patino corressero i rapporti di cui avevano parlato i ragazzi sotto 25
la tenda del Saro. E stupiva oscuramente del cambiamento intervenuto in lui. Un tempo non c'erano stati nel suo animo che
gelosia di sua madre e antipatia per il giovane; ambedue poco
chiare e come assopite. Ma ora, nello sforzo di restare obbiettivo e
sereno, avrebbe voluto provare un sentimento di comprensione 30
per il giovane e di indifferenza per sua madre. Soltanto quella comprensione non riusciva ad essere che complicità e quell'indifferenza
indiscrezione. Poche volte ormai gli accadeva di accompagnarli

---

[90] **di conoscitore**   of a connoisseur.

in mare perché procurava sempre di sfuggire a quegli inviti; ma tutte quelle volte Agostino si accorgeva di studiare i gesti e le parole del giovane quasi con desiderio di vederlo oltre-passare i limiti della solita urbana galanteria; e quelli della madre quasi con la speranza di ricevere una conferma ai suoi sospetti. 5 Questi sentimenti gli riuscivano insoffribili[91] perché erano proprio il contrario giusto di quello che avrebbe desiderato. E quasi rimpiangeva la compassione che[92] un tempo avevano destato nel suo animo le goffaggini materne; tanto piú umana e affettuosa dell'attuale spietata attenzione.   10

Gli restava da quei giorni passati a combattersi, un senso torbido di impurità; gli pareva di aver barattato l'antica innocenza non con la condizione virile e serena che aveva sperato bensí con uno stato confuso e ibrido in cui senza contropartite[93] di alcun genere, alle antiche ripugnanze se ne aggiungevano delle nuove. Che 15 serviva vederci chiaro se questa chiarezza non portava che nuove e piú fitte tenebre? Talvolta si domandava come facessero i ragazzi piú grandi di lui ad amare la propria madre e al tempo stesso a sapere quello che egli stesso sapeva; e concludeva che questa con-sapevolezza doveva in loro uccidere a tempo l'affetto filiale, 20 mentre in lui l'una non riusciva a scacciare l'altra e, coesistendo, torbidamente si mescolavano.

Come avviene, il luogo dove queste scoperte e questi combatti-menti accadevano, la casa, gli era diventata presto insopportabile. Almeno al mare, il sole, la folla dei bagnanti, la presenza di tante 25 altre donne lo distraevano e lo stordivano. Ma qui, tra quattro mura, solo con sua madre, gli pareva di essere esposto a tutte le tentazioni, insidiato da tutte le contraddizioni. La madre che al mare si confondeva con le mille altre nudità della spiaggia, qui appariva unica ed eccessiva. Come su un teatro ristretto, in cui le 30 persone degli attori sembrino piú grandi del vero, ogni suo gesto e ogni sua parola avevano uno spicco straordinario. Agostino

---

[91] **gli riuscivano insoffribili**   were unbearable for him.
[92] **che**   *object of **avevano destato**.*
[93] **senza contropartite... genere**   without anything whatsoever in return.

aveva un senso molto acuto e avventuroso dell'intimità familiare;
durante l'infanzia i corridoi, i ripostigli, le stanze erano state per
lui luoghi mutevoli e sconosciuti dove si potevano fare le piú
curiose scoperte e vivere le piú fantastiche vicende. Ma ora, dopo
l'incontro con i ragazzi della tenda rossa, quelle vicende e quelle 5
scoperte erano di tutt'altro genere e tali che non sapeva se piú
l'attraessero o lo spaventassero. Prima aveva finto agguati, ombre,
presenze, voci, nei mobili e nelle pareti; ma ora piú che sulle
finzioni della sua esuberanza fanciullesca, la sua fantasia si appun-
tava sulla nuova realtà di cui gli parevano impregnate le mura, le 10
suppellettili, l'aria stessa della casa. E all'antico innocente fervore
che si calmava a notte con il bacio materno e il sonno fiducioso, si
era sostituito l'ardente e vergognosa indiscrezione che proprio a
notte ingigantiva e pareva trovare maggiore alimento al suo
fuoco impuro. Dovunque in casa gli pareva di spiare i segni, le 15
tracce della presenza di una donna, la sola che gli fosse dato di
avvicinare; e questa donna era sua madre. Starle accanto gli pareva
sorvegliarla, avvicinarsi alla sua porta spiarla, e toccare i suoi panni
toccare [94] lei stessa che quei panni aveva indossato e tenuto sul
corpo. Di notte poi, sognava ad occhi aperti, gli incubi piú 20
angosciosi. Gli sembrava talvolta di essere il bambino di un tempo,
pauroso di qualche rumore, di qualche ombra, che ad un tratto si
alzava e correva a rifugiarsi presso il letto materno; ma nel
momento stesso che metteva i piedi in terra, pur tra la confusione
del sonno, si accorgeva che quella paura nient'altro era che curio- 25
sità maliziosamente mascherata e che quella visita notturna avrebbe
presto fatto, una volta che si fosse trovato nelle braccia della
madre, a rivelare i suoi veri nascosti scopi. Oppure si destava
all'improvviso e si domandava se per caso il giovane del patino
non si trovasse addirittura dall'altra parte, nella stanza attigua, 30
insieme con sua madre. Certi rumori gli sembrava che confermassero questo sospetto; altri lo dissipavano; si rivoltava un pezzo
nel letto inquietamente; e alla fine senza sapere neppur lui come ci

---

[94] **avvicinarsi... toccare** *gli pareva* is understood before **spiarla** and **toccare**.

fosse arrivato, si ritrovava in camicia nel corridoio, davanti alla
porta della madre in atto di ascoltare e di spiare. Una volta persino
non aveva saputo resistere alla tentazione ed era entrato senza
bussare; restando poi immobile nel mezzo della stanza in cui dalla
finestra aperta si diffondeva, indiretto e bianco, il chiarore lunare, 5
gli occhi sul letto dove i neri capelli sparsi e le lunghe gonfie forme
avvolte rivelavano la presenza della donna. «Sei tu, Agostino» gli
aveva domandato la madre destandosi. Senza dir parola egli era
tornato in fretta nella sua stanza.

   La ripugnanza a star presso la madre lo spingeva sempre piú a 10
frequentare lo stabilimento Vespucci. Ma qui altri e diversi tormenti lo aspettavano e gli rendevano quel luogo non meno odioso
della casa. L'atteggiamento assunto verso di lui dai ragazzi, dopo
la sua gita in barca con il Saro, non si era affatto modificato, anzi
aveva preso un aspetto definitivo, come fondato sopra una convin- 15
zione e un giudizio incrollabili.[95] Egli era colui che aveva accettato
quel noto e funesto favore del Saro; e nulla piú si poteva fare per
cambiare quest'idea. Cosí, al primo invidioso disprezzo motivato
dalla sua ricchezza, se ne era aggiunto un altro fondato sulla sua
supposta corruzione. E l'uno pareva, in certo modo, in quelle 20
menti brutali, giustificare l'altro. L'uno nascere dall'altro. Egli era
ricco, sembrava che i ragazzi volessero significare con la loro
umiliante e spietata condotta; dunque che c'era di sorprendente
che fosse anche corrotto? Agostino fece presto a scoprire quale
sottile correlazione esistesse tra le due accuse; e comprese oscura- 25
mente che pagava in tal modo la sua diversità e la sua superiorità.
Diversità e superiorità sociali che si manifestavano nei panni
migliori, nei discorsi sull'agiatezza di casa sua, nei gusti e nel
linguaggio; diversità e superiorità morali che l'impuntavano[96] a
rigettare l'accusa dei suoi rapporti con il Saro e ad ogni momento 30
trasparivano in un chiaro ribrezzo per i modi e le abitudini dei
ragazzi. Allora, piú per suggestione dello stato umiliante in cui si
trovava che per consapevole volontà, decise di essere come gli

[95] **incrollabili**   *modifies* ***convinzione*** *and* ***giudizio***.
[96] **l'impuntavano**   made him persist.

pareva che essi avrebbero voluto che fosse, ossia in tutto simile a
loro. Apposta prese a indossare i vestiti più logori e brutti che
possedesse, con grande stupore di sua madre che non riconosceva
piú in lui l'antica vanità; apposta smise di parlare di casa sua e delle
sue ricchezze; apposta ostentò di apprezzare e gustare quei modi e 5
quelle abitudini che tuttora lo inorridivano. Ma quel che è peggio
e che gli costò una dolorosa fatica, apposta, un giorno che al solito
lo beffavano per la sua gita con il Saro, dichiarò che era stanco di
negare la verità, che era realmente accaduto ciò che essi dicevano
e che lui non aveva alcuna difficoltà a farne il racconto. Afferma- 10
zioni tutte che fecero trasalire il Saro; ma che, forse per timore di
esporsi, il bagnino si guardò bene dallo smentire.[97] Questo aperto
riconoscimento della verità delle dicerie che sin'allora l'avevano
straziato, dapprima ispirò un grande stupore giacché i ragazzi non
si aspettavano da lui, cosí timido e schivo, un tale atto di coraggio; 15
ma subito dopo fioccarono le domande indiscrete su come fossero
andate le cose; e qui non gli resse piú l'animo:[98] rosso e sconvolto
in viso, ammutolí ad un tratto. Naturalmente i ragazzi inter-
pretarono questo suo silenzio a modo loro; come un silenzio di
vergogna e non, quale era in realtà, di incapacità a mentire e di 20
ignoranza. E piú pesante di prima gli ricadde addosso il solito
fardello di beffe e di disprezzo.

Tuttavia, nonostante questo fallimento, egli era veramente
cambiato; senza che se ne accorgesse e piú per effetto del diuturno
sodalizio con i ragazzi che per volontà sua, era divenuto assai 25
simile a loro o, meglio, aveva perso gli antichi gusti senza per
questo riuscire del tutto ad acquistarne dei nuovi. Piú di una volta,
spinto dall'insofferenza, gli accadde di non recarsi allo stabilimento
Vespucci e di ricercare i semplici compagni e i giuochi innocenti
coi quali, al bagno Speranza, aveva inziato l'estate. Ma come gli 30
apparvero scoloriti i ragazzi bene educati che qui lo aspettavano,
come noiosi i loro svaghi regolati dagli ammonimenti dei genitori
e dalla sorveglianza delle governanti, come insipidi i loro discorsi

---

[97] **si guardò... smentire** he took care not to deny.
[98] **non gli resse piú l'animo** his courage did not hold out.

sulla scuola, le collezioni dei francobolli, i libri di avventure e altre simili cose. In realtà la compagnia della banda, quel parlare sboccato, quel discorrere di donne, quell'andare rubando per i campi, quelle stesse angherie e violenze di cui era vittima, lo avevano trasformato e reso insofferente delle antiche amicizie. Gli 5 accadde in quel torno di tempo[99] un fatto che lo riconfermò in questa convinzione. Una mattina, giunto un po' in ritardo allo stabilimento Vespucci, non aveva trovato né il Saro allontanatosi per certe sue faccende, né la banda dei ragazzi. Malinconicamente andò a sedersi sopra un patino, in riva al mare. Ed ecco, mentre 10 guardava alla spiaggia con desiderio di vederci almeno apparire il Saro, avvicinarsi un uomo e un ragazzo di forse due anni piú giovane di lui. L'uomo, piccolo, le gambe corte e grasse sotto la pancia sporgente, il viso rotondo in cui un paio di lenti a molla[1] stringevano un naso appuntito, pareva un impiegato o un profes- 15 sore. Il bambino magro e pallido, in un costume troppo ampio, stringeva contro il petto un enorme pallone di cuoio, tutto nuovo. Tenendo per mano il figlio, l'uomo si avvicinò ad Agostino e lo guardò a lungo indeciso. Finalmente gli chiese se fosse possibile fare una passeggiata in mare. «Certo che è possibile» rispose 20 Agostino senza esitare.

L'uomo lo considerò con diffidenza, al disopra degli occhiali e poi domandò quanto costasse un'ora di patino. Agostino che conosceva i prezzi, glielo disse. Ora capiva che l'uomo lo scambiava per un garzone o figlio di bagnino; e ciò, in qualche modo, 25 lo lusingava. «Allora andiamo» disse l'uomo.

Senza farselo dir due volte, Agostino prese il tronco di abete grezzo che serviva da rullo e andò a sottoporlo alla prua dell'imbarcazione. Quindi afferrate[2] con le due mani le punte del patino, con uno sforzo raddoppiato dall'amor proprio cosí curiosamente 30 impegnato, spinse il patino in mare. Aiutò a salire il ragazzo e il padre, balzò a sua volta e si impossessò dei remi.

[99] **torno di tempo**   juncture.
[1] **lenti a molla**   pince-nez.
[2] **afferrate**   *modifies* **punte**.

Per un pezzo, su quel mare calmo e deserto della prima mattina, Agostino remò senza dir parola. Il ragazzo stringeva al petto il pallone e guardava Agostino con i suoi occhi scialbi. L'uomo, seduto goffamente, la pancia tra le gambe, girava intorno il capo sul collo grasso e pareva godersi la passeggiata. Domandò alla fine 5 ad Agostino chi egli fosse, se garzone o figlio di bagnino. Agostino rispose che era garzone. «E quanti anni hai?» interrogò l'uomo.

«Tredici» rispose Agostino.

«Vedi» disse l'uomo rivolto al figlio, «questo ragazzo ha quasi la tua età e già lavora» Quindi, ad Agostino: «e a scuola ci vai?». 10

«Vorrei... ma come si fa?» rispose Agostino assumendo il tono ipocrita che aveva spesso visto adottare dai ragazzi della banda di fronte a simili domande; «bisogna campare, signore».

«Vedi» tornò a dire il padre al figlio, «vedi, questo ragazzo non può andare a scuola perché deve lavorare... e tu hai il coraggio di 15 lamentarti perché devi studiare».

«Siamo molti in famiglia» continuò Agostino remando di lena «e tutti lavoriamo».

«E quanto puoi guadagnare in una giornata di lavoro?» domandò l'uomo.   20

«Dipende» rispose Agostino; «se viene molta gente, anche venti o trenta lire».

«Che naturalmente porti a tuo padre» lo interruppe l'uomo.

«Si capisce» rispose Agostino senza esitare. «Salvo s'intende quello che ricevo come mancia».   25

L'uomo questa volta non se la sentí di[3] additarlo come esempio al figliolo, ma fece un grave cenno di approvazione con il capo. Il figlio taceva, stringendo piú che mai al petto il pallone e guardando Agostino con gli occhi smorti e annacquati. «Ti piacerebbe, ragazzo», domandò ad un tratto l'uomo ad Agostino «di possedere 30 un pallone di cuoio come questo?».

Ora Agostino ne possedeva due di palloni, e giacevano da tempo nella sua camera, abbandonati insieme ad altri giocattoli.

---

[3] **non se la sentí di**   he did not feel like.

Tuttavia disse: «sí, certo, mi piacerebbe... ma come si fa? dobbiamo prima di tutto provvedere al necessario».

L'uomo si voltò verso il figlio, e, più per gioco, come pareva,
che perché ne avesse realmente l'intenzione, gli disse: «Su, Piero...
regala il tuo pallone a questo ragazzo che non ce l'ha». Il figlio 5
guardò il padre, guardò Agostino e con una specie di gelosa
veemenza strinse al petto il pallone; ma senza dir parola. «Non
vuoi?» domandò il padre con dolcezza, «non vuoi?».

«Il pallone è mio» disse il ragazzo.

«E' tuo sí... ma puoi, se lo desideri, anche regalarlo» insistette il 10
padre; «questo povero ragazzo non ne ha mai avuto uno in vita
sua... dí... non vuoi regalarglielo?».

«No» rispose con decisione il figlio.

«Lasci stare» intervenne a questo punto Agostino con un sorriso
untuoso, «io non me ne farei nulla... non avrei il tempo di gio- 15
carci... lui invece...».

Il padre sorrise a queste parole, soddisfatto di aver presentato in
forma vivente un apologo morale al figliolo. «Vedi, questo ragazzo
è migliore di te» soggiunse accarezzando la testa al figliolo, «è
povero e tuttavia non vuole il tuo pallone... te lo lascia... ma tutte 20
le volte che fai i capricci[4] e ti lamenti... devi ricordarti che ci sono
al mondo tanti ragazzi come questo che lavorano e non hanno mai
avuto palloni né alcun altro balocco».

«Il pallone è mio» rispose il figlio testardo.

«Sí è tuo» sospirò il padre distrattamente. Guardò l'orologio e 25
disse: «ragazzo, torniamo a riva» con una voce mutata e del tutto
padronale. Senza dir parola, Agostino voltò la prua verso la
spiaggia.

Come giunsero in prossimità della riva, egli vide il Saro ritto
nell'acqua che osservava con attenzione le sue manovre; e temette 30
che il bagnino lo svergognasse svelando la sua finzione. Ma il
Saro non aprí bocca, forse aveva capito; forse non gli importava;
e zitto e serio aiutò Agostino a tirare a secco l'imbarcazione.

---

[4] **fai i capricci** misbehave.

«Questo è per te» disse l'uomo dando ad Agostino i soldi pattuiti
e qualcosa di piú. Agostino prese i soldi e li portò al Saro. «Ma
questi me li tengo per me... sono la mancia» soggiunse con compiaciuta e consapevole impudenza. Il Saro non disse nulla, sorrise
appena e messi i soldi nella fascia nera che gli cingeva la pancia si   5
allontanò lentamente verso la baracca, attraverso la spiaggia.

— Questo piccolo incidente diede ad Agostino il sentimento
definitivo di non appartenere piú al mondo in cui si trovavano
ragazzi del genere di quello del pallone; e comunque di essersi
cosí incanaglito ormai da non poterci piú vivere senza ipocrisia e   10
fastidio. Tuttavia sentiva con dolore che non era neppure simile
ai ragazzi della banda. Troppa delicatezza restava in lui; se fosse
stato simile, pensava talvolta, non avrebbe sofferto tanto delle loro
rudezze, delle loro sguaiataggini e della loro ottusità. Cosí si
trovava ad avere perduto la primitiva condizione senza per questo   15
essere riuscito ad acquistarne un'altra.

Un giorno di quella fine d'estate, i ragazzi della banda e
Agostino si recarono in pineta per cacciare uccelli e ricercare
funghi. Era questa, tra tutte le prodezze e le imprese della banda,
quella che Agostino preferiva. Entravano nella pineta e a lungo   20
camminavano per quelle naturali navate, sul suolo soffice, tra le
colonne rosse dei tronchi, guardando in aria per vedere se lassú,
tra i rami altissimi, qualcosa si muovesse e si rivoltasse per entro[5]
gli aghi. Allora Berto, o il Tortima, o Sandro che era il piú abile
di tutti, tendevano gli elastici delle loro fionde e scagliavano certi   25
loro sassi aguzzi verso il punto in cui gli pareva di aver sorpreso
un movimento. Talvolta un passero, l'ala fracassata piombava a
terra e poi svolazzando e pigolando pietosamente saltellava e si
trascinava finché uno dei ragazzi non lo afferrava e non gli schiacciava il capo tra due dita; piú spesso, però, era una caccia infruttuo-   30
sa e i ragazzi se la cavavano[6] con dei lunghi vagabondaggi per la
profonda pineta, a testa riversa e occhi fissi verso l'alto, sempre piú
allontanandosi e addentrandosi, finché tra i tronchi dei pini

[5] **per entro**   in among.
[6] **se la cavavano**   ended up.

cominciava la macchia e il cespuglio spinoso e arruffato succedeva al terreno brullo e morbido di secche spoglie.[7] Con la macchia, aveva inizio la raccolta dei funghi. Aveva piovuto un paio di giorni e la macchia era ancora bagnata con le foglie stillanti e il suolo fradicio e tutto inverdito. Nel piú folto dei cespugli, i funghi gialli, lustri 5 di muco e di umidità, splendevano solitari e grandi o in famiglie strette di piccoli. I ragazzi li coglievano con delicatezza sporgendosi tra i rovi, passando due dita sotto i cappelli e avendo cura di tirarne via anche il gambo, intriso di terriccio e di borraccina;[8] poi li infilavano l'uno sull'altro in certi lunghi e appuntiti sterpi 10 di ginestra.[9] Cosí, di macchia in macchia, ne radunavano qualche chilo, il pranzo per il Tortima che come il piú forte confiscava per sé la raccolta. Quel giorno la raccolta era stata fruttuosa, dopo molto errare avevano trovato una macchia, per cosí dire, vergine, dove i funghi crescevano fitti, l'uno presso l'altro, sul loro letto di 15 musco. Verso il tramonto, la macchia non era stata ancora esplorata che a metà; ma era tardi e i ragazzi con parecchie schidionate di funghi e due o tre uccelli se ne tornarono pian piano verso casa.

Di solito prendevano per un sentiero che portava dritto al lungo mare; ma quel giorno, inseguendo un beffardo passero che svolaz- 20 zava tra i rami piú bassi dei pini e dava continuamente l'illusione di potere colpirlo facilmente, finirono per attraversare in tutta la sua lunghezza la pineta che nella propaggine orientale si addentrava alquanto dietro le case della città. Imbruniva che[10] sbucarono dagli ultimi pini nella piazza di un quartiere periferico. Immensa, 25 la piazza non era lastricata ma tutta sabbiosa e sparsa di mucchi di detriti e di cespugli di cardi e di ginestre tra i quali serpeggiavano malcerti e sassosi sentieri. Qualche stento oleandro[11] cresceva irregolarmente sui lati della piazza, non c'erano marciapiedi, i

---

[7] **cespuglio... spoglie**   the thorny and tangled underbrush followed the sun-baked earth soft with dry leaves.

[8] **intriso di terriccio e di borraccina**   mixed with humus and moss.

[9] **sterpi di ginestra**   broom plant sticks (*the broom plant, with its bright yellow blossoms, grows plentifully over the Italian countryside*).

[10] **che**   when.

[11] **qualche stento oleandro**   some occasional oleander growing with difficulty.

pochi villini che vi sorgevano, alternavano i loro giardini polve-
rosi a grandi spazi vuoti recinti di reticolati. Questi villini apparivano piccoli torno torno[12] la piazza, e il cielo spalancato
sull'immenso quadrilatero sembrava accrescerne il deserto e lo
squallore.   5

I ragazzi presero in diagonale attraverso la piazza, camminando
due a due come i frati. Gli ultimi della fila erano Agostino e il
Tortima. Agostino portava due lunghe treccie di funghi; e il
Tortima, nelle sue grosse mani un paio di passeri dalle teste penzolanti e sanguinose.   10

— Il Tortima come furono sul limitare della piazza, diede una
gomitata nel fianco ad Agostino; e indicando uno di quei villini,
con un tono allegro: «L'hai visto?... sai cos'è quello?».

Agostino guardò. Era un villino molto simile agli altri. Forse
piú grande, con tre piani e un tetto spiovente di scaglie d'ardesia.[13] 15
La facciata di un grigio affumicato e triste aveva persiane bianche,
tutte serrate, gli alberi del folto giardino la nascondevano quasi
per intero. Il giardino non pareva grande, l'edera ricopriva il
muro di cinta, attraverso il cancello si vedeva un breve viale tra
due file di cespugli e, sotto una vecchia pensilina, una porta dai   20
battenti chiusi. «Non c'è nessuno in quel villino» disse Agostino
soffermandosi.

«Eh nessuno» fece l'altro ridendo; e in poche parole spiegò ad
Agostino chi vi abitasse. Agostino aveva già altre volte sentito
parlare dai ragazzi di queste case dove abitano soltanto donne e vi 25
stanno chiuse tutto il giorno e la notte pronte e disposte per
denaro ad accogliere chicchessia; ma era la prima volta che ne
vedeva una. Le parole del Tortima ridestarono intero in lui il senso
di stranezza e di stupore che aveva provato la prima volta che ne
aveva sentito parlare. E come allora non aveva quasi potuto cre-   30
dere che potesse esistere una tale singolare comunità, dispensatrice
generosa e indifferente di quell'amore che gli appariva cosí difficile
e lontano; cosí ora la stessa incredulità gli fece volgere gli occhi al

---

[12] **torno torno**   all around.
[13] **tetto spiovente di scaglie d'ardesia**   a slanting roof of slate tiles.

villino come a cercarvi sui muri le traccie dell'incredibile vita che custodiva. A contrasto con l'immagine favolosa di quelle stanze in ciascuna delle quali splendeva una nudità femminile, il villino gli apparve singolarmente vecchio e tetro. «Ah sí» fece fingendo indifferenza; ma il cuore gli aveva preso a battere piú in fretta.   5

«Sí» disse il Tortima, «è il piú caro della città». E aggiunse molte particolarità sul prezzo, il numero delle donne, la gente che ci andava, la quantità di tempo che si poteva rimanerci. Queste notizie quasi dispiacevano ad Agostino sostituendo, come facevano, meschine precisioni all'immagine confusa e barbarica 10 che si era fatta dapprima di quei luoghi proibiti. Tuttavia, fingendo un tono noncurante di oziosa curiosità, mosse al compagno molte domande. Ché adesso, passato il primo momento di sorpresa e di turbamento, un'idea gli era spuntata nella mente e, ostinata, rivelava una sua singolare vitalità. Il Tortima che pareva 15 informatissimo gli fornì tutti i chiarimenti che desiderava. Cosí, chiacchierando, attraversarono la piazza. Sul lungomare, visto che era ormai notte, la compagnia si sciolse. Agostino consegnò al Tortima i funghi e si avviò verso casa.

L'idea che gli era venuta era molto chiara e semplice sebbene 20 complicate e oscure fossero le scaturigini. Egli doveva, la sera stessa, andare in quella casa e conoscervi una di quelle donne. Questo non era un desiderio o un vagheggiamento, bensí una risoluzione fermissima e quasi disperata.

Gli pareva che soltanto in questo modo sarebbe finalmente 25 riuscito a liberarsi dalle ossessioni di cui aveva tanto sofferto in quei giorni d'estate. Conoscere una di quelle donne, pensava oscuramente, voleva dire sfatare per sempre la calunnia dei ragazzi; e nello stesso tempo tagliare definitivamente il sottile legame di sensualità sviata e torbida che tuttora lo univa a sua 30 madre. Non se lo confessava, ma sentirsi finalmente sciolto dall'amore materno, gli appariva come lo scopo piú urgente da raggiungere. Non piú tardi di quello stesso giorno si era convinto di questa urgenza attraverso un fatto molto semplice ma significativo.   35

La madre e lui avevano sin'allora dormito in camere separate, ma quella sera doveva arrivare di fuori un'amica invitata dalla madre a trascorrere con loro qualche settimana. Siccome la casa era piccola, era stato deciso che l'ospite avrebbe occupato la camera di Agostino; mentre al ragazzo sarebbe stata accomodata 5 una branda nella camera della madre. Quel mattino stesso, sotto i suoi occhi scontenti e pieni di ripugnanza, la branda era stata collocata allato al letto materno in cui, ancora disfatti e come impregnati di sonno, stavano ammucchiati i lenzuoli. Insieme con la branda erano stati trasportati i suoi panni, gli oggetti da teletta, 10 i libri.

Ora Agostino provava un'invincibile ripugnanza a vedere accresciuta dai sonni in comune quella già tanto penosa promiscuità con sua madre. Tutto quello che ora sospettava appena, pensava, si sarebbe trovato ad un tratto, in virtú di questa nuova e 15 maggiore intimità, esposto senza rimedio ai suoi occhi. Egli doveva, a guisa di contravveleno,[14] presto, molto presto, frapporre tra sé e la madre l'immagine di un'altra donna a cui rivolgere se non gli sguardi almeno i pensieri. Quest'immagine che gli avrebbe fatto da schermo[15] alla nudità della madre e, in certo 20 modo, gliel'avrebbe spogliata di ogni femminilità restituendola alla sua antica significazione materna, doveva fornirgliela una di quelle donne della villa.

Come poi sarebbe riuscito a penetrare e a farsi ammettere in quella casa, come si sarebbe regolato per scegliersi la donna e con 25 lei appartarsi, di tutto questo Agostino non si dava pensiero; o meglio, anche se l'avesse voluto, non avrebbe saputo immaginarlo. Perché, nonostante le informazioni del Tortima, tuttora la villa, le sue abitatrici, le cose che vi accadevano, restavano avvolte per lui in un'aria densa e improbabile come se si fosse trattato non già di 30 concrete realtà ma di arrischiatissime ipotesi che all'ultimo momento potevano anche rivelarsi sbagliate. Il successo dell'impresa era, cosí, affidato ad un calcolo logico: se c'era la casa, c'erano

[14] **a guisa di contravveleno**   as an antidote.
[15] **fatto da schermo**   served as a screen.

anche le donne, se c'erano le donne, c'era anche la possibilità di avvicinarne una. Ma non era sicuro che la casa e le donne ci fossero, e comunque rassomigliassero all'immagine che se ne era fatta; e questo non tanto perché non prestasse fede[16] al Tortima quanto perché gli difettavano completamente i termini del para-   5 gone. Nulla aveva mai fatto, nulla aveva mai visto che sia pure in maniera lontana e imperfetta[17] avesse qualcosa in comune con quanto stava per intraprendere. Come un povero selvaggio cui si parli dei palazzi d'Europa e lui non sappia vederli che in forma di capanne appena piú grandi della sua, cosí egli non sapeva, per   10 raffigurarsi quelle donne e le loro carezze, che pensare a sua madre, poca cosa e diversa; e tutto il resto era vagheggiamento, conget-tura, velleità.

Ma, come avviene, l'inesperienza lo faceva preoccupare soprat-tutto degli aspetti pratici della questione; quasi che risolvendoli   15 avesse potuto anche risolvere il problema della complessiva irrealtà della faccenda. In particolar modo l'angustiava il fatto dei soldi. Il Tortima gli aveva spiegato con molta precisione a quanto ammontasse la somma da pagare e a chi avrebbe dovuto pagarla; tuttavia egli non riusciva a capacitarsene.[18] Che rapporto c'era tra   20 il denaro, che serve di solito ad acquistare oggetti ben definiti e di qualità riscontrabile, e le carezze, la nudità, la carne femminile? Possibile che ci fosse un prezzo e che questo prezzo fosse davvero esattamente delimitato e non variasse secondo i casi? L'idea del denaro che avrebbe dato in cambio di quella vergognosa e proi-   25 bita dolcezza, gli pareva strana e crudele; come un'offesa forse piacevole per chi la arrecava, ma dolorosa per chi la riceveva. Era proprio vero che doveva consegnare quel denaro direttamente alla donna e comunque in sua presenza? Gli sembrava che in qualche modo avrebbe dovuto nasconderglielo; e lasciarle   30 l'illusione di un rapporto disinteressato. E, comunque, non era troppo esigua la somma indicatagli dal Tortima? Non c'era

[16] **non prestasse fede**   did not trust.
[17] **sia pure... imperfetta**   *a parenthetical clause.*
[18] **capacitarsene**   conceive it.

denaro abbastanza, pensava, per pagare un'esperienza come quella
che a lui doveva concludere un periodo della vita e dischiuderne
un altro.

Di fronte a questi dubbi, decise alla fine di tenersi strettamente
alle informazioni del Tortima, forse fallaci, ma le sole in ogni caso 5
su cui potesse fondare un piano d'azione. Si era fatto dire dal compagno il prezzo della visita alla villa; e la cifra non gli era sembrata
superiore a quella dei suoi risparmi da lungo tempo accumulati e
conservati in un salvadanaio di terracotta. A forza di spiccioli e di
biglietti di piccolo taglio [19] quella somma doveva averla certa- 10
mente raggranellata e forse anche superata. Egli pensava di togliere
il denaro dal salvadanaio, aspettare che sua madre fosse uscita per
andare a prendere l'amica alla stazione, uscire a sua volta, correre a
cercare il Tortima e con lui recarsi alla villa. I soldi poi, dovevano
bastare non soltanto a lui ma anche al Tortima che sapeva povero 15
e ad ogni modo pochissimo disposto a favorirlo senza il contraccambio di un tornaconto personale. Questo era il piano; e sebbene
continuasse a vederlo disperatamente lontano e improbabile,
deliberò di mandarlo ad effetto [20] con la stessa precisione e la stessa
sicurezza che se si fosse trattato di una passeggiata in barca o di 20
qualche scorribanda nella pineta.

Eccitato, ansioso, liberato per la prima volta dal veleno del
rimorso e dell'impotenza, fece quasi di corsa, [21] attraverso la città,
tutta la strada dalla piazza a casa sua. La porta di casa era serrata,
ma le attigue persiane della finestra a pianterreno del salotto erano 25
aperte. Dal salotto giungeva la musica di un pianoforte. Egli entrò.
La madre sedeva davanti alla tastiera. Le due deboli lampadine del
pianoforte le illuminavano il viso lasciando nell'ombra gran parte
della stanza. La madre suonava dritta sopra uno sgabello senza
spalliera e accanto a lei, su altro sgabello, sedeva il giovane del 30
patino. Era la prima volta che Agostino lo vedeva in casa e un
subito presentimento gli fece mancare il respiro. La madre parve

---

[19] **taglio**   denomination.
[20] **mandarlo ad effetto**   carry it out.
[21] **fece quasi di corsa**   he almost raced.

avvertire in qualche modo la presenza di Agostino perché voltò
la testa con un calmo gesto pieno di ignara civetteria;[22] una civetteria, cosí almeno gli parve, rivolta piú al giovane che a lui che
sembrava esserne l'oggetto. Vedutolo, ella cessò subito di suonare
e lo chiamò presso di se: «Agostino... a quest'ora ti presenti?...   5
vieni qui».

Egli si avvicinò lentamente pieno di ripugnanza e d'impaccio.
La madre lo attirò a sé, cingendogli tutto il corpo con un braccio.
Agostino vide che gli occhi della madre brillavano straordinaria-
mente, di un fuoco giovanile e scintillante. Anche nella sua bocca   10
pareva esitare un riso trepido che le bagnava i denti di saliva. E nel
gesto di cingerlo con il braccio e di attirarlo al proprio fianco,
avvertí una violenza impetuosa, una fremente gioia che quasi lo
spaventarono. Erano, non poté fare a meno di pensare, espansioni
che non lo riguardavano affatto. E facevano stranamente pensare   15
alla sua eccitazione di poco prima quando correndo per le strade
della città, si era esaltato all'idea di prendere i suoi risparmi, recarsi
con il Tortima alla villa e possedervi una donna.

«Dove sei stato?» continuò la madre con una voce tenera,
crudele e allegra, «dove sei stato sin adesso... cattivo, cattivo che   20
sei?». Agostino non disse nulla, anche perché gli pareva che la
madre non aspettasse alcuna risposta. A quel modo, egli pensò
ancora, ella parlava talvolta al gatto di casa. Chino in avanti,[23] le
mani riunite tra le ginocchia e la sigaretta tra due dita, gli occhi
non meno scintillanti di quelli della madre, il giovane lo guardava   25
e sorrideva. «Dove sei stato?» ripeté ancora la madre, «cattivo...
vagabondo che sei?». Con la grande lunga mano calda, in una
carezza di tenera e irresistibile violenza, ella gli scompigliò i capelli
riconducendoglieli poi sulla fronte. «Non è vero che è un bel
ragazzo?» soggiunse con fierezza rivolta al giovane.   30

«Bello come la madre» rispose il giovane. La madre rise pateticamente di questo semplice complimento. Turbato, pieno di
vergogna, Agostino fece un gesto come per svincolarsi. «Va a

---

[22] **ignara civetteria**   unconscious coquettishness.
[23] **chino in avanti**   bent forward.

lavarti» disse la madre «e fa presto perché tra poco si va a tavola».
Agostino salutò il giovane e uscí dal salotto. Subito, alle sue spalle,
ripresero le note della musica al punto preciso in cui il suo ingresso
le aveva interrotte.

Ma una volta nel corridoio si fermò e indugiò ad ascoltare quei 5
suoni che le dita materne sprigionavano dalla tastiera. Il corridoio
era buio e afoso, in fondo al corridoio si poteva vedere attraverso
la porta aperta, nella cucina illuminata, la cuoca vestita di bianco
che si muoveva lentamente nelle sue faccende tra il tavolo e i
fornelli. Intanto la madre suonava e la musica pareva ad Agostino 10
vivace, tumultuosa, scintillante, in tutto simile all'espressione dei
suoi occhi mentre lo aveva tenuto stretto al suo fianco. Era proprio
una muscia di quel genere; ma forse era la madre che ci metteva
quel tumulto, quello scintillio, quella vivacità. Tutta la casa
rintronava di questa musica; e Agostino si sorprese a pensare che 15
anche nella strada ci dovessero essere capannelli di persone ferme
ad ascoltarla e a meravigliarsi della scandalosa impudicizia che
traspariva in ciascuna di quelle note.

Poi, tutto ad un tratto, a metà di un accordo, i suoni si interruppero; e Agostino fu sicuro, in una maniera oscura, che l'impeto 20
che traspariva nella muscia aveva improvvisamente trovato uno
sfogo piú adeguato. Mosse due passi avanti e si affacciò sulla soglia
del salotto.

Quello che vide non lo meravigliò molto. Il giovane stava in
piedi e baciava la donna sulla bocca. Rovesciata indietro sul basso 25
ed esiguo sgabello, dal quale d'ogni parte traboccava il suo corpo
piegato, ella teneva ancora una mano sulla tastiera e con l'altra
cingeva il collo al giovane. Nella poca luce si vedeva come il corpo
di lei si torcesse indietro, il petto palpitante in fuori, una gamba
ripiegata e l'altra tesa a premere il pedale. A contrasto con questa 30
violenta dedizione, il giovane pareva conservare la solita disinvoltura e compostezza. In piedi, girava un braccio sotto la nuca della
donna; ma si sarebbe detto, piú per timore di vederla cadere
indietro che per violenza di passione. L'altro braccio gli pendeva
lungo il fianco e la mano stringeva tuttora la sigaretta. Le sue 35

gambe vestite di bianco, ben piantate e aperte, una di qua e l'altra
di là, esprimevano eguale padronanza di sé e deliberazione.

Il bacio fu lungo e parve ad Agostino che ogni volta che il giovane voleva interromperlo, la madre, con insaziata avidità, lo
rinnovasse. Veramente, egli non poté fare a meno di pensare, ella 5
pareva affamata di quel bacio, come chi ne è stato troppo a lungo
digiuno. Poi in un movimento che ella fece con la mano, una,
due, tre note gravi e dolci suonarono nel salotto. Subito i due si
separarono. Agostino mosse un passo nel salotto e disse: «mamma».

Il giovane fece una giravolta e andò a mettersi con le due mani 10
in tasca, a gambe larghe, sulla soglia della finestra, come assorto a
guardare la strada. «Agostino» disse la madre.

Agostino si avvicinò. La madre ansimava con una tale violenza
che le si vedeva distintamente il petto levarsi e abbassarsi sotto la
seta del vestito. Piú che mai brillavano i suoi occhi, aveva la bocca 15
semiaperta, i capelli in disordine, una ciocca molle e aguzza, viva
come un serpente, le pendeva lungo la guancia. «Che c'è, Agostino?» ella ripeté con voce rotta e bassa accomodando alla meglio
i capelli.

Agostino sentí ad un tratto una pietà tutta mescolata di ripu- 20
gnanza opprimergli il cuore. «Ricomponiti»[24] avrebbe voluto
gridare a sua madre, «calmati... non ansimare a quel modo... poi
parlami... ma non parlarmi con questa voce». Invece, in fretta e
quasi esagerando apposta la puerilità della voce e della sollecitudine: «mamma» domandò, «posso rompere il salvadanaio... voglio 25
comprarmi un libro».

«Sí, caro» ella disse e sporse una mano a fargli una carezza sulla
fronte. Agostino al contatto di quella mano non poté impedirsi
dal fare un balzo indietro leggero e quasi impercettibile che gli
parve violento e visibilissimo. «Allora lo rompo» ripeté. E con 30
passo leggero, senza aspettar risposta, uscí dal salotto.

Di corsa, su per i gradini scricchiolanti di sabbia, andò in camera
sua. L'idea del salvadanaio non era stata che un pretesto, in verità

---

[24] **Ricomponiti** pull yourself together.

non aveva saputo che dire di fronte alla madre cosí sconvolta. Il
salvadanaio stava sul tavolo, in fondo alla stanza buia. La luce del
fanale, entrando per la finestra aperta, ne illuminava la pancia rosa
con quel suo largo sorriso nero. Agostino accese il lume, afferrò il
salvadanaio e, con una specie di isterica violenza, lo sbatté contro 5
il pavimento. Il salvadanaio si ruppe e fuori dal largo squarcio
vomitò un mucchio di monete di ogni genere. Frammisti alle
monete c'erano anche parecchi biglietti di piccolo taglio. Accosciato in terra, Agostino contò in furia i denari. Le dita gli trema-
vano, pur contando non poteva fare a meno di vedere sovrapposti, 10
come confusi con le monete sparpagliate in terra, i due del salotto,
la madre rovesciata indietro sul suo sgabello e il giovane chino su
di lei. Contava e talvolta doveva riprendere a contare per la
confusione che quell'immagine provocava nel suo animo. Ma
come ebbe finito di contare, scoprí che il denaro non raggiungeva 15
la somma di cui aveva bisogno.

Si domandò quel che dovesse fare, per un momento pensò di
sottrarre i denari a sua madre, sapeva dove li teneva e nulla sarebbe
stato piú facile; ma quest'idea gli ripugnava e decise finalmente di
chiederli, semplicemente. Con quale pretesto? Gli parve ad un 20
tratto di averlo trovato; nello stesso tempo udí risuonare il gong
della cena. Mise in gran fretta il suo tesoro in un cassetto e discese
a pianterreno.

La madre era già seduta a tavola. La finestra era spalancata e
grosse farfalle brune e pelose entravano dal cortile e venivano a 25
sbattere le ali contro il paralume di vetro bianco della lampada.
Il giovane era partito e la madre era tornata alla sua solita serena
dignità. Agostino la guardò e di nuovo, come il primo giorno che
ella era uscita in mare con il giovane del patino, si meravigliò che
non si vedesse su quella bocca la traccia del bacio che pochi minuti 30
prima ne aveva compresse e separate le labbra. Egli non avrebbe
saputo dire che sentimento provasse a questo pensiero. Un senso
di compassione per la madre a cui quel bacio pareva essere stato
cosí prezioso e sconvolgente; e al tempo stesso un ribrezzo forte
non tanto per quello che aveva veduto quanto per il ricordo che 35

gliene era rimasto. Avrebbe voluto rifiutare questo ricordo, dimen-
ticarlo. Possibile che dagli occhi potesse entrare tanto turbamento
e tanta mutazione? Egli presentiva che quel ricordo gli sarebbe
per sempre rimasto impresso nella memoria.

Come ebbero finito di mangiare, la madre si levò e salí al piano 5
superiore. Agostino pensò che quello era il momento buono o
mai piú di chiederle il denaro. La seguí ed entrò dietro di lei nella
camera. La madre sedette davanti allo specchio della teletta e in
silenzio vi studiò il proprio viso.

«Mamma» disse Agostino.   10

«Che c'è?» domandò distrattamente la madre.

«Ho bisogno di venti lire». Tanta era la somma che mancava.

«Perché?».

«Per comperare un libro».

«Ma non avevi detto» domandò la madre passandosi pian piano 15
il piumino della cipria sul viso, «che volevi rompere il salvadanaio?».

Agostino ebbe apposta una frase puerile. «Sí... ma se lo rompo,
allora non ho piú soldi da parte...[25] vorrei comprare il libro e non
rompere il salvadanaio...».   20

La madre rise, con affetto. «Sei sempre il solito bambino».
Ella si guardò ancora un momento nello specchio, quindi soggiunse: «Nella borsa... sul letto, ci deve essere il portamonete...
prendi pure le venti lire e rimetti dentro il portamonete».

Agostino andò al letto, aprí la borsa, ne trasse il portamonete e 25
da questo le venti lire. Quindi, stringendo in pugno i due biglietti,
si gettò sulla branda preparata per lui accanto al letto materno.
La madre aveva finito di acconciarsi. Ella si levò dalla teletta e gli
venne accanto. «Che cosa farai ora?». «Ora leggerò questo libro»
disse Agostino prendendo a caso[26] dal comodino un romanzo di 30
avventure e aprendolo sopra un'illustrazione.

«Bravo... ma ricordati, prima di coricarti, di spegnere la luce».
La madre fece ancora qualche preparativo aggirandosi per la

---

[25] **da parte**   saved.
[26] **a caso**   at random.

stanza. Supino, il braccio sotto la nuca, Agostino la guardò. Ora
sentiva confusamente che non era mai stata cosí bella come quella
sera. Il vestito bianco, di seta brillante, dava uno spicco straordinario al colore bruno e caldo della carnagione. Per un'inconsapevole
riaffioramento dell'antico carattere, ella pareva in quel momento 5
aver ritrovato tutta la dolce e serena maestà del suo portamento di
un tempo; ma con in piú non si capiva che[27] profondo, sensuale
respiro di felicità. Ella era grande, ma parve ad Agostino di non
averla mai veduta cosí grande, da riempire di sé tutta la stanza.
Bianca nell'ombra della camera, ella si muoveva con maestà, il 10
capo eretto sul bel collo, gli occhi neri e tranquilli intenti sotto la
fronte serena. Poi spense tutte le lampade fuorché quella del
comodino e si chinò a baciare il figlio. Agostino sentí ancora una
volta intorno a sé il profumo che ben conosceva; e sfiorandole il
collo con le labbra non poté fare a meno di domandarsi se quelle 15
donne, laggiú nella villa, fossero altrettanto belle e cosí
profumate.

Rimasto solo, Agostino aspettò una decina di minuti che la
madre si fosse allontanata. Poi discese dalla branda, spense la luce
e in punta di piedi andò nella stanza attigua. Cercò a tastoni[28] il 20
tavolo presso la finestra, aprí il cassetto e si riempí le tasche delle
monete e dei biglietti. Finito che ebbe, passò in lungo e in largo[29]
una mano nel cassetto per vedere se fosse veramente vuoto; e uscí
dalla stanza.

Come fu nella strada, prese a correre. Il Tortima abitava quasi 25
all'altro capo della città in un quartiere di calafati e di marinai; e
sebbene la città fosse piccola, era sempre un bel tratto. Prese per le
strade oscure, a ridosso della pineta, e ora camminando in fretta e
ora addirittura correndo, andò dritto sino a quando non vide
spuntare tra le case le alberature dei velieri attraccati nella darsena.[30] 30
La casa del Tortima sorgeva sulla darsena, al di là del ponte apribile

---

[27] **ma con in più non si capiva che**   but added to it was a certain.
[28] **a tastoni**   gropingly.
[29] **in lungo e in largo**   in all directions.
[30] **attraccati nella darsena**   berthed in the dockyard.

di ferro che scavalcava il canale del porto. Di giorno era un luogo
antico e decaduto, con casupole e bottegucce allineate su ampie
banchine deserte e piene di sole, odore di pesce e di catrame,
acque verdi e oleose, gru immobili e chiatte piene di brecciame.[31]
Ma, ora, la notte lo rendeva simile a tutti gli altri luoghi della 5
città; e soltanto un gran veliero, sopravanzando[32] i marciapiedi
con tutti i fianchi e le alberature, rivelava la presenza delle acque
portuali profondamente incassate tra le case. Era un veliero lungo
e bruno; molto in su[33] tra i cordami si vedevano brillare le stelle;
secondo il flusso ed il riflusso del canale pareva che tutta l'albera- 10
tura e la massa dello scafo si muovessero appena, silenziosamente.
Agostino passò il ponte e si diresse verso la fila delle case sulla
sponda opposta del canale. Qualche fanale illuminava inegual-
mente le facciate di queste casupole, Agostino si fermò sotto una
finestra spalancata e illuminata da cui partiva un rumore di voci e 15
di stoviglie come di gente che stesse pranzando; e, portata una
mano alla bocca, modulò un fischio forte e due più sottili che era
un segnale convenuto tra i ragazzi della banda. Quasi subito qualcuno si affacciò alla finestra. «Sono io, Pisa» disse Agostino con
voce bassa e intimidita». «Vengo» rispose il Tortima, poiché era 20
proprio lui.

Il Tortima discese e gli si presentò con un viso tutto congestionato dal vino bevuto, masticando ancora il boccone. «Sono
venuto per andare a quella villa» disse Agostino, «ho qui i soldi...
per tutti e due». 25

Il Tortima inghiottí con sforzo e lo guardò. «Quella villa... in
fondo alla piazza» ripeté Agostino «dove ci sono le donne».

«Ah» fece il Tortima comprendendo finalmente, «ci hai ripen-
sato... bravo Pisa... ora vengo subito con te». Egli corse via e
Agostino rimase nella strada a camminare in su e in giú, gli occhi 30
rivolti alla finestra del Tortima. Costui lo fece aspettare un pezzo

---

[31] **chiatte piene di brecciame**   flat-bottomed boats filled with crushed stone.
[32] **sopravanzando**   jutting out over.
[33] **molto in su**   way up.

e quando si ripresentò, Agostino quasi non lo riconobbe. L'aveva sempre visto ragazzotto in pantaloni rimboccati, oppure seminudo sulla spiaggia e in mare. Ora gli era davanti una specie di giovane operaio nei vestiti scuri della festa, pantaloni lunghi, giubba, colletto, cravatta. Pareva piú vecchio, anche per via della ⁵ pomata con cui aveva reso lisci e compatti i suoi capelli di solito arruffati; e nei panni lindi e comuni rivelava per la prima volta agli occhi di Agostino una sua qualità melensamente cittadina.

«Ora andiamo» disse il Tortima avviandosi.

«Ma è l'ora?» domandò Agostino correndogli a fianco e ₁₀ imboccando con lui il ponte di ferro.

«E' sempre l'ora lí» rispose il Tortima con un riso.

Presero per strade diverse da quelle che Agostino aveva percorso venendo. La piazza non era molto lontana, appena due strade piú in là.³⁴ «Ma tu ci sei già stato?» domandò Agostino. ₁₅

«In quello lí no».

Il Tortima non pareva aver fretta e il suo passo era quello consueto. «Ora hanno appena finito di mangiare e non ci sarà nessuno» spiegò, «è il momento buono».

«Perché?» domandò Agostino. ₂₀

«Oh bella, perché cosí potremo scegliere a nostro agio quella che piú ci piace».

«Ma quante sono?».

«Eh saranno quattro o cinque». Agostino avrebbe voluto domandare se erano belle ma si trattenne. «Ma come si fa?» ₂₅ interrogò. Il Tortima gliel'aveva già detto; ma permanendo in lui quel senso invincibile di irrealtà, provava il bisogno di sentirselo riconfermare.

«Come si fa?» disse il Tortima, «è semplicissimo... si va dentro... poi loro si presentano... si dice: buonasera signorine... si finge di ₃₀ chiacchierare un poco, tanto per avere il tempo di guardarle ben bene... poi se ne sceglie una... è la prima volta eh?».

«Veramente...» incominciò Agostino un po' vergognoso.

---

³⁴ **piú in là**   further on.

«Va là»[35] disse il Tortima con brutalità, «non vorrai mica dirmi che non è la prima volta... queste frottole raccontale agli altri, non a me... ma non temere» soggiunse con un accento curioso.

«Come sarebbe a dire?».

«Non temere dico... la donna fa tutto lei... lascia fare a lei...».   5

Agostino non disse nulla. Quest'immagine evocata dal Tortima, della donna che l'avrebbe introdotto all'amore gli piaceva e gli riusciva[36] dolce e quasi materna. Tuttavia, nonostante queste informazioni, sussisteva in lui l'incredulità. «Ma... ma... mi vorranno a me» domandò fermandosi e dando un'occhiata alle   10 sue gambe nude.

La domanda parve per un momento imbarazzare il Tortima. «Ora andiamo» disse con una falsa disinvoltura, «poi, una volta lí, si troverà il modo di farti passare...».

Da una straducola sbucarono nella piazza. Tutta la piazza era al   15 buio salvo un angolo dove un fanale illuminava della sua luce tranquilla un gran tratto di terreno sabbioso e ineguale. Nel cielo, proprio, si sarebbe detto, al di sopra della piazza, una falce di luna pendeva rossa e fumosa tagliata in due da un sottile filamento di nebbia. Dove l'oscurità era piú fitta, Agostino scoprí la villa   20 riconoscendola dalle persiane bianche. Erano tutte serrate e non un filo di luce ne trapelava. Il Tortima si diresse con sicurezza verso la villa. Ma come furono nel mezzo della piazza, sotto la falce della luna, disse ad Agostino: «dammi i soldi... è meglio che li tenga io».   25

«Ma io» incominciò Agostino che non si fidava del Tortima. «Vuoi darmeli sí o no» insistette il Tortima brutalmente. Agostino vergognoso per tutti quegli spiccioli, obbedí e vuotò le tasche nelle mani del compagno. «Ora chiudi la bocca e seguimi» disse il Tortima.   30

Avvicinandosi alla villa, le tenebre si schiarirono, apparvero i due pilastri del cancello, il viale e il portone sotto la pensilina. Il

---

[35] **Va là**   come on now.
[36] **riusciva**   seemed.

cancello era accostato, il Tortima lo spinse ed entrò nel giardino. Anche la porta era socchiusa, il Tortima salí i gradini e dopo aver fatto ad Agostino un cenno di silenzio, entrò. Si rivelò agli occhi incuriositi di Agostino un breve vestibolo affatto nudo in fondo al quale una porta a due battenti, dai vetri rossi e azzurri, splendeva di luce chiara. Il loro ingresso aveva scatenato una suoneria scampanellante; [37] quasi subito un'ombra massiccia come di persona seduta che si alzi, si profilò dietro i vetri e una donna comparve tra i due battenti. Era una specie di cameriera, corpulenta e matura, con un vasto petto vestito di nero e un grembiale bianco legato alla cintola. Comparve avanzando il ventre, le braccia penzolanti, il viso gonfio immusonito e sospettoso sotto la sporgenza dei capelli. «Siamo qui» disse il Tortima. Dalla voce e dall'atteggiamento, Agostino comprese che anche il Tortima, di solito cosí spavaldo, era intimidito.

La donna li scrutò un momento senza benevolenza, quindi, in silenzio, accennò al Tortima come per invitarlo a passare. Il Tortima sorrise rinfrancato e si slanciò verso la porta a vetri. Agostino fece per seguirlo. «Tu no» disse la donna fermandolo per la spalla.

«Come» domandò Agostino perdendo ad un tratto la timidezza: «lui sí e io no?».

«Veramente nessuno dei due» disse la donna guardandolo fisso, «ma passi per lui...[38] tu no».

«Sei troppo piccolo, Pisa» disse il Tortima beffardo. E spinta la porta a battenti scomparve. La sua ombra tozza si disegnò per un momento dietro i vetri quindi svaní in quella luce splendente.

«Ma io» insistette Agostino esasperato dal tradimento del Tortima.

«Via ragazzo... torna a casa» disse la donna. Ella andò alla porta, la spalancò, e si trovò faccia a faccia con due uomini che entravano. «Buona sera... buona sera» disse il primo di quelli, un uomo

---

[37] **aveva scatenato... scampanellante**   had triggered the ringing of a bell.
[38] **ma passi per lui**   but we'll make an exception for him.

dalla faccia rossa e gioviale. «Siamo intesi eh» soggiunse rivolto al
compagno, un biondo smilzo e pallido, «se la Pina è libera, la
prendo io... non facciamo scherzi».

«Siamo intesi» disse quello.

«E questo qui che vuole?» domandò l'uomo gioviale alla donna, 5
indicando Agostino.

«Voleva entrare» disse la donna. Un sorriso adulatorio le si
disegnò sulle labbra.

«Volevi entrare» gridò l'uomo rivolto ad Agostino, «volevi
entrare? alla tua età a quest'ora si sta a casa... a casa... a casa» gridò 10
agitando le braccia.

«E' quello che gli ho detto» rispose la donna.

«E se lo facessimo entrare?» osservò il biondo: «io alla sua età
facevo già all'amore con la serva».

«Macché... a casa..., a casa» gridò l'uomo infatuato. «A casa». 15
Seguito dal biondo, si ingolfò oltre la porta i cui battenti sbatte-
rono con violenza. Agostino, senza neppur rendersi conto di come
fosse avvenuto, si ritrovò di fuori, nel giardino.

Cosí tutto era finito male, pensò, il Tortima l'aveva tradito
prendendogli i quattrini e lui era stato scacciato. Non sapendo 20
che fare, retrocedette sul viale guardando alla porta socchiusa,
alla pensilina, alla facciata che la sormontava con tutte le sue
bianche persiane serrate. Provava un senso bruciante di disappunto, soprattutto per via di quei due che l'avevano trattato a quel
modo, come un bambino. Gli strilli dell'uomo gioviale, la bene- 25
volenza fredda e sperimentale[39] del biondo, gli parevano non
meno umilianti della smorta e inespressiva ostilità della guardiana.
Sempre retrocedendo, guardandosi intorno e spiando gli alberi e
i cespugli del buio giardino, si avviò verso il cancello. Ma qui
osservò che tutta una parte del giardino, sul lato sinistro della villa, 30
appariva illuminata da una luce forte che sembrava partire da una
finestra aperta del pianterreno. Gli venne in mente che attraverso

---

[39] **sperimentale**   disposed toward experiment (*as indicated in his remark in line 13
above " E se lo facessimo entrare?* ").

quella finestra avrebbe potuto almeno gettare uno sguardo nella villa; e procurando di far meno rumore che fosse possibile si avvicinò alla luce.

Come aveva pensato era una finestra a pianterreno, spalancata. Il davanzale non era alto, pian piano, tenendosi all'angolo dove 5 aveva minore probabilità di essere veduto, egli si accostò e spinse dentro gli sguardi.[40]

La stanza era piccola e fortemente illuminata. Le pareti erano tappezzate di una vistosa carta a grossi fiorami verdi e neri. Di fronte alla finestra una tenda rossa assicurata con anelli di legno 10 ad una stecca di ottone,[41] pareva nascondere una porta. Non c'erano mobili, qualcuno sedeva in un canto, dalla parte della finestra, se ne vedevano soltanto i piedi allungati fin quasi in mezzo alla stanza, accavallati, calzati di scarpe gialle, piedi, come pensò Agostino, di un uomo sdraiato comodamente in una poltrona. 15 Agostino deluso stava per ritirarsi quando la tenda si sollevò e una donna comparve.

Ella indossava una ampia veste di velo azzurrino che rammentò ad Agostino le camicie materne. La veste, trasparente, giungeva fino ai piedi; in quel velo, le membra della donna viste come in 20 un'acqua marina, si disegnavano pallide e lunghe, quasi fluttuanti in curve indolenti intorno la macchia scura del grembo. La veste, per una bizzarria che colpí Agostino, si allargava sul petto in una scollatura ovale che le giungeva fino alla cintola e i seni che aveva tondi e gonfi ne sporgevano quasi con difficoltà, nudi e serrati 25 l'uno contro l'altro; poi la veste che li circondava con molte pieghe fitte si ricongiungeva al collo. Ella aveva i capelli disfatti sulle spalle, ondosi e bruni e un largo viso piatto e pallido, di una puerilità viziata, con un'espressione capricciosa negli occhi stanchi e nella bocca dalle labbra arricciate e dipinte. Le mani dietro la 30 schiena, il petto in fuori, ella uscí dalla tenda e per un lungo momento, in atteggiamento di attesa, stette ritta e immobile,

---

[40] **spinse dentro gli sguardi**   looked inside.
[41] **stecca di ottone**   bronze rod.

senza parlare. Pareva guardare l'angolo in cui stava l'uomo i cui
piedi si scorgevano accavallati nel mezzo della stanza. Quindi in
silenzio come era venuta, voltò la schiena, sollevò la tenda e
scomparve. Quasi subito i piedi dell'uomo si ritirarono dalla
vista di Agostino; ci fu come il rumore di qualcuno che si alzasse; 5
Agostino impaurito si ritirò dalla finestra.

Tornò sul viale, spinse il cancello e uscí sulla piazza. Adesso
provava un senso forte di delusione per il fallimento di questo suo
tentativo; e al tempo stesso quasi un terrore per quel che l'aspettava nei giorni avvenire. Nulla era accaduto, pensava, egli non 10
aveva potuto possedere alcuna donna, il Tortima gli aveva portato
via i soldi e il giorno dopo sarebbero ricominciate le beffe dei
ragazzi e il tormento impuro dei rapporti con sua madre. Era vero
che aveva veduto per un momento la donna desiderata ritta nella
sua veste di velo, il petto nudo; ma intuiva oscuramente che 15
questa immagine insufficiente e ambigua sarebbe stata la sola ad
accompagnarlo nel ricordo per lunghi anni avvenire. Erano
infatti anni e anni che si frapponevano, vuoti e infelici, tra lui e
quell'esperienza liberatrice. Non prima che avesse avuto l'età del
Tortima, pensava, avrebbe potuto sciogliersi una volta per 20
sempre dall'opaco impaccio di questa sua sgraziata età di transizione. Ma intanto bisognava continuare a vivere nel solito modo;
e a questo pensiero sentiva tutto il suo animo ribellarsi come per
il senso amaro di un'impossibilità definitiva.

Giunto a casa, entrò senza far rumore, vide nell'ingresso le valige 25
dell'ospite, udí parlare in salotto. Allora salí la scala e andò a gettarsi sulla branda, nella camera della madre. Qui, al buio, tirando
via con rabbia i panni, e gettandoli sul pavimento, si spogliò e si
mise sotto il lenzuolo. Poi aspettò, gli occhi sbarrati nell'oscurità.

Attese un pezzo, gli parve ad un certo momento di assopirsi e 30
dormí davvero. Ad un tratto si destò di soprassalto. La lampada
era accesa e illuminava di schiena la madre che in camicia, un
ginocchio sul letto, si apprestava a coricarsi. «Mamma» disse
subito con voce forte e quasi violenta.

La madre si voltò, gli venne accanto. «Che c'è?» domandò, 35 «che hai caro?». Anche la sua camicia era trasparente, come la veste della donna alla villa; e il corpo vi si disegnava come quell'altro corpo, in linea ed ombre imprecise. «Vorrei partire domani» disse Agostino sempre con quella sua voce forte ed esasperata, cercando di guardare non al corpo ma al viso della madre.   5

La madre sorpresa sedette sul letto e lo guardò. «Perché... che hai? non ti trovi bene qui?».

«Vorrei partire domani» egli ripeté.

«Vediamo» disse la madre passandogli discretamente una mano sulla fronte, quasi avesse temuto che fosse febbricitante, «che hai... 10 non ti senti bene?... perché vuoi partire?».

Agostino non disse nulla. La camicia della madre ricordava proprio la veste della donna della villa, stessa trasparenza, stesso pallore della carne indolente e offerta; soltanto che la camicia era spiegazzata e pareva rendere ancor piú intima e furtiva quella vista. 15 Cosí, pensò Agostino, non soltanto l'immagine della donna della villa non si frapponeva come uno schermo tra lui e la madre, come aveva sperato, ma confermava in qualche modo la femminilità di quest'ultima. «Perché vuoi partire?» ella gli domandò ancora, «non stai bene con me?».   20

«Tu mi tratti sempre come un bambino» disse ad un tratto Agostino, non sapeva neppur lui perché.

La madre rise e gli accarezzò una guancia. «Ebbene, d'ora in poi ti tratterò come un uomo... va bene cosí? e ora dormi... è molto tardi.» Ella si chinò e lo baciò. Spento il lume, Agostino la 25 sentí coricarsi nel letto.

Come un uomo, non poté fare a meno di pensare prima di addormentarsi. Ma non era un uomo; e molto tempo infelice sarebbe passato prima che lo fosse.

Italian Poetry

Versification

UNLIKE ENGLISH VERSE, Italian verse does not depend for its rhythmic form uniquely upon accentual beats or stress. It is not described by the kind and number of accentual feet it contains (trochee, dactyl, etcetera; and tetrameter, pentameter, etcetera). Rather, Italian verse is based primarily on syllabic count although its accentual nature must also be taken into consideration as will presently be seen.

A poetic line may vary in the number of syllables but the typical Italian verse is hendecasyllabic, that is, it consists of eleven syllables:

Per me si va nella città dolente (Dante)

Such a line in Italian is called a *verso endecasillabo*.

A verse containing five syllables is called a *quinario*; one containing six, a *senario*; seven, *settenario*; eight, *ottonario*; nine, *novenario*; ten, *decasillabo*. The four-syllable verse, *quaternario* (or *quadrisillabo*) and the three-syllable verse, *ternario* (or *trisillabo*) are not frequently employed.

• • •

Just as in English poetry, elision or contraction is frequently used in Italian poetry to reduce the number of syllables in some words in order to make them conform to the rhythmic pattern. Elision generally takes place: (a) between the final vowel of one word and the initial vowel of the following word and (b) between two contiguous vowels in one word even if they do not constitute a diphthong:

> Mi ritrovai per una selva oscura (Dante)

and

> Nella mia giovanezza ho navigato (Saba)

. . .

If a word is accented on the penultimate syllable (as is usually the case), it is called a *parola piana* and a verse ending with such a word is known as a *verso piano*. Thus a seven-syllable verse ending in *parola piana* is identified as a *settenario piano*:

> Torna a fiorir la rosa (Parini)

If the final word is accented on the last syllable, it is called a *parola tronca* and a verse ending in such a word is known as a *verso tronco*. In such a case the last syllable counts for two. Thus a *settenario tronco* actually consists of six syllables:

> Dall'uno all'altro mar (Manzoni)

If a word is accented on the antepenult, it is called a *parola sdrucciola* and a verse ending in such a word, understandably, is a *verso sdrucciolo*. In this case the last two syllables count for one. As a result, the number of syllables in a *settenario sdrucciolo* is actually eight:

> Tu sei come la róndine (Saba)

In short, *versi tronchi* have one less syllable per line and *versi sdruccioli* have one more per line: the *endecasillabo tronco* has ten syllables; the *endecasillabo sdrucciolo* has twelve.

. . .

In addition to being syllabic, each line of Italian poetry is *stressed* or *accentual*, that is, it receives a rather regularly placed accent, the position of which is determined to a large extent by the number of syllables in the verse.

The *verso endecasillabo* has a regular rhythmic accent on the *tenth* syllable and a secondary accent which usually falls on the *sixth* syllable:

Nel mezzo del cammín di nostra víta (Dante)

Secondary accents may also fall on the *fourth* and *eighth* (or on the *fourth* and *seventh*):

Mi ritrovái per una sélva oscúra (Dante)

The accent may of course fall elsewhere in the line. In fact by varying the position of the accents the poet may achieve extraordinary rhythmic effects. Note the unusual accents in the following line in Canto V of Dante's *Inferno* which describes the buffeting of souls by an infernal wind:

Di su, di giù, di là, di qua li mena

The *settenario* has a regular accent on the sixth syllable with a shifting secondary accent falling on the second, third, or fourth syllables. The *ternario* has an accent on the second syllable; the *quaternario* has one on the third; the *quinario* has one on the fourth, and may also have one on the first or second; the *senario* has two accents, one on the second and one on the fifth; the *ottonario* has accents on the third and seventh syllables; the *novenario*, on the second, fifth, and eighth; the *decasillabo*, usually on the third, sixth, and ninth.

• • •

The stanza in Italian is called a *strofa*. The most common *strofe* are: (1) the *terzina* consisting of three lines; (2) the *quartina* consisting of four lines; (3) the *sestina* consisting of six; (4) the *ottava* consisting of eight. There are other *strofe* but they are less common.

• • •

Among the most characteristic of Italian metrical forms is the *sonetto* which consists of two *quartine* and two *terzine*, thus fourteen lines in all. Other important metrical forms are the *canzone* and the *ode* whose stanzaic forms are not fixed.

The so-called romances of chivalry of the Renaissance (such as *Morgante Maggiore* by Pulci, *Orlando furioso* by Ariosto, and *Gerusalemme liberata* by Tasso) are written in *ottave* which are then grouped into *canti* (varying in the number of *ottave*). Dante's *Divina commedia* is written in *terzine* also grouped into *canti*. The rhyme schemes of these metrical forms will be indicated as they are met in the text. Note however that in all these traditional stanzas and metrical forms the verse is *endecasillabo*.

• • •

Contemporary Italian poetry on the whole does not observe strict rules of prosody. The *strofa* may often vary in length within a poem; rhyme may follow an arbitrary pattern or be eliminated altogether (along with punctuation). Such prosody is referred to as *verso libero* and has been used extensively by twentieth century Italian poets (see the poems of Ungaretti and Saba, pages 275 and 286). An unrhymed verse is called a *verso sciolto*. The poems of Parini and Foscolo (pages 247 and 250) are written in *versi sciolti*.

Exercise

In the following excerpts determine the kind of verse employed. Also indicate all instances of *versi tronchi* and *versi sdruccioli*, and where the accents fall.

1. Quant'è bella giovinezza,
   che si fugge tuttavia!
   Chi vuol esser lieto sia:
   di doman non c'è certezza.   (*Lorenzo de' Medici*)

2. E giú nel
   cortile
   la povera
   fontana
   malata,
   che spasimo
   sentirla
   tossire!   (*Aldo Palazzeschi*)

3. Se resto sul lido
   se sciolgo le vele,
   infido, – crudele
   mi sento chiamar:
   e intanto, confuso
   nel dubbio funesto,
   non parto, non resto,
   ma provo il martire,
   che avrei nel partire,
   che avrei nel restar.   (*Pietro Metastasio*)

4. Caro m'è 'l sonno e piú l'esser di sasso,
   mentre che 'l danno e la vergogna dura.
   Non veder, non sentir m'è gran ventura;
   però non mi destar, deh! parla basso.   (*Michelangelo Buonarroti*)

5. Sparsa le trecce morbide
   sull'affannoso petto,
   lenta le palme, e rorida
   di morte il bianco aspetto,
   giace la pia, col tremolo
   sguardo cercando il ciel.   (*Alessandro Manzoni*)

6. Ecco il mondo
   vuoto e tondo
   scende, s'alza,
   gira, balza.   (*Arrigo Boito*)

7. Mi trovan duro?
   Anch'io lo so:
   pensar li fo.
   Taccia ho d'oscuro?
   mi schiarirà
   poi libertà.   (*Vittorio Alfieri*)

Some Remarks on Poetic Forms and Idiom

Even until recent times, the Italian poetic idiom has retained
many early forms of old Italian. Some of the most common are
indicated below.

1. VERBS

a. In the second and third conjugations the *v* of the imperfect tense is often dropped in the first- and third-person singular and in the third-person plural:

pareva—parea
solevano—soleano (sometimes shortened to *solean*)
finiva—finía
invadevano—invadeano

b. In the third-person plural of the past absolute tense, the *-ono* ending is often dropped and a circumflex accent is usually placed over the final vowel:

osservarono—osservâr
poterono—potêr
udirono—udîr

c. The first-person singular of the imperfect tense may end in *-a* instead of *-o*. (Readers should avoid confusing this form with the third-person singular.)

cadeva instead of *cadevo* (also *cadea*)

d. The first-person plural of the present indicative of the second and third conjugation verbs may end in *-émo* instead of *-iamo*:

credémo instead of *crediamo*

Note also: *avémo* instead of *abbiamo*.

e. The conditional endings *ei*, *ebbe*, *ebbero* may become *ía*, *ía*, *íano*:

saría for *sarebbe*; *faría* for *farei*

f. Note the following unusual or shortened forms:

fia and *fiano* are used for *sarà* and *saranno*
sie and *sieno* for *sia* and *siano*
vo for *vado*

fo for *faccio*
saran for *saranno*; *pagheran* for *pagheranno*
veggio for *vedo*
fur for *furono*

2. PRONOUNS

a. Pronouns may contract as follows:

se ne torna—sen torna
non lo—nol

b. *gli* may be used for *li*; *il* for *lo*; *ei* for *egli*
c. *ne* may be used for *ci*: *dinne*, tell us (Leopardi)
d. *meco* is often used for *con me*: *di me medesimo meco mi vergogno*
(Petrarch)
e. Pronouns may follow and be added on to a verb form (even
if it is not an affirmative familiar imperative):

tienla—la tiene
piacciati—ti piaccia

This is especially true in early Italian when the verb occurs at the
beginning of the line:

Mostrasi si piacente... (Dante)
Fecemi la divina potestate... (Dante)

3. OTHER OLD WORDS AND SPECIAL FORMS

a. *onde* occurs with great frequency and may mean: whereby,
wherefore, whence, from there, etcetera
b. *duo* is used for *due*
c. *fero* (or even *fér*) for *fiero*; *novo* for *nuovo*; *core* for *cuore*
d. *omai* for *ormai*
e. *chè* for *perché*
f. *cui*, ordinarily used as object of a preposition or as an indirect
object, may be used as a direct object relative pronoun
g. *anco* for *ancora*

Some Remarks on Inversion

Italian poetry often makes use of inversion by which is meant:
a. The separation of a modifying word from the word modified:

Ancor dal monte che di *foschi* ondeggia
· *frassini* al vento... (Carducci, *Alle fonti del Clitumno*)

Ma già il ben *pettinato* entrar di nuovo
Tuo *damigel* vegg'io... (Parini, *Il giorno*)

b. The separation of a verb from its subject which may follow and be held in abeyance:

...a la parete

Pingano a stento in alcun lato *i raggi* (Parini, *Il giorno*)

c. The separation of a verb from its object:

Lieta dell'aer tuo *veste* la Luna
di luce limpidissima i tuoi *colli* (Foscolo, *I sepolcri*)

Note too in this example that the word *Luna* is separated from the adjective *lieta* modifying it.

Such dislocation of words is especially common in the poetry of Carducci who no doubt appropriated this mode of expression from Latin poetry. A conspicuous example of inversion is found in the last three lines of "Il bove" (page 268).

Dante Alighieri (1265-1321)

These first two poems are sonnets, the native Italian composition which has been one of the most enduring and effective metrical forms of western literature. Carducci has fittingly referred to it as "quel breve ed amplissimo carme." Although the sonnet has been used to express philosophical, political, satirical, and other attitudes, traditionally it has been the poetic vehicle for the expression of love, and Italy's earliest poets, particularly, used it for this purpose.

The amorous attitudes of these poems, the first especially, derive from Provençal troubadoric poetry. They are the reflection of a highly conventionalized code of behavior, basic to which is the lover's subservience to his beloved and the belief in her sublime and ennobling effects on him. Such a theme appears over and over again in Provençal, Sicilian, and Tuscan poetry of the thirteenth and fourteenth centuries, but nowhere is it as beautifully expressed as in the first of these sonnets by Dante. The second sonnet expresses a more human and whimsical side to this amorous tradition and gives a notion of the spirit of camaraderie that prevailed among fellow poets of the time.

Guido and Lapo are Guido Cavalcanti (see page 218) and Lapo Gianni, both Florentine poets and close friends of Dante.

The rhyme scheme for both sonnets is *abba* in each of the two *quartine* and *cde edc* in the *terzine*. The three new rhymes in the *terzine* may vary in their arrangement. Petrarch, for instance, often used *cde cde* (see page 226). An earlier form of the sonnet used an alternating rhyme scheme in the first eight lines: *abababab*.

Sonetto means little musical composition and one should bear in mind that in all probability this poetic form was set to music. We know that Petrarch sang his verses in composing them and that one of the few material possessions he considered worth bequeathing in his will was "leutum meum bonum," my good lute.

We know too from an episode in the second canto of *Purgatory* in the *Divine Comedy* that Dante's poetry was set to music (see page 221).

For an interesting discussion of the musical principle of the sonnet, see the chapter "Petrarch in England" in Mario Praz's *The Flaming Heart* (pages 266–268).

Sonnet from the *Vita nuova*

Tanto gentile e tanto onesta[1] pare
la donna mia quand'ella altrui saluta,
ch'ogni lingua divien tremando muta
e gli occhi non l'ardiscon di guardare.
    Ella si va,[2] sentendosi laudare,   5
benignamente d'umiltà vestuta[3]
e par che sia una cosa venuta
da cielo in terra a miracol mostrare.
    Mostrasi sì piacente a chi la mira
che dà per gli occhi una dolcezza al core   10
che intender non la può chi non la prova:[4]
    e par che da la sua labbia[5] si mova
un spirito soave pien d'amore,
che va dicendo a l'anima: — Sospira.

[1] **onesta**   virtuous.
[2] **si va** = **se ne va.**
[3] **vestuta** = **vestita.**
[4] *Read:* ***che chi non la prova non la può intender.***
[5] **labbia**   lips.

Sonnet from the *Rime*

Guido, i'vorrei che tu e Lapo ed io
fossimo presi per incantamento,
e messi in un vascel,[1] ch'ad ogni vento
per mare andasse a voler vostro e mio,

[1] **vascel**   little boat.

sí che fortuna, od altro tempo rio[2]   5
non ci potesse dare impedimento,
anzi, vivendo sempre in un talento,[3]
di stare insieme crescesse 'l disio.

  E monna[4] Vanna e monna Lagia poi
con quella ch'è sul numer de le trenta[5]   10
con noi ponesse il buono incantatore:
  e quivi ragionar sempre d'amore;
e ciascuna di lor[6] fosse contenta,
sí come i' credo che sariamo noi.

[2] **rio = reo.**
[3] **talento**   will.
[4] **monna**   *short for* **madonna.** *Vanna and Lagia are the ladies of Guido and Lapo, respectively.*
[5] **trenta**   *in the* **Vita nuova** *(VI) Dante refers to a poem in which the sixty most beautiful ladies of Florence were listed. The name of Beatrice turned out to be number nine. His choice on this occasion appears to be the number just above thirty, number thirty-one.*
[6] **di lor**   of their (*lovers*).

  The *Divina commedia* consists of 100 cantos, 33 for each canticle (*Inferno, Purgatorio,* and *Paradiso*) plus an introductory canto. The number of lines per canto varies but the average is about 139. The metrical scheme of the poem is Dante's own creation and is called *terza rima.* It is best understood by examining a series of lines. The opening lines of canto III of the *Inferno* which contain the famous inscription over the gate of hell will serve as an example:

Per me si va nella città dolente,
  Per me si va nell'eterno dolore,
  Per me si va tra la perduta gente.

Giustizia mosse il mio alto fattore:
  Fecemi la divina potestate,
  La somma sapienza, e 'l primo amore.

Dinanzi a me non fur cose create
  Se non eterne, ed io eterna duro:
  Lasciate ogni speranza, voi ch'entrate.

As may be seen the metrical unit is the *terzina* or the tercet. In each tercet the first line rhymes with the third and both enclose a line with a different rhyme which then becomes the rhyme of the first and third lines of the next tercet: *aba, bcb, cdc, ded,* and so on. Note that the *terzine* are not separate stanzas but follow in succession. Both Shelley and Browning have used *terza rima.*

· · ·

The following passage is the celebrated Ulysses episode from canto XXVI of the *Inferno.* Dante, led by his guide Virgil, is in the lower part of hell in an area called Malebolge, consisting of a series of descending concentric bowges or pouches where sinners guilty of fraud are punished. In the eighth pouch, Dante sees a plain of flickering flames each of which encloses a sinner who has used his gifts of intelligence and eloquence to misguide others. They are evil counselors and Ulysses is among them. Actually, Ulysses is enclosed in a double tongue of flame along with his boon companion Diomede. Dante's conception of Ulysses does not derive directly from Homer whom he had never read. His creation is original and fascinating to say the least. He imagines Ulysses after he has reached Ithaca and rejoined his family. It would be interesting to compare and contrast Dante's Ulysses and Tennyson's *Ulysses.*

Canto XXVI
from the *Inferno* of the *Divina Commedia*

Lo[1] maggior corno della fiamma antica   85
  cominciò a crollarsi mormorando
  pur come quella cui[2] vento affatica;
indi[3] la cima qua e là menando,

[1] **lo = il.**
[2] **cui = che.**
[3] **indi**   thereupon.

come fosse la lingua che parlasse,
gittò[4] voce di fuori, e disse: "Quando   90
mi diparti' da Circe, che sottrasse[5]
me più d'un anno là presso a Gaeta,[6]
prima che sì Enea la nomasse,
nè dolcezza di figlio, nè la pièta[7]
del vecchio padre, nè 'l debito amore   95
lo qual dovea Penelopè far lieta,
vincer poter[8] dentro da me l'ardore
ch' i' ebbi a divenir del mondo esperto,
e delli vizi umani e del valore;
ma misi me per l'alto[9] mare aperto   100
sol con un legno[10] e con quella compagna
picciola dalla qual non fui diserto.
L'un lito e l'altro[11] vidi infin la Spagna,
fin nel Morrocco, e l' isola de' Sardi,
e l'altre[12] che quel mare intorno bagna.   105
Io e' compagni eravam vecchi e tardi[13]
quando venimmo a quella foce stretta
dov' Ercule segnò li suoi riguardi,[14]
acciò che l'uom più oltre non si metta:
dalla man destra mi[15] lasciai Sibilia,[16]   110
dall'altra già m'avea lasciata Setta.[17]

---

[4] **gittò** = **gettò.**
[5] **sottrasse**   kept.
[6] **Gaeta**   *A city on the coast above Naples named by Aeneas after his nurse.*
[7] **pièta**   filial respect.
[8] **poter** = **poterono.**
[9] **alto**   deep.
[10] **legno**   boat.
[11] **L'un lito e l'altro**   *both European and African shores.*
[12] **altre**   *isole*
[13] **tardi**   weary.
[14] **riguardi**   marks *(the pillars of Hercules).*
[15] *Omit **mi** in translation.*
[16] **Sibilia**   Seville.
[17] **Setta**   Ceuta *in Morocco.*

'O frati,' dissi 'che per cento milia[18]
   perigli siete giunti all'occidente,
   a questa tanto picciola vigilia[19]
de' nostri sensi ch'è del rimanente,[20]   115
   non vogliate negar l'esperïenza,
   di retro[21] al sol, del mondo sanza gente.
Considerate la vostra semenza:[22]
   fatti non foste a viver come bruti,
   ma per seguir virtute e canoscenza.'[23]   120
Li miei compagni fec' io sì aguti,[24]
   con questa orazion picciola, al cammino,
   che a pena poscia li avrei ritenuti;
e volta nostra poppa nel mattino,[25]
   dei remi facemmo ali al folle volo,   125
   sempre acquistando dal lato mancino.[26]
Tutte le stelle già dell'altro polo
   vedea la notte,[27] e 'l nostro[28] tanto basso
   che non surgea fuor del marin suolo.[29]
Cinque volte racceso e tante casso[30]   130
   lo lume era di sotto dalla luna,
   poi che 'ntrati eravam nell'alto passo,[31]
quando n'apparve[32] una montagna, bruna

[18] **milia** = **mila.**
[19] **vigilia** eve.
[20] **del rimanente** that remains.
[21] **di retro** behind.
[22] **semenza** seed.
[23] **canoscenza** = **conoscenza** knowledge.
[24] **aguti** = **acuti.**
[25] **nel mattino** toward the morn (*east*).
[26] **mancino** left. *Their course is southwest.*
[27] **vedea la notte** night beheld.
[28] **'l nostro** = **il nostro polo.**
[29] **marin suolo** the sea level.
[30] **casso** extinguished. *They have sailed five months.*
[31] **nell'alto passo** upon the deep passage.
[32] **n'apparve** there appeared to us. *The mountain is that of Purgatory.*

per la distanza, e parvemi alta tanto
quanto veduta non avea alcuna.³³   135
Noi ci allegrammo, e tosto tornò in pianto;
chè della nova terra un turbo³⁴ nacque,
e percosse del legno il primo canto.³⁵
Tre volte il fè³⁶ girar con tutte l'acque:
alla quarta levar³⁷ la poppa in suso³⁸   140
e la prora ire in giù, com'altrui³⁹ piacque,
infin che 'l mar fu sopra noi richiuso."

³³ **veduta... alcuna**   as I had never seen.
³⁴ **turbo**   storm.
³⁵ **canto**   the forepart.
³⁶ **fè = fece.**
³⁷ **levar**   *depends on* **fe** *as does* **ire** *in the next line.*
³⁸ **in suso = in su.**
³⁹ **altrui**   God. *The name of God is never mentioned directly in the* **Inferno**.

Guido Cavalcanti (1255-1300)

The *ballata* is basically a popular dance song consisting of several stanzas and a refrain. In the original folk form of the *ballata*, the refrain was sung by the leader of the dance and was repeated by the chorus of dancers. The leader then sang a stanza whose final rhyme word was the cue for the singing of the refrain by the chorus. The leader then sang the next stanza followed by the chorus resuming the refrain, the leader and chorus alternating in this way until all stanzas were sung.

In the literary form of the *ballata* the refrain is usually not repeated. It is represented by the verses (which may vary in number) comprising the first division of the poem. The refrain of the *ballata* reproduced in this text is six lines in length.

Note that each stanza has the same rhyme scheme and ends with a verse that rhymes with the last verse of the refrain. The stanza has two divisions, the first called the *piedi* (there are two *piedi*, each

consisting of two verses) and the second called the *volta*. The *volta*
has the same structure (number, length of verses and rhyme
scheme) as the refrain. The first verse of the *volta* rhymes with the
last verse of the second *piede*. The number of stanzas is usually
four. In this *ballata* note the use of both *endecasillabi* and *settenari*.

Perch'io non spero di tornar giammai, one of several *ballate* by
Cavalcanti, was written in exile during the last period of his life
and reflects the somewhat dark, sad, and gentle quality characteristic of his poetry. Note the endearing diminutive suffix
repeatedly used by the poet in addressing his *ballata*.

Ballata

Perch'i' non spero di tornar giammai,
 Ballatetta, in Toscana,
 Va' tu, leggera e piana
 Dritta alla donna mia,
 Che per su[1] cortesia   5
 Ti farà molto onore.

Tu porterai novelle di sospiri,
 Piene di doglia e di molta paura;
 Ma guarda che persona non ti miri
 Che sia nimica di gentil natura: 10
 Chè certo per la mia disavventura
 Tu saresti contesa,[2]
 Tanto da lei[3] ripresa
 Che mi sarebbe angoscia:
 Dopo la morte poscia   15
 Pianto e novel dolore.

Tu senti, ballatetta, che la morte
 Mi stringe sì che vita m'abbandona,
 E senti come 'l cor si sbatte forte

[1] **su** = **la sua.**
[2] **contesa** contested.
[3] **da lei** *refers to* **persona** (*line* 9).

Per quel[4] che ciascun spirito[5] ragiona.   20
Tanto è distrutta già la mia persona
Ch'i' non posso soffrire;
Se tu mi vuo' servire,
Mena l'anima[6] teco,
Molto di ciò ti preco,[7]   25
Quando uscirà del core.

Deh! ballatetta, alla tua amistate[8]
Quest' anima che trema raccomando:
Menala teco ne la sua pietate,[9]
A quella bella donna a cui ti mando.   30
Deh! ballatetta, dille sospirando,
Quando le se' presente:
"Questa vostra servente[10]
Vien per istar con vui,
Partita da colui   35
Che fu servo d'amore."

Tu, voce sbigottita e deboletta,
Ch'esci piangendo de lo cor dolente,
Coll'anima e con questa ballatetta
Va ragionando de la strutta[11] mente.   40
Voi troverete una Donna piacente
Di sì dolce intelletto,
Che vi sarà diletto
Davanti starle ognora.
Anima, e tu l'adora   45
Sempre nel su' valore.

---

[4] **per quel** wherefore.
[5] **spirito** *refers to the poet's notion of indwelling vital spirits* (*personifications of physical and psychological faculties*).
[6] **l'anima = la mia anima.**
[7] **preco = prego.**
[8] **amistate** kindness.
[9] **pietate** pitiable state.
[10] **servente** *l'anima* (*line 24*).
[11] **strutta** exhausted.

Francesco Petrarca (1304-1374)

The *canzone* is a form which probably derives from the Provençal *canso*. It resembles a *ballata* (without refrain) in that it consists of a series of stanzas whose rhyme scheme is constant in each stanza. The rhymes themselves, of course, differ from stanza to stanza.

The number of stanzas varies for each *canzone* but usually they are five to seven in number. The number of lines per stanza also varies for each *canzone*, ranging from thirteen to twenty, but more frequently from fourteen to sixteen. The stanzas of the following poem consist of thirteen lines each.

The *canzone* ends in a *commiato* or leave-taking in which the poet speaks to the poem and sends it on its way with a parting word of advice. Like the sonnet the *canzone* was originally accompanied by music. In the *De vulgari eloquentia*, Dante says: "... a *canzone* appears to be nothing else but the completed action of one writing words to be set to music" (II, ix). In fact, in the *Divine Comedy*, upon encountering his friend Casella, a Florentine musician, on the shores of Purgatory, Dante asks Casella to sing one of Dante's own *canzoni* for which he had composed the music. Dante and all the souls present listen enraptured to the exquisite melody:

> He then began so sweetly, that the sweetness yet
> within me sounds. My master [Virgil] and I and those
> people who were with him [the souls] seemed so glad
> as if bearing nothing else in mind. We were all fixed
> and intent upon his notes ....

Note the complex rhyme scheme (*abcabccdeedff*) and the alternation of long and short lines. For a detailed discussion of the structural divisions of the *canzone*, see Dante's *De vulgari eloquentia*.

• • •

This *canzone* was written in Italy while Petrarch was away from Provence where his beloved Laura lived. To assuage the hurt of

separation he seeks out wild and solitary places far from the
haunts of men where for him there is no tranquility. Here in
remote nature he sets his imagination to work discovering, in the
forests and rocks, the fields and streams, the hills and clouds, the
image of Laura's face. The illusion turns his torment into joy; but
the self-deceit is short-lived. His final consolation is the thought
that perhaps she too laments his leaving.

Canzone CXXIX
from the *Canzoniere*

Di pensier in pensier, di monte in monte
mi guida Amor, ch'[1] ogni segnato calle[2]
provo contrario a la tranquilla vita.
Se 'n solitaria piaggia, rivo o fonte,
se 'nfra duo[3] poggi siede ombrosa valle,   5
ivi s'acqueta l'alma sbigottita;
e come Amor l'envita,[4]
or ride or piange, or teme or s'assecura;
e 'l volto che lei[5] segue ov'ella il[6] mena
si turba e rasserena,   10
et in un esser picciol tempo dura;[7]
onde a la vista[8] uom di tal vita esperto
diria:[9] – Questo arde, e di suo stato è incerto –.
Per alti monti e per selve aspre trovo
qualche riposo: ogni abitato loco   15
è nemico mortal de gli occhi miei.

[1] **ch'** = **perché.**
[2] **segnato calle** *via frequentata.*
[3] **duo** due.
[4] **l'envita** = **l'invita.**
[5] **lei** = **l'alma** *anima.*
[6] **il** = **lo** *il volto.*
[7] **et... dura** and remains in one state (mood) just for a short time.
[8] **a la vista** upon seeing me.
[9] **diria** = **direbbe.**

A ciascun passo nasce un penser novo
de la mia donna, che[10] sovente in gioco[11]
gira 'l tormento ch'i' porto per lei;
et a pena vorrei   20
cangiar questo mio viver dolce amaro
ch'i' dico: – Forse ancor ti serva[12] Amore
ad un tempo migliore;
forse a te stesso vile, altrui se' caro –;
et in questa trapasso[13] sospirando: 25
– Or potrebbe esser vero? or come? or quando? –
    Ove porge ombra un pino alto od un colle,
talor m'arresto, e pur nel primo sasso
disegno co[14] la mente il suo bel viso.
Poi ch'a[15] me torno trovo il petto molle   30
de la pietate, et allor dico: – Ahi lasso,
dove se' giunto, et onde[16] se' diviso! –[17]
Ma mentre[18] tener fiso[19]
posso al primo pensier la mente vaga,[20]
e mirar lei et oblïar me stesso,   35
sento Amor sí da presso
che del suo proprio error[21] l'alma s'appaga:
in tante parti e sí bella la veggio,
che se l'error durasse altro non cheggio.[22]

---

[10] **che**   *refers to* **penser**.
[11] **in gioco**   into joy.
[12] **ti serva = ti serba**   is reserving you.
[13] **in questa trapasso**   in the meanwhile I pass on (to another thought); *in questa* is ambiguous; it probably refers to *ora* understood.
[14] **co = con**.
[15] **poi ch' = quando**.
[16] **onde = da dove**.
[17] **se' diviso**   have you come from.
[18] **mentre**   as long as.
[19] **fiso = fisso**.
[20] **vaga**   wandering.
[21] **error = illusione**.
[22] **cheggio = chiedo**.

I' l'ho piú volte (or chi fia che m'il creda?)   40
ne l'acqua chiara e sopra l'erba verde
veduto viva, e nel troncon d'un faggio,
e 'n bianca nube, sí fatta che Leda
avria ben detto che sua figlia perde[23]
come stella che 'l sol copre col raggio;   45
e quanto in piú selvaggio
loco mi trovo e 'n piú deserto lido,
tanto piú bella il mio pensier l'adombra.[24]
Poi quando il vero sgombra
quel dolce error, pur lí medesmo assido   50
me[25] freddo, pietra morta in pietra viva,[26]
in guisa d'uom che pensi e pianga e scriva.

Ove d'altra montagna ombra non tocchi
verso 'l maggiore e 'l piú espedito giogo,[27]
tirar mi suol[28] un desiderio intenso.   55
Indi[29] i miei danni a misurar con gli occhi
comincio e 'ntanto[30] lagrimando sfogo
di dolorosa nebbia il cor condenso,
allor ch'i' miro e penso
quanta aria[31] dal bel viso mi diparte,[32]   60
che sempre m'è sí presso[33] e sí lontano;
poscia fra me pian piano:

---

[23] **sua figlia perde** *her daughter (Helen) loses by comparison; that is, she is less beautiful.*
[24] **l'adombra** depicts her.
[25] **assido me** = **mi assiedo.**
[26] *He has become cold, stiff and bereft of life, like a stone statue seated upon real stone* **(viva pietra).**
[27] **'l piú espedito giogo** the freest (most isolated) peak. (*Petrarch did indeed climb mountains as we know from his letter describing his ascent of Mt. Ventoux in southern France.*)
[28] **suol** *suole from* **solere.**
[29] **Indi** from that vantage point.
[30] **'ntanto** in the meanwhile.
[31] **quant'aria** = **quanto spazio.**
[32] **diparte** separates.
[33] **sí presso** *in thought.*

– Che sai tu, lasso? Forse in **quella** parte
or di tua lontananza si sospira –;[34]
et in questo penser l'alma respira.   65
    Canzone, oltra quell'alpe,
là dove il ciel è piú sereno e lieto,
mi rivedrai sovr'un ruscel[35] corrente
ove l'aura[36] si sente
d'un fresco et odorifero laureto;[37]   70
ivi è 'l mio cor, e quella che 'l m'invola;[38]
qui veder pôi[39] l'imagine[40] mia sola.

[34] **si sospira**   one is sighing (*meaning Laura*).
[35] **ruscel**   ruscello, *the Sorgue which flows through Vaucluse.*
[36] **l'aura**   *a characteristic playing on the name of his beloved.*
[37] **laureto**   *Petrarch actually planted a laurel tree in front of his house in Vaucluse.*
[38] **m'invola**   steals it from me.
[39] **pôi = puoi.**
[40] **l'imagine**   *physical image, that is, the empty shell of his body.*

The three sonnets that follow are from Petrarch's book of over 300 songs and sonnets commonly referred to as the *Canzoniere* and suggest some of the poet's varying lyrical moods. The first records his yearning for solitude in nature, a theme already sounded in "Canzone CXXIX," and the ineluctability of love (personified); the second expresses a mood of euphoric gratitude for the experience of loving; the third, an awareness of the vanity of his love and a prayer for spiritual help.

Sonnet XXXV
from the *Canzoniere*

Solo e pensoso i piú deserti campi
vo[1] mesurando a passi tardi e lenti,
e gli occhi porto per fuggire intenti
ove vestigio[2] uman la rena stampi.[3]

[1] **vo = vado.**
[2] **vestigio**   trace.
[3] **stampi**   imprints.

Altro schermo non trovo che mi scampi[4]   5
dal manifesto accorger[5] de le genti,
perché negli atti[6] d'allegrezza spenti
di fuor si legge com'io dentro avvampi;
    sí ch'io mi credo omai che monti e piagge
e fiumi e selve sappian di che tempre[7]   10
sia la mia vita ch'è celata altrui.
    Ma pur sí aspre vie né sí selvagge
cercar non so, ch'Amor non venga sempre[8]
ragionando con meco, et io con lui.

[4] **mi scampi**   protects.
[5] **accorger**   awareness.
[6] **atti**   my features.
[7] **tempre**   nature, tenor.
[8] *Though I seek out such wild and rugged paths Love always comes. . . .*

Sonnet LXI
from the *Canzoniere*

Benedetto sia 'l giorno e 'l mese e l'anno[1]
e la stagione e 'l tempo e l'ora e 'l punto[2]
e 'l bel paese e 'l loco[3] ov'io fui giunto
da' duo begli occhi che legato m'hanno;
    e benedetto il primo dolce affanno   5
ch'i' ebbi ad esser[4] con Amor congiunto,
e l'arco e le saette ond'i' fui punto,
e le piaghe che 'nfin al cor mi vanno.
    Benedette le voci[5] tante ch'io
chiamando il nome de mia donna ho sparte,[6]   10

[1] **l'anno**   *Petrarch first fell in love with Laura on Good Friday, April 6, 1327.*
[2] **punto**   moment.
[3] **loco = luogo.**
[4] **ad essere**   upon being.
[5] **voci**   words.
[6] **sparte**   scattered (*written*).

e i sospiri e le lagrime e 'l desio;
   e benedette sian tutte le carte[7]
ov'io fama l'acquisto,[8] e 'l pensier mio,
ch'è sol di lei, sí ch'altra non v'ha parte.[9]

[7] **carte**   writings (*poems*).
[8] **l'acquisto** = **le acquisto.**
[9] **non v'ha parte**   has no room therein.

Sonnet LXII
from the *Canzoniere*

Padre del ciel, dopo i perduti giorni,
   Dopo le notti vaneggiando spese
   Con quel fero desio ch'al cor s'accese
   Mirando gli atti[1] per mio mal[2] sì adorni,
Piacciati omai, col tuo lume, ch'io torni   5
   Ad altra vita et a più belle imprese;
   Sì ch'avendo le reti indarno tese
   Il mio duro avversario[3] se ne scorni.[4]
Or volge,[5] Signor mio, l'undecimo anno[6]
   Ch'i' fui sommesso al dispietato[7] giogo,   10
   Che sopra i più soggetti è più feroce.
Miserere[8] del mio non degno affanno;
   Reduci[9] i pensier vaghi[10] a miglior luogo;
   Rammenta lor com' oggi[11] fosti in croce.

[1] **atti**   features (*of Laura*).
[2] **per mio mal**   to my misfortune.
[3] **avversario**   the devil.
[4] **se ne scorni**   may be deceived.
[5] **volge**   is turning.
[6] **anno**   *1338.*
[7] **dispietato**   cruel.
[8] **miserere**   have pity.
[9] **reduci**   lead back.
[10] **vaghi**   straying.
[11] **oggi**   *Good Friday.*

L'ottava d'oro

The next three selections are from poems written in the sixteenth and early seventeenth centuries. Their common metrical unit is the *ottava*, a native Italian form which especially lends itself to long narrative poems. It is composed of eight lines, six lines rhyming alternately followed by a rhymed couplet. Thus the rhyme scheme is *abababcc*. As used by the accomplished poets of the Renaissance, the octave came to be known as *l'ottava d'oro*. Its verse is the *endecasillabo*.

Ludovico Ariosto (1474-1533)

The *Orlando furioso* is a long narrative poem which tells in a highly sophisticated way of the exploits of Orlando, or Roland, the Christian paladin celebrated in the French epic poem *La Chanson de Roland*. But whereas the French epic relates the great struggle between Christendom and Islam in order to sing austerely of chivalric and religious ideals, the Italian poem uses this background as a pretext for an ironically humorous narration of countless amatory and fabulous adventures.

The irony underlying the *Orlando furioso* derives from the fact that the wide-ranging events of the poem (pitched battles, duels, sieges, enchantments, chases, and flights, and so on) are all motivated not by religious zeal but by love. Orlando himself, the peerless champion and defender of the faith, is rendered *furioso* by obsessive love for Angelica, the ravishingly beautiful pagan princess from Cathay, whom everyone in Christendom and pagandom covets.

One of the many skeins of the narrative concerns Orlando's pursuit of Angelica across the whole of Europe and the Orient. On route Orlando rights many wrongs and rescues many a damsel in distress against overwhelming odds and often with supernatural aid.

The episode included in our text concerns his confrontation with King Cimosco of Frisia, a cruel tyrant who holds as hostage Bireno, the lover of Olympia. Cimosco would like to have Olympia in his clutches because his son, to whom Olympia was unwillingly betrothed, was killed on his wedding night as a result of her machinations. Cimosco, not unlike certain modern comic strip or television program villains, possesses a superweapon against which all opposition is vain. The superweapon is a firearm, a cannon to be exact, of the kind just then being introduced into European warfare and which spelled, of course, the end of the age of chivalry. It is described as follows:

> Un ferro bugio,[1] lungo da due braccia,
> Dentro a cui polve[2] ed una palla caccia.
>   Col fuoco dietro ove la canna[3] è chiusa,
> Tocca un spiraglio che si vede appena;
> A guisa che toccare il medico usa
> Dove è bisogno d'allacciar[4] la vena:
> Onde vien con tal suon la palla esclusa,
> Che si può dir che tuona e che balena:
> Nè men che soglia il fulmine ove passa,
> Ciò che tocca, arde, abbatte, apre e fracassa.
>
> (IX, 28–29)

As a consequence, no one dares challenge Cimosco—no one, that is, except the fearless and matchless Orlando. A challenge is duly made and accepted. Cimosco sees no need to use his secret weapon. Rather, with duplicity he deploys his henchmen around the Christian warrior. But the Count Orlando overcomes these

---

[1] **bugio**   hollow.
[2] **polve = polvere.**
[3] **canna**   rod.
[4] **allacciar(e)**   to bind (by cauterizing).

with dispatch by means of his trusty lance, running six men through like so many frogs on a spit: "E fin a sei ve n'infilzò." A seventh, unable to fit on the spear's tip, was killed nonetheless by the blow. Cimosco hies himself back to his walled city regretting now not having made use of his firearm. The chase is on; Orlando in hot pursuit. Cimosco sets up his weapon at the corner of a street:

from the *Orlando furioso*

Sta Cimosco alla posta,[5] acciò non passi
Senza pagargli il fio[6] l'audace Conte.[7]
Tosto ch'appare, allo spiraglio tocca
Col fuoco il ferro; e quel subito scocca.

Dietro lampeggia a guisa di baleno;   5
Dinanzi scoppia, e manda in aria il tuono.
Treman le mura, e sotto i piè il terreno;
Il ciel rimbomba al paventoso suono.
L'ardente stral,[8] che spezza e venir meno[9]
Fa ciò ch'incontra, e dà a nessun perdono,   10
Sibila e stride; ma, come è il desire
Di quel brutto assassin, non va a ferire.

O sia la fretta, o sia la troppa voglia
D'ucider quel baron, ch'errar lo faccia;
O sia che il cor, tremando come foglia,   15
Faccia insieme tremare e mani e braccia,
O la bontà divina, che non voglia

[5] **alla posta** lying in wait.
[6] **pagargli il fio** to pay the price.
[7] **Conte** = *Orlando*.
[8] **stral** = **strale.**
[9] **venir meno** collapse.

Che 'l suo fedel campion sì tosto giaccia;[10]
Quel colpo al ventre del destrier si torse:[11]
Lo cacciò in terra, onde mai più non sorse.[12]   20

Cade a terra il cavallo e il cavaliero:
La[13] preme l'un, la tocca l'altro[14] appena,
Che si leva sì destro e sì leggiero,
Come cresciuto gli sia[15] possa e lena.
Quale il libico Anteo[16] sempre più fiero   25
Surger solea dalla percossa[17] arena,
Tal surger parve, e che la forza, quando
Toccò il terren, si raddoppiasse a Orlando.

Chi vide mai dal ciel cadere il foco
Che con sì orrendo suon Giove disserra,[18]   30
E penetrare ove un rinchiuso loco
Carbon con solfo e con salnitro[19] serra;[20]
Ch'appena arriva, appena tocca un poco,
Che par ch'avvampi il ciel, non che[21] la terra;
Spezza le mura, e i gravi marmi svelle,[22]   35
E fa i sassi volar sin alle stelle;

---

[10] **si tosto giaccia**   be felled so soon.
[11] **si torse**   directed itself.
[12] **sorse = surse.**
[13] **La = la terra.**
[14] **l'un = il cavallo; l'altro =** *Orlando.*
[15] **Come . . . lena**   as if his strength and spirit had increased.
[16] **Anteo**   Anteus, *legendary Libyan giant whose strength redoubled when his feet touched the earth (his mother). Hercules defeated him by holding him off the ground.*
[17] **percossa**   stamped, struck.
[18] **disserra**   unleashes.
[19] **salnitro**   saltpeter.
[20] **serra**   encloses.
[21] **non che**   as well as.
[22] **svelle**   tears away.

S'immagini[23] che tal, poi che cadendo
Toccò la terra, il Paladino fosse:
Con sì fiero sembiante aspro ed orrendo,
Da far tremar nel ciel Marte, si mosse.   40
Di che[24] smarrito il Re frison,[25] torcendo
La briglia indietro, per fuggir voltosse:[26]
Ma gli fu dietro Orlando con più fretta,
Che non esce dall'arco una saetta:

E quel che non avea potuto prima   45
Fare a cavallo, or farà essendo a piede.
Lo seguita sì ratto,[27] ch'ogni stima
Di chi nol vide, ogni credenza eccede.[28]   (IX, 74–80)
Lo giunse in poca strada: ed alla cima
Dell'elmo alza la spada, e sì lo fiede,[29]   50
Che gli parte la testa fino al collo,
E in terra il[30] manda a dar l'ultimo crollo.

The only spoil of war claimed by Orlando is the cannon which
he takes out to sea and consigns to the depths so that no knight
may ever hesitate to be bold in battle and that no coward may
ever presume to be as valiant as a knight. The spirit of the
following lines recalls that of the *Don Quixote* by Cervantes who
indeed knew the *Orlando furioso*, had high regard for it, and was
no doubt influenced by it.

[23] **S'immagini** let him imagine (*who has seen the phenomenon described in the preceding octave*).
[24] **Di che** wherefore.
[25] **frison** Frisian.
[26] **voltosse = si voltò.**
[27] **ratto = veloce.**
[28] **ch'ogni stima... credenza eccede** that one who did not see it would not believe it.
[29] **fiede = colpisce.**
[30] **il = lo.**

> O maladetto, o abbominoso [31] ordigno,
> Che fabbricato nel tartareo fondo
> Fosti per man di Belzebù [32] maligno
> Che ruinar per te disegnò il mondo,
> All'inferno, onde usciSti, ti rassigno.
> Così dicendo, lo gittò in profondo.   (IX, 91)

Ironic humor at the expense of human folly pervades the whole of *Orlando furioso*. For soon after the momentous struggles to reunite Bireno and Olympia, Bireno falls in love with the fourteen-year-old daughter of Cimosco and heartlessly abandons Olympia on a deserted island.

The cannon, incidentally, is retrieved by enchantment from the depths of the sea and put to use again by man against man. Its rediscovery provokes the denunciation that follows. Whether it is uttered in earnestness or with tongue-in-cheek is hard to tell. Ariosto often treats matters of high moment with urbane levity.

> Come trovasti, o scellerata e brutta
> Invenzion, mai loco in uman core?
> Per te la militar gloria è distrutta;
> Per te il mestier dell'arme è senza onore;
> Per te è il valore e la virtù ridutta,
> Che spesso par del buono il rio migliore:
> Non più la gagliardia, non più l'ardire
> Per te può in campo al paragon venire.
> Per te son giti ed anderan [33] sotterra
> Tanti Signori e Cavalieri tanti,
> Prima che sia finita questa guerra,
> Che 'l mondo, ma più Italia, ha messo in pianti;
> Chè s'il v'ho detto, il detto mio non erra,
> Che ben fu il più crudele, e il più di quanti
> Mai furo [34] al mondo ingegni empi e maligni,
> Ch'immaginò sì abbominosi ordigni.   (XI, 26–27)

---

[31] **abbominoso = abbominevole.**
[32] **Belzebù**   Beelzebub, the Devil.
[33] **giti ed anderan = andati ed andranno.**
[34] **furo = furono.**

Torquato Tasso (1544-1595)

The *Gerusalemme liberata* is a more serious poem than the *Orlando furioso*. It narrates events both historical and fictitious pertaining to the Crusade in 1099 which resulted in the liberation of Jerusalem. It too is long but considerably more unified than Ariosto's poem. It represents an attempt to combine the classical epic and the romance of chivalry, the genre to which the *Orlando furioso* and Boiardo's *Orlando innamorato* belong. It does so by limiting the sweep of the story and its kaleidoscopic events and by focusing on a principal action: the achievement of the goal of liberating Jerusalem. Although Tasso emphasizes the solemn and religious nature of this mission, he also frequently dwells on amatory and fabulous elements.

Such is the case in the following episode in which the historical figure of Tancredi of Sicily unwittingly engages in mortal combat with the woman he loves, the beautiful pagan warrior Clorinda. Just prior to their struggle, Clorinda had conceived of the plan to set fire to a movable wooden tower used by the Crusaders to assault the walls of Jerusalem. Under cover of darkness she applies burning sulphur and pitch to the framework of the tower and the result is described as follows:

> Vedi globi di fiamme oscure e miste
> fra le rote[1] del fumo in ciel girarsi.
> Il vento soffia, e vigor fa ch'acquiste[2]
> l'incendio, e in un[3] raccolga i fuochi sparsi.
> Fere[4] il gran lume con terror le viste
> de' Franchi, e tutti son presti ad armarsi.
> La mole immensa e sí temuta in guerra,
> cade, e breve ora opre sí lunghe[5] atterra.   (XII, 46)

[1] **rote = ruote.**
[2] **acquiste = acquisti.**
[3] **in un**   in one fire.
[4] **Fere**   strikes.
[5] **opre si lunghe**   works which took so long to build.

Upon return to the gates of the city, however, she finds herself locked out: "e chiusa/ è poi la porta, e sol Clorinda esclusa." Undaunted she slips among her foes in disguise as a knight. But Tancredi, who had caught sight of her trying to reenter the city gates, follows her through the Christian camp out into the countryside. Here, still unsuspecting of her identity, he challenges her and thus begins the duel which results in Clorinda's death. With the baptismal ritual that concludes the episode, the three dominant elements of the poem are brought into focus: the adventurous, the amatory, and the religious.

This is a celebrated passage of Italian Renaissance literature reflecting particularly the pathetic and plaintive qualities characteristic of Tasso's poetic temperament as well as the melodic quality toward which Italian poetry of the late sixteenth century was tending.

In this connection note particularly the lines:

> In queste voci languide risuona
> un non so che di flebile e soave.

from the *Gerusalemme liberata*

Non schivar, non parar, non ritirarsi
voglion costor, né qui destrezza ha parte.[6]
Non dánno i colpi or finti, or pieni or scarsi:
toglie[7] l'ombra[8] e 'l furor l'uso de l'arte.
Odi le spade orribilmente urtarsi   5
a mezzo il ferro; il piè d'orma non parte:
sempre è il piè fermo, e la man sempre in moto;
né scende taglio in van, né punta a vòto.[9]

L'onta[10] irrita lo sdegno a la vendetta,
e la vendetta poi l'onta rinova;   10

[6] **ha parte** plays a role.
[7] **toglie = tolgono.**
[8] **l'ombra** *it is still dark.*
[9] **a vuoto** *without hitting its mark.*
[10] **onta** *shame at being struck.*

L'amore che poté morire non era amore.
L'amour qui a pu mourir n'était pas amour.
Die Liebe die verging, war nicht Liebe.
A love that could die was not real love.

onde sempre al ferir sempre a la fretta
stimol novo s'aggiunge e cagion nova.
D'or in or più[11] si mesce, e piú ristretta
si fa la pugna: e spada oprar non giova;[12]
dansi[13] co' pomi, e, infelloniti[14] e crudi,　　　　　15
cozzan con gli elmi insieme e con gli scudi.

Tre volte il cavalier la donna stringe
con le robuste braccia; ed altrettante
da que' nodi tenaci ella si scinge,
nodi di fér[15] nemico, e non d'amante.　　　　　20
Tornano al ferro, e l'uno e l'altro il tinge
con molte piaghe: e stanco ed anelante
e questi e quegli al fin pur si ritira,
e dopo lungo faticar respira.

L'un l'altro guarda, e del suo corpo esangue　　　　　25
su 'l pomo de la spada appoggia il peso.
Già de l'ultima stella il raggio langue
al primo albor ch'è in orïente acceso.
Vede Tancredi in maggior copia[16] il sangue
del suo nemico, e sé non tanto offeso.　　　　　30
Ne gode e superbisce. Oh nostra folle
mente, ch'ogn'aura di fortuna estolle!
Misero, di che godi?[17] oh quanto mesti
fiano[18] i trïonfi, ed infelice il vanto!
Gli occhi tuoi pagheran (se in vita resti)　　　　　35
di quel sangue ogni stilla un mar di pianto. (XII, 55–59)

· · ·

[11] **D'or in or più**　more and more.
[12] **spada... giova**　it's no use to wield the sword.
[13] **dansi = si danno.**
[14] **infelloniti**　like felons (*losing their chivalric bearing*).
[15] **fér = fiero.**
[16] **copia = abbondanza.**
[17] **godi**　*the poet is addressing Tancredi.*
[18] **fiano = saranno.**

*Clorinda refuses to divulge her name but does identify herself as one of
those who set fire to the tower. Tancredi's anger is rekindled and they
resume the struggle:*

> Torna l'ira ne' cori, e li trasporta,
> benché debili in guerra. Oh féra pugna![19]
> u'[20] l'arte in bando,[21] u' già la forza è morta,
> ove in vece d'entrambi[22] il furor pugna!   40
> Oh che sanguigna e spazïosa porta
> fa l'una e l'altra spada, ovunque giugna,
> ne l'arme e ne le carni! e se la vita
> non esce, sdegno tienla[23] al petto unita.   (XII, 62)

· · ·

> Ma ecco omai l'ora fatale è giunta,   45
> che 'l viver di Clorinda al suo fin deve.
> Spinge egli il ferro nel bel sen di punta,
> che vi s'immerge, e 'l sangue avido beve;
> e la veste, che d'òr vago trapunta
> le mammelle stringea tenera e leve,[24]   50
> l'empie d'un caldo fiume. Ella già sente
> morirsi, e 'l piè le manca egro[25] e languente.
> Segue egli la vittoria, e la trafitta
> vergine minacciando incalza e preme,
> ella, mentre cadea, la voce afflitta   55
> movendo, disse le parole estreme;
> parole ch'a lei novo un spirto ditta,[26]

---

[19] **pugna**   fight.
[20] **u' = ove.**
[21] **in bando**   cast aside.
[22] **entrambi = arte e forza.**
[23] **tienla = la tiene.**
[24] **leve = lieve** (*modifying* **veste**).
[25] **egro =** weak.
[26] **ditta**   dictates.

spirto di fé, di carità, di speme;
virtú ch'or Dio le infonde; e se rubella[27]
in vita fu, la vuole in morte ancella: 60
   "Amico, hai vinto: io ti perdón... perdona
tu ancóra, al corpo no, che nulla pave,[28]
a l'alma sí: deh! per lei prega, e dona
battesmo a me ch'ogni mia colpa lave."[29]
In queste voci languide risuona   65
un non so che di flebile e soave
ch'al cor gli scende, ed ogni sdegno ammorza,
e gli occhi a lagrimar gli invoglia e sforza.[30]
   Poco quindi[31] lontan nel sen del monte
scaturía mormorando un picciol rio.   70
Egli v'accorse, e l'elmo empié nel fonte,
e tornò mesto al grande ufficio e pio.
Tremar sentí la man, mentre la fronte
non conosciuta ancor sciolse e scoprío.[32]
La vide, e la conobbe; e restò senza   75
e voce e moto. Ahi vista! ahi conoscenza!
   Non morí già; ché[33] sue virtuti[34] accolse
tutte in quel punto, e in guardia al cor le mise;[35]
e premendo[36] il suo affanno, a dar si volse
vita con l'acqua a chi col ferro uccise.   80
Mentre egli il suon de' sacri detti[37] sciolse,
colei di gioia trasmutossi,[38] e rise;

---

[27] **rubella** = **ribelle.**
[28] **pave** = **teme.**
[29] **lave** = **lavi**   so that it may wash.
[30] **invoglia e sforza**   induces and compels.
[31] **quindi**   from there.
[32] **scoprío** = **scoprí.**
[33] **ché**   wherefore.
[34] **virtuti**   strength.
[35] **mise**   *the subject is Tancredi.*
[36] **premendo**   suppressing.
[37] **detti**   words of baptism.
[38] **trasmutossi** = **si trasmutò.**

e, in atto di morir lieto e vivace,
dir parea: "S'apre il cielo; io vado in pace."
   D'un bel pallore ha il bianco vólto asperso,   85
come a gigli sarían miste vïole:
e gli occhi al cielo affissa; e in lei converso [39]
sembra per la pietate il cielo e 'l sole;
e la man nuda e fredda alzando verso
il cavaliero, in vece di parole,   90
gli dà pegno di pace. In questa forma
passa la bella donna, e par che dorma.   (XII, 64–69)

[39] **converso**   come together.

Giambattista Marino (1569-1625)

The *Adone* of Marino is a long poem of mythological content
which epitomizes Italian literary taste of the Baroque period.
Poetry of the seventeenth century in Italy, like music, art, and
architecture, may be characterized by a dazzling facility and
theatricality. The aim of such poetry was to astonish, or to put it
more colorfully, to raise the eyebrows—"far inarcar le ciglia," as
Marino himself expressed it. He succeeds in doing this to a remarkable degree by inventing extravagant conceits, exhilarating
metaphors, strings of synonyms and antitheses, and other word
play. His poetry possesses a musical and descriptive vitality often
flashed with extraordinary lyrical effusion. It also reveals that
verbal craftsmanship and flamboyant epigrammatic tendency (or
concettismo) which is prevalent in the works of other European
poets of the age upon whom Marino no doubt exerted some
influence (Gongora in Spain, Desportes in France, and Crashaw
in England).

   In the following excerpt, the goddess Venus sings the praises of
the rose. Searching in the forest for herbs to soothe a wound

provoked by the prick of a rose's thorn, she meets Adonis and falls in love with him. Grateful to the rose for being the "fatal cagion dei miei felici affanni" she pours forth the following cascade of praise:

from the *Adone*

Rosa riso d'Amor, del Ciel fattura,
   rosa del sangue mio fatta vermiglia,
   pregio del Mondo e fregio di Natura,
   de la Terra e del Sol vergine figlia,
   d'ogni Ninfa e Pastor delizia e cura,   5
   onor de l'odorifera famiglia,
   tu tien d'ogni beltà le palme[1] prime,
   sovra il vulgo[2] de' fior Donna sublime.
Quasi in bel trono Imperadrice altera
   siedi colà su la nativa sponda.   10
   Turba d'aure vezzosa e lusinghiera
   ti corteggia d'intorno e ti seconda;
   e di guardie pungenti armata schiera
   ti difende per tutto, e ti circonda.
   E tu fastosa del tuo regio manto   15
   porti d'or la corona e d'ostro[3] il manto.
Porpora de' giardin, pompa de' prati,
   gemma di primavera, occhio d'Aprile,
   di te le Grazie e gli Amoretti alati
   fan ghirlanda a la chioma;[4] al sen monile.[5]   20
   Tu, qualor torna a gli alimenti usati
   ape leggiadra o zeffiro gentile,
   dài lor da bere in tazza di rubini
   rugiadosi licori[6] e cristallini.

[1] **palme**   honors.
[2] **vulgo = volgo**   crowd, mass.
[3] **ostro**   purple, crimson.
[4] **chioma**   hair.
[5] **monile**   necklace.
[6] **licori = liquori**   beverages.

Non superbisca[7] ambizïoso il Sole   25
   di trïonfar fra le minori stelle,
   che ancor[8] tu fra i ligustri[9] e le vïole
   scopri le pompe tue superbe e belle.
   Tu sei con tue bellezze uniche e sole
   splendor di queste piagge, egli di quelle.[10]   30
   Egli nel cerchio suo, tu nel tuo stelo,
   tu Sole in terra, ed egli rosa in cielo.
E ben saran tra voi conformi voglie:
   di te fia il Sole, e tu del Sole amante,
   ei[11] de l'insegne[12] tue, de le tue spoglie[13]   35
   l'aurora vestirà nel suo levante.[14]
   Tu spiegherai ne' crini e ne le foglie
   la sua livrea dorata e fiammeggiante,
   e per ritrarlo[15] ed imitarlo appieno[16]
   portarai[17] sempre un picciol Sole in seno.[18]   40

(III, 156–160)

[7] **Non superbisca**   let not (the sun) be proud.
[8] **che ancor**   while.
[9] **ligustri**   privets (*evergreen with small white flowers*).
[10] **egli di quelle**   he (*il Sole*) is the splendor of those (celestial shores).
[11] **ei**   egli.
[12] **insegne**   colors.
[13] **spoglie**   fallen petals.
[14] **levante**   rising (at dawn).
[15] **ritrarlo**   capture its image.
[16] **appieno**   fully.
[17] **portarai** = **porterai.**
[18] **un picciol Sole in seno**   *The image refers to the yellow center of the rose.*

Paolo Rolli (1687-1765)

Reacting against the excesses of *concettismo*, Italian poets from the mid-seventeenth century through the latter part of the eighteenth century returned to the more restrained classical style of the Renaissance followers of Petrarch and to the simplicity of pastoral poetry. The reaction was led by a famous literary academy of the age, *l'Arcadia*, which took its name from the mythical location in Greece where shepherds and shepherdesses supposedly dwelled in idyllic bliss. The pastoral ideal enjoyed an enormous vogue even beyond Italy and was reflected as well in the music, art, and manners of the age.

Arcadian poetry was on the whole graceful, melodious, and technically correct, but also placid, superficial, and utterly devoid of serious import. Its content on the whole had to do with the commonplaces of amatory verse of Petrarchan derivation.

The following poem by Paolo Rolli is typical. Rolli's poetry enjoyed wide popularity. The German poet Goethe is said to have known the poem by heart and to have learned it from his mother who sang it to him when he was a child. Rolli lived in England for a long period and translated Milton's *Paradise Lost* and some of Shakespeare's works into Italian.

Solitario bosco ombroso

Solitario bosco ombroso,
  A te viene afflitto cor
  Per trovar qualche riposo
  Fra i silenzi in quest' orror.
Ogni oggetto ch'altrui piace   5
  Per me lieto più non è:
  Ho perduta la mia pace,
  Son io stesso in odio a me.
La mia Filli,[1] il mio bel foco,
  Dite, o piante, è forse qui?   10
  Ahi! la cerco in ogni loco;
  E pur so ch'ella partì.
Quante volte, o fronde grate,
  La vostr'ombra ne[2] coprì!

[1] **Filli**   *a typical Arcadian name for a shepherdess.*
[2] **ne = ci.**

Corso d'ore sì beate   15
Quanto rapido fuggì!
Dite almeno, amiche fronde,
   Se il mio ben più rivedrò:
   Ah! che l'eco mi risponde,
   E mi par che dica "no."   20
Sento un dolce mormorio;
   Un sospir forse sarà;
   Un sospir dell'idol mio,
   Che mi dice: "Tornerà."
Ah! ch'è[3] il suon del rio che frange   25
   Tra quei sassi il fresco umor,
   E non mormora, ma piange
   Per pietà del mio dolor.
Ma se torna, vano e tardo
   Il ritorno, oh dei! sarà;   30
   Chè pietoso il dolce sguardo
   Sul mio cener piangerà.

[3] ch'è but it is.

Pietro Metastasio (1698-1782)

Some of the most effective Arcadian verse is to be found in the
operatic texts of Pietro Metastasio, the prolific and gifted librettist
and poet, at the court of Emperor Charles VI in Vienna. His
libretti may be appreciated, apart from the music for which they
were composed, as plays to be read for their dramatic interest and
poetry. One of the most successful is *Didone abbandonata* which is
based on Virgil's well-known story of Dido and Aeneas. The
excerpt that follows is from the latter part of Act I where Aeneas

has just revealed to Dido that he must leave her and Carthage in
order to pursue his mission to found the Roman Empire. He is
torn between love and gratitude to Dido, and duty to his divine
calling.

Note the skillful use of rhymes, the diversity of meters, and the
singable quality of the verse.

from *Didone abbandonata*

Scena xvii

En.	Io resterò, se vuoi	
	che si renda spergiuro un infelice.	
Did.	No: sarei debitrice[1]	
	dell'impero del mondo a' figli tuoi.	
	Va pur, siegui[2] il tuo fato;	5
	cerca d'Italia il regno; all'onde, ai venti	
	confida pur la speme tua, ma senti:	
	farà quell'onde istesse	
	delle vendette mie ministre il Cielo;[3]	
	e tardi allor pentito	10
	d'aver creduto all'elemento insano,[4]	
	richiamerai la tua Didone invano.	
En.	Se mi vedessi in core...	
Did.	Lasciami, traditore.	
En.	Almen dal labbro mio	15
	con volto meno irato	
	prendi l'ultimo addio.	
Did.	Lasciami, ingrato.	
En.	E pur con tanto sdegno	
	non hai ragion di condannarmi.	20

[1] **debitrice**   in debt to. (*Spoken ironically*).
[2] **siegui** = **segui.**
[3] *Read:* ***il Cielo farà quell'onde istesse* [stesse] *ministre delle mie vendette.***
[4] **insano**   dangerous (*the sea*).

Did.   Indegno!
                Non ha ragione, ingrato,
                un core abbandonato
                da chi giurògli⁵ fè?
                Anime innamorate,⁶   25
                se lo provaste mai,
                ditelo voi per me.
                Perfido! tu lo sai
                se in premio un tradimento
                io meritai da te.   30
                E qual sarà tormento,
                anime innamorate,
                se questo mio non è?   (*parte*).

                        SCENA XVIII

En.   E soffrirò che sia
            sì barbara mercede⁷   35
            premio della tua fede, anima mia!
            Tanto amor, tanti doni...
            Ah! pria ch'io t'abbandoni,
            pera l'Italia,⁸ il mondo,
            resti in obblìo profondo   40
            la mia fama sepolta;
            vada in cenere Troia un'altra volta.
            Ah, che dissi! Alle mie
            amorose follie,
            gran genitor,⁹ perdona: io n'ho rossore.   45
            Non fu Enea che parlò, le disse Amore.

---

⁵ **giurògli** = **gli giurò.**
⁶ **Anime innamorate**   *she addresses all lovers.*
⁷ **mercede**   thanks, gratitude.
⁸ **pera l'Italia**   let Italy perish.
⁹ **genitor**   *his father Anchises.*

Si parta... E l'empio Moro[10]
stringerà il mio tesoro?
No... Ma sarà frattanto
al proprio genitor spergiuro il figlio?   50
Padre, Amor, Gelosia, Numi, consiglio!
    Se resto sul lido,
        se sciolgo le vele,
        infido, — crudele
        mi sento chiamar: 55
        e intanto, confuso
        nel dubbio funesto,
        non parto, non resto,
        ma provo il martire,
        che avrei nel partire,   60
        che avrei nel restar.

[10] **Moro**   dark-skinned Carthaginian.

The last ten lines constitute an *arietta*, a little song which usually serves to sum up the action of the scene. Metastasio composed over 1200 such *ariette* and many of them are ingenious in their succinctness and musicality. The following is another example taken from *Olimpiade* (II, 10):

An *arietta* from *Olimpiade*

Se cerca, se dice:
"L'amico dov'è?"
"L'amico infelice –
rispondi – morì."
Ah no! sì gran duolo
non darle per me;
rispondi ma solo:
"Piangendo partì."
Che abisso di pene
lasciare il suo bene,
lasciarlo per sempre,
lasciarlo così.

Giuseppe Parini (1729-1799)

The following is an excerpt from *Il giorno*, a long satirical poem
in which the poet purports to instruct a young aristocrat in the
ways of elegant society. He does so by describing in mock majestic
language the ideal day of a refined gentleman, treating his frivolous and precious behavior as if it were of epic importance. Not-
withstanding its mock epic tone which is comparable to that of
Pope's *The Rape of the Lock, Il giorno* is a devastating satire of the
moral standards of the fashionable upper class of eighteenth
century Italy, notably that of Milan.

The excerpt is from the section entitled "Il mattino" (1763)
and describes the young man's late rising after a frivolous night
spent at parties, the opera, and playing cards. The rooster's crow,
which for others is the signal of the start of a working day, is for
him the signal to go to bed.

The poem is in blank hendecasyllabic verse.

from *Il giorno*

Dritto è[1] perciò che a te gli stanchi sensi
non sciolga da' papaveri tenaci
Morfeo[2] prima, che già grande il giorno[3]
tenti di penetrar fra gli spiragli
de le dorate imposte,[4] e la parete   5
pingano[5] a stento in alcun lato i raggi
del Sol ch'eccelso[6] a te pende sul capo.
Or qui principio le leggiadre cure

---

[1] **Dritto è**   it is right.
[2] **Morfeo**   Morfeus, *the god of sleep.*
[3] **grande il giorno**   broad daylight.
[4] **le dorate imposte**   the gilded blinds.
[5] **pingano**   tinge (*subject is **raggi***).
[6] **eccelso**   high in the heavens.

dênno[7] aver del tuo giorno; e quinci[8] io debbo
sciorre il mio legno,[9] e co' precetti miei   10
te ad alte imprese ammaestrar[10] cantando.
    Già i valletti gentili udîr lo squillo
del vicino metal,[11] cui da lontano
scosse tua man col propagato[12] moto;
e accorser pronti a spalancar gli opposti   15
schermi[13] a la luce, e rigidi osservaro
che con[14] tua pena non osasse Febo[15]
entrar diretto a saettarti i lumi.[16]
    Ergiti or tu alcun poco,[17] e si ti appoggia
alli origlieri,[18] i quai lenti gradando,   20
all'omero[19] ti fan molle sostegno.
    Poi coll'indice destro, lieve lieve
sovra gli occhi scorrendo,[20] indi dilegua
quel che riman de la Cimmeria nebbia;[21]
e de' labbri formando un picciol arco,   25
dolce a vedersi, tacito sbadiglia.
Oh se te in sí gentile atto mirasse
il duro capitan, qualor tra l'armi,

---

[7] **dênno** = **devono.**
[8] **quinci**   now.
[9] **sciorre... legno**   *sciorre from* **sciogliere,** *unmoor the bark (of my poetic gifts).
    The image is from Dante: "la navicella del mio ingegno"* **Purgatorio,** *I, 2.*
[10] **ammaestrar**   instruct (*complementary to* **debbo**).
[11] **vicino metal**   the nearby bell (*rung presumably by the pulling of a cord in the
    bedroom*).
[12] **propagato**   continuous.
[13] **schermi**   blinds (*see footnote 4*).
[14] **con**   resulting in.
[15] **Febo**   Apollo, *the god of the sun.*
[16] **saettarti i lumi**   strike your eyes.
[17] **alcun poco**   somewhat.
[18] **alli origlieri**   on the pillows.
[19] **omero**   shoulder.
[20] **scorrendo**   rubbing.
[21] **Cimmeria nebbia**   Cimmerian mists. *Sleep is supposed to dwell among the
    mythical Cimmerians.*

sgangherando le labbra, innalza un grido
lacerator[22] di ben costrutti orecchi,   30
onde a le squadre vari moti impone;
se te mirasse allor, certo vergogna
avria di sé, piú che Minerva il giorno
che, di flauto sonando,[23] al fonte scorse
il turpe aspetto de le guance enfiate.[24]   35
    Ma già il ben pettinato entrar di nuovo
tuo damigello i' veggo. Egli a te chiede,
quale oggi piú de le bevande usate[25]
sorbir[26] ti piaccia in prezïosa tazza.
Indiche merci[27] son tazza e bevande;   40
scegli qual piú desii. S'oggi ti giova
porger dolci allo stomaco fomenti,[28]
sí che con legge il natural calore
v'arda temprato,[29] e al digerir ti vaglia,[30]
scegli il brun cioccolatte, onde[31] tributo   45
ti dà il Guatimalese e il Caribeo,[32]
c'ha di barbare penne avvolto il crine.[33]
Ma se noiosa ipocondría[34] t'opprime,
o troppo intorno a le vezzose membra
adipe[35] cresce, de' tuoi labbri onora   50

---

[22] **lacerator**   which rends.
[23] **di flauto sonando**   *Minerva is shocked at her unattractive image reflected in the pool as she plays the flute.*
[24] **enfiate = gonfiate.**
[25] **usate**   customary.
[26] **sorbir**   to sip.
[27] **indiche merci**   Indian (*east and west*) imports.
[28] **dolci... fomenti**   gentle stimulants.
[29] **sí che... temprato**   so that the natural warmth may properly glow there (*allo stomaco*) in moderation.
[30] **ti vaglia**   may benefit you.
[31] **onde**   whereby.
[32] **Guatimalese e il Carribèo**   Guatamalean and the Carribean.
[33] **crine**   head.
[34] **ipocondría**   indigestion, indisposition.
[35] **adipe**   fat.

la nettarea³⁶ bevanda, ove abbronzato³⁷
fuma ed arde il legume³⁸ a te d'Aleppo³⁹
giunto, e da Moca,⁴⁰ che, di mille navi
popolata mai sempre, insuperbisce.⁴¹

³⁶ **nettarea**   nectarean.
³⁷ **bronzato**   roasted.
³⁸ **il legume**   coffee.
³⁹ **Aleppo**   *in Syria.*
⁴⁰ **Moca**   *in Yemen.*
⁴¹ **che... insuperbisce**   which, crowded always with a thousand ships, prides itself.

Ugo Foscolo (1788-1872)

Although *I sepolcri*, the poem from which the following selection has been taken, had been conceived earlier, the pretext for its composition was the decreeing for Italy in 1806 of the Napoleonic Edict of Saint-Cloud whereby all cemeteries were to be located outside of cities and all graves were to be marked by stones uniform in shape and size and bearing only officially approved inscriptions. For Foscolo, who was of strong romantic and patriotic leanings, tombs stood for something more than just the equalitarian marking of the final resting place of corpses. They could be the reminders of past glories and the inspiration for noble actions on behalf of the fatherland:

> A egregie cose il forte animo accendono
> l'urne de' forti....

I sepolcri is a difficult, often didactic, but beautiful poem dense with impassioned thoughts on such themes as the relation of the dead to the living, the sacredness and longevity of burial traditions, the role of memory, Italy's past glories and present abasement, love of fatherland, and especially the immortalizing power of poetry: "The muses are custodians of sepulchers and when time with its cold wings sweeps away the very vestiges of man, the muses will cheer the desolate regions with their song whose harmony will overcome the silence of a thousand centuries."

Although *I sepolcri* is filled with mythological and historical references and is expressed in the ample rhythms and sonorous tones of the classical idiom, various elements identify it as a poem of the Romantic period. There is, for instance, the subject of graves themselves which inspire meditation on death and immortality; a certain macabre sensibility ("And hear . . . the hoopoe flee the skull where it hid from the moon and flit amidst the crosses scattered through the funereal field and its defiling cry accuse with mournful sob the rays of stars that pity the forgotten graves."); the image of the poet as *vates*, the prophetic spokesman, guide and inspirer of the people; the posture of Foscolo himself as an outcast wandering in exile, alienated from family, friends, and country; and the theme of human memory as the means of rescuing the past from oblivion.

I sepolcri is written in *versi sciolti* like *Il giorno* of Parini whom Foscolo greatly admired as a renewer of noble civic virtues. In one passage of *I sepolcri* Foscolo laments Milan's failure to provide a fitting monument for Parini:

> ...A lui non ombre[1] pose
> tra le sue mura la città, lasciva
> d'evirati[2] cantori allettatrice,
> non pietra, non parola; e forse l'ossa[3]
> col mozzo capo gl'insanguina il ladro
> che lasciò sul patibolo i delitti.

Our selection is the central passage of the poem. It describes Foscolo's sentiments upon entering Italy's Pantheon, the Church of Santa Croce in Florence where so many great men of science, art, and literature are interred.

---

[1] **ombre**   *cast by cypress trees. The poem begins with the line: "All'ombra dei cipressi . . . ."*
[2] **evirati**   emasculated.
[3] **ossa**   those of Parini.

The poem "Alla sera," which follows the excerpt from
I sepolcri, is one of the famous sonnets of Italian literature. Note
how its rhyme scheme differs from that of the traditional
Petrarchan pattern.

from *I sepolcri*

A egregie cose il forte animo accendono
l'urne de' forti, o Pindemonte;[4] e bella
e santa fanno al peregrin[5] la terra
che le ricetta.[6] Io quando il monumento
vidi ove posa il corpo di quel Grande[7]   5
che, temprando lo scettro ai regnatori,[8]
gli allor ne sfronda,[9] ed alle genti svela
di che lagrime grondi e di che sangue;
e l'arca di colui[10] che nuovo Olimpo[11]
alzò in Roma a' celesti; e di chi[12] vide   10
sotto l'etereo padiglion[13] rotarsi[14]
più mondi, e il sole irradïarli immoto,
onde all'Anglo[15] che tanta ala vi stese
sgombrò primo le vie del firmamento;
te beata,[16] gridai, per le felici   15
aure pregne[17] di vita e pe' lavacri[18]

[4] **[Ippolito] Pindemonte**   *a contemporary Italian poet and friend to whom Foscolo
addresses the poem.*
[5] **peregrin = pellegrino.**
[6] **ricetta**   shelters.
[7] **Grande**   Machiavelli.
[8] **temprando lo scettro ai regnatori**   while strengthening the scepter of rulers.
[9] **gli allòr ne sfronda**   strips it of laurels.
[10] **l'arca di colui**   *the tomb of Michelangelo.*
[11] **Olimpo**   *the cupola of St. Peter's in Rome.*
[12] **di chi**   the tomb of him who (*Galileo*).
[13] **l'etereo padiglion**   the heavenly vault, *the sky.*
[14] **rotarsi = rotearsi.**
[15] **Anglo**   Newton, *who discovered the laws of gravity.*
[16] **te beata**   how blessed you are (*Florence*).
[17] **pregne**   full.
[18] **lavacri**   streams.

che da' suoi gioghi a te versa Apennino!
Lieta dell'aer tuo veste la Luna
di luce limpidissima i tuoi colli
per vendemmia festanti; e le convalli[19]   20
popolate di case e d'oliveti
mille di fiori al ciel mandano incensi.
E tu prima, Firenze, udivi il carme
che allegrò l'ira al Ghibellin fuggiasco;[20]
e tu i cari parenti e l'idïoma   25
desti a quel dolce di Calliope labbro[21]
che Amore, in Grecia nudo e nudo in Roma,
d'un velo candidissimo adornando,
rendea nel grembo[22] a Venere celeste.
Ma piú beata,[23] chè[24] in un tempio accolte   30
serbi l'itale glorie, uniche forse,
da che[25] le mal vietate[26] Alpi e l'alterna[27]
onnipotenza delle umane sorti
armi e sostanze t'invadeano[28] ed are
e patria e, tranne la memoria, tutto.   35
Chè ove[29] speme di gloria agli animosi
intelletti rifulga ed all'Italia,
quindi[30] trarrem gli auspici.[31]

---

[19] **convalli**   valleys.
[20] **Ghibellin fuggiasco**   fugitive Ghibelline, *Dante in exile.*
[21] **quel dolce di Calliope labbro**   that sweet lip of Calliope (*Petrarch*).
[22] **rendea nel grembo**   restored to the lap.
[23] **ma più beata**   referring to Florence (*see footnote 16 above*).
[24] **chè = perché.**
[25] **da che**   since.
[26] **mal vietate**   ill-guarded.
[27] **alterna**   fickle.
[28] **t'invadeano**   despoiled your (*armi e sostanze... are e patria*).
[29] **ove**   in the event.
[30] **quindi**   from here. *Florence and its **tempio** (line 30) with its tombs of illustrious men.*
[31] **auspici = auguries**   *inspiration.*

Alla sera

Forse perchè della fatal quiete
Tu sei l'immago,[1] a me sì cara vieni,
O Sera! E[2] quando ti corteggian liete
Le nubi estive e i zeffiri sereni,

E quando dal nevoso aere[3] inquiete[4]   5
Tenebre e lunghe all'universo meni,
Sempre scendi invocata, e le secrete
Vie del mio cor soavemente tieni.
Vagar mi fai co' miei pensier su l'orme
Che vanno al nulla eterno; e intanto fugge   10
Questo reo tempo, e van con lui le torme

Delle cure onde meco egli[5] si strugge;
E mentre io guardo la tua[6] pace, dorme
Quello spirto guerrier ch'entro mi rugge.

[1] **l'immago** = **l'immagine**.
[2] **E** both, *parallel to* **e** *in line 5.*
[3] **aere** *poetic for* **aria**.
[4] **inquiete** restless, *modifies* **tenebre** *which is the object of* **meni**. *Lines 3–6 refer to the summer and winter seasons.*
[5] **egli** = **il tempo** (*line 11*).
[6] **tua** *antecedent is* **sera**.

Giacomo Leopardi (1798-1837)

The pessimistic note sounded in Foscolo's "Alla sera" ("della fatal quiete/ Tu sei l'immago... Vagar mi fai co' miei pensier su l'orme/ Che vanno al nulla eterno") is a familiar one in the poetry of Leopardi. Leopardi is the poet of pessimism par excellence. The tedium and futility of life, its brevity and finiteness, and his exclusion from its few pleasures are the themes that recur in his poems and account for their tone of sadness and despair.

Perhaps more than any other Italian poet of modern times Leopardi has attracted an international audience. In reviewing a translation of his oft-translated "L'infinito," a well-known national magazine described it as "one of the most sublime sonnets of world literature." While the reviewer was doubtlessly justified in his rapture over the beauty of the poem, he erred egregiously in calling it a sonnet. Actually it has fifteen lines and no set rhyme scheme; it is written in *endecasillabi sciolti*. Leopardi called it an *idillio*.

The second poem is one of over thirty so-called *canti* by Leopardi, poems which vary in structure but which in most cases bear resemblance to the *canzone*. Some in fact are in the regular *canzone* form (*canzone petrarchesca*); others are written in the form called *canzone libera* or *canzone leopardiana*. These differ from the regular *canzone* in that their *strofe* vary in length and have no set rhyme scheme, as in the case of the "Canto notturno di un pastore errante dell'Asia." In such poems Leopardi nevertheless does make use of rhyme, although sparingly. Note the rhyme in *-ale* that marks the end of each stanza in "Canto notturno." The poet also makes subtle use of assonance and *mezza rima*, the rhyming of a word in the middle of a line with the last word of the line preceding:

> Star così muta in sul deserto piano
> Che, in suo giro lontano, al ciel confina

and

> Poi che crescendo viene,
> L'uno e l'altro il sostiene, e vie pur sempre

There is also alternation of *endecasillabi* and *settenari* but here too there is no adherence to a regular pattern.

L'infinito

Sempre caro mi fu quest'ermo colle,[1]
E questa siepe, che da tanta parte

---

[1] **colle** *a knoll just outside Leopardi's native town of Recanati beyond which lies the Adriatic.*

Dell'ultimo orrizzonte il guardo[2] esclude.
Ma sedendo e mirando, interminati
Spazi di là da quella,[3] e sovrumani   5
Silenzi, e profondissima quiete
Io nel pensier mi fingo; ove per poco
Il cor non[4] si spaura. E come il vento
Odo stormir tra queste piante, io quello
Infinito silenzio a questa voce[5]   10
Vo comparando: e mi sovvien l'eterno,
E le morte stagioni, e la presente[6]
E viva, e il suon di lei. Cosí tra questa
Immensità s'annega il pensier mio:
E il naufragar m'è dolce in questo mare.   15

---

[2] **guardo** view.
[3] **quella** = **siepe.**
[4] **per poco... non**   almost.
[5] **voce**   *the sound of the rustling* (**stormir**).
[6] **presente** = **stagione.**

Canto notturno
di un pastore errante dell'Asia

Che fai tu, luna, in ciel? dimmi, che fai,
  Silenziosa luna?
  Sorgi la sera, e vai,
  Contemplando i deserti; indi ti posi.
  Ancor non sei tu paga   5
  Di riandare[1] i sempiterni calli?
  Ancor non prendi a schivo,[2] ancor sei vaga[3]
  Di mirar queste valli?
  Somiglia alla tua vita
  La vita del pastore.   10

---

[1] **riandare**   retracing.
[2] **non prendi a schivo**   aren't you weary.
[3] **vaga**   desirous.

Sorge in sul primo albore;[4]
Move la greggia oltre pel campo, e vede
Greggi, fontane ed erbe;
Poi stanco si riposa in su la sera:
Altro mai non ispera.   15
Dimmi, o luna: a che vale[5]
Al pastor la sua vita,
La vostra vita a voi? dimmi: ove tende
Questo vagar mio breve,
Il tuo corso immortale?   20

Vecchierel[6] bianco, infermo,
    Mezzo vestito e scalzo,
Con gravissimo fascio in su le spalle,
Per montagna e per valle,
Per sassi acuti, ed alta[7] rena, e fratte,   25
Al vento, alla tempesta, e quando avvampa
L'ora, e quando poi gela,
Corre via, corre, anela,
Varca torrenti e stagni,
Cade, risorge, e piú e piú s'affretta,   30
Senza posa o ristoro,
Lacero, sanguinoso; infin ch'arriva
Colà dove la via
E dove il tanto affaticar[8] fu volto:
Abisso[9] orrido, immenso,   35
Ov'ei precipitando, il tutto obblia.
Vergine luna, tale
È la vita mortale.

---

[4] **in sul primo albore**   at the break of dawn.
[5] **a che vale**   of what good is?
[6] **Vecchierel**   an image of man at the end of the journey of his life.
[7] **alta**   deep.
[8] **affaticar**   striving.
[9] **abisso**   *death.*

Nasce l'uomo a fatica,[10]
   Ed è rischio di morte il nascimento.   40
   Prova pena e tormento
   Per prima cosa; e in sul principio stesso
   La madre e il genitore
   Il[11] prende a consolar dell'esser nato.
   Poi che crescendo viene,   45
   L'uno e l'altro il sostiene, e via pur sempre[12]
   Con atti e con parole
   Studiasi fargli core,[13]
   E consolarlo dell'umano stato:
   Altro ufficio[14] piú grato   50
   Non si fa da parenti alla lor prole.
   Ma perché dare al sole,
   Perché reggere in vita
   Chi poi di quella consolar convenga?[15]
   Se la vita è sventura,   55
   Perché da noi si dura?
   Intatta luna, tale
   È lo stato mortale.
   Ma tu mortal non sei,
   E forse del mio dir poco ti cale.[16]   60

Pur tu, solinga, eterna peregrina,
   Che sí pensosa sei, tu forse intendi,
   Questo viver terreno,
   Il patir nostro, il sospirar, che sia;
   Che sia questo morir, questo supremo   65
   Scolorar del sembiante,

---

[10] **a fatica**   for hardship.
[11] **Il = lo** (*as in line 46*).
[12] **via pur sempre**   ever still.
[13] **Studiasi fargli core**   they strive to encourage him.
[14] **ufficio**   service.
[15] **Chi... convenga**   one who must be consoled for living.
[16] **poco ti cale**   matters little to you.

E perir dalla terra, e venir meno[17]
Ad ogni usata, amante compagnia.
E tu certo comprendi
Il perché delle cose, e vedi il frutto   70
Del mattin, della sera,
Del tacito, infinito andar del tempo.
Tu sai, tu certo, a qual suo dolce amore
Rida la primavera,
A chi giovi l'ardore,[18] e che procacci   75
Il verno co' suoi ghiacci.[19]
Mille cose sai tu, mille discopri,
Che son celate al semplice pastore.
Spesso quand'io ti miro
Star cosí muta in sul deserto piano,   80
Che, in suo giro lontano, al ciel confina;
Ovver con la mia greggia
Seguirmi[20] viaggiando a mano a mano;[21]
E quando miro in cielo arder le stelle;
Dico fra me pensando: 85
A che tante facelle?[22]
Che fa l'aria infinita, e quel profondo
Infinito seren? che vuol dir questa
Solitudine immensa? ed io che sono?
Cosí meco ragiono: e della stanza[23]   90
Smisurata e superba,
E dell'innumerabile famiglia;[24]
Poi di tanto adoprar,[25] di tanti moti

---

[17] **venir meno a**   fading away from.
[18] **A chi giovi l'ardore**   whom the heat (of summer) benefits.
[19] **che procacci... ghiacci**   what winter secures with its cold.
[20] **Seguirmi**   *depends (like* **star***) on* **ti miro***.*
[21] **a mano a mano**   keeping pace.
[22] **A che tante facelle?**   Of what use are so many torches?
[23] **e della stanza**   both of the stretch of space.
[24] **E dell'innumerabile famiglia**   and of the vast variety of created things.
[25] **adoprar**   striving.

D'ogni celeste, ogni terrena cosa,
Girando senza posa,   95
Per tornar sempre là donde son mosse;
Uso alcuno, alcun frutto
Indovinar non so. Ma tu per certo,
Giovinetta immortal, conosci il tutto.
Questo io conosco e sento,   100
Che degli eterni giri,
Che dell'esser mio frale,[26]
Qualche bene o contento
Avrà fors'altri;[27] a me la vita è male.

O greggia mia che posi, oh te beata,   105
Che la miseria tua, credo, non sai!
Quanta invidia ti porto!
Non sol perché d'affanno
Quasi libera vai;
Ch'ogni stento, ogni danno,   110
Ogni estremo timor subito scordi;
Ma più perché giammai tedio[28] non provi.
Quando tu siedi all'ombra, sovra l'erbe,
Tu se' queta e contenta;
E gran parte dell'anno   115
Senza noia consumi in quello stato.
Ed io pur seggo sovra l'erbe, all'ombra,
E un fastidio m'ingombra
La mente, ed uno spron quasi mi punge
Sí che, sedendo, più che mai son lunge   120
Da trovar pace o loco.[29]
E pur nulla non bramo,
E non ho fino a qui cagion di pianto.

---

[26] **frale** frail.
[27] **Qualche... fors'altri** perhaps another may have some good or happiness.
[28] **tedio** *A common theme in Romantic literature and the bane of Leopardi's life.*
[29] **loco** quiet (*freely trans.*).

Quel che tu goda o quanto,
Non so già dir; ma fortunata sei.   125
Ed io godo ancor poco,
O greggia mia, né di ciò sol mi lagno.
Se tu parlar sapessi, io chiederei:
Dimmi: perché giacendo
A bell'agio, ozioso,   130
S'appaga ogni animale;
Me, s'io giaccio in riposo, il tedio assale?

Forse s'avess'io l'ale
  Da volar su le nubi,
  E noverar[30] le stelle ad una ad una,   135
  O come il tuono errar di giogo in giogo,
  Piú felice sarei, dolce mia greggia,
  Piú felice sarei, candida luna.
  O forse erra dal vero,
  Mirando all'altrui sorte, il mio pensiero: 140
  Forse in qual forma, in quale[31]
  Stato che sia, dentro covile o cuna,[32]
  È funesto a chi nasce il dí natale.

---

[30] **noverar**   count.
[31] **qual**   whatever.
[32] **covile o cuna**   in sheep fold or cradle.

Giosuè Carducci (1835-1907)

Among the finest poems written by Carducci (who was one of
the earliest winners of the Nobel prize for literature) are his *Odi
barbare*. The adjective describing these odes does not refer to
their content but rather to their metrics. What the poet was trying
to do was to adapt the classical meters of Greek and Latin verse,

with which he was intimately familiar, to traditional Italian prosody. This meant grafting on the Italian system of verbal stress or
accentual rhythm (see page 205), the classical rules of scansion
based on vocalic quantities (long and short vowels). Such an
attempt from the standpoint of Greek and Latin metrics would
certainly be alien and it is for this reason that he labeled his odes
barbare. Of course, from the standpoint of Italian metrics, they
are equally so.

The classical meters which Carducci attempted to reproduce
are those of the stanzaic forms of various classical or Horatian odes
(Sapphic and Alcaic). Space does not permit a detailed analysis of
the complexities of classical poetical rhythms as they are superimposed on those of Italian verse. In some cases certain Italian
verses could be used to reproduce rather closely the rhythms of
ancient odes. The meter employed to approximate that of the
Sapphic ode, for instance, consists of three *endecasillabi* (with the
caesura after the fifth syllable) and one *quinario*—all unrhymed.
It is perhaps sufficient to realize what Carducci was trying to
achieve in his experimentations and to sense that the rhythms of
his *Odi barbare* do differ from those of traditional Italian prosody.

To sense this, one need only read aloud several stanzas of any of
the odes or simply note the tonic stress of the following final
lines of several stanzas from "Alle fonti del Clitumno": "gl'ítali
iddii" (line 28); "d'úmili tempi" (line 32); "L'édera veste"
(line 36); "cármi, o Clitumno" (line 40).

Note too the extraordinary effects achieved by the long vocalic
sounds in the following lines:

> e tu fra l'ombre fatali canta
> carmi, o Clitumno.

· · ·

The sources of the Clitumnus stream, not far from Perugia in
Umbria, form a lovely pond dotted with grassy islets and bord-
ered by poplar and weeping willow trees. Nearby, dating back

perhaps to fifth century B.C., stands a little paleochristian temple in honor of Clitumnus, the tutelary god of the springs and the surrounding area. It is a charming setting which has remained substantially unchanged since ancient times. Pliny the Younger, in a letter to a friend, has left us a description of it which is very close to the present scene. The waters which bubble up from the many underground springs are of extraordinary limpidity. The aquatic plants covering the bottom of the pond form a kind of miniature forest rich in shapes and colors. Understandably, this suggestive spot has inspired many a painter and poet.

"Alle fonti del Clitumno" was inspired by a visit to the sources of the Clitumnus in1876. Stirred by the classic reminiscence of the setting, Carducci was led to re-evoke the ancient glories of the region. His poetic imagination sweeps over the historic and legendary past of Umbria, extolling its native ideals of fruitful labor and martial vigor and inveighing against the life-denying ideals of medieval asceticism imported from the East.

The latter theme is omitted here inasmuch as the poem is not reproduced in its entirety. In the remaining sixteen stanzas the poet recalls the processions of fanatical religious sects (the *flagellanti*) across the Umbrian countryside, hails the human spirit restored to its pagan vigor ("Salve... o intera e dritta... anima umana!"), and urges the Italy of the classical tradition ("Madre di biade [grain] e viti e leggi eterne/ ed inclite [glorious] arti a raddolcir la vita") to rise again and respond to the call of modern progress and industry.

The sonnet "Il bove" also expresses the ideals of strength, patience, and human industry celebrated in "Alle fonti del Clitumno" and other poems by Carducci. The idyll "San Martino" captures the atmosphere of the late autumn season in the wild, rugged region of the Maremma Toscana where the poet spent his childhood days. It is the post-harvest period, the time of migrating birds and of the *svinatura*, the drawing of the wine from the fermenting vat into casks. The feast of San Martino falls on November 11, and although it ushers in the period of Indian

summer (*estate di San Martino* indeed means Indian summer), it is
also, particularly in the Maremma, a sure sign that winter is
coming on. The poem is written in *settenari*.

from *Alle fonti del Clitumno*

Ancor dal monte, che di fóschi[1] ondeggia
frassini al vento mormoranti e lunge
per l'aure[2] odora fresco di silvestri
salvie e di timi,

scendon[3] nel vespero umido, o Clitumno,   5
a te le greggi: a te l'umbro fanciullo
la riluttante pecora ne l'onda
immerge, mentre

vèr'[4] lui dal seno de la madre adusta,[5]
che scalza siede al casolare e canta,   10
una poppante volgesi[6] e dal viso
tondo sorride:

pensoso il padre, di caprine pelli[7]
l'anche ravvolto[8] come i fauni antichi,
regge il dipinto plaustro[9] e la forza   15
de' bei giovenchi,

de' bei giovenchi[10] dal quadrato petto,
erti su 'l capo le lunate[11] corna,

---

[1] **fóschi**   dark (*modifies* ***frassini***, *ash trees*).
[2] **lunge per l'aure**   far off, on account of the breezes.
[3] **scendon**   *le greggi* *is the subject.*
[4] **vèr** = **verso.**
[5] **adusta**   bronzed by the sun.
[6] **una poppante volgesi**   a nursing child turns (***vèr lui***).
[7] **caprine pelli**   goat skins.
[8] **l'anche ravvolto**   with his flanks wrapped.
[9] **regge... plaustro**   steers the brightly colored cart (ox-drawn).
[10] **giovenchi**   young oxen.
[11] **lunate**   crescent shaped.

dolci ne gli occhi, nivei,[12] che il mite
Virgilio amava.   20

Oscure intanto fumano[13] le nubi
su l'Apennino: grande, austera, verde
da le montagne digradanti in cerchio
l'Umbrïa guarda.

Salve, Umbria verde, e tu del puro fonte   25
nume Clitumno! Sento in cuor l'antica
patria e aleggiarmi[14] su l'accesa fronte
gl'itali idii.

Chi l'ombre indusse[15] del piangente salcio
su' rivi sacri? ti rapisca il vento   30
de l'Apennino, o molle pianta,[16] amore
d'umili tempi!

Qui pugni a' verni e arcane istorie frema[17]
co 'l palpitante maggio ilice nera,
a cui d'allegra giovinezza il tronco[18]   35
l'edera veste:

qui folti a torno l'emergente[19] nume
stieno,[20] giganti vigili, i cipressi;
e tu fra l'ombre, tu fatali[21] canta
carmi, o Clitumno.   40

---

[12] **nivei**   snow-white. *Such oxen may still be seen in Umbria.*
[13] **fumano**   rise like smoke.
[14] **aleggiarmi**   hover.
[15] **indusse**   brought.
[16] **molle pianta**   *the weeping willow was dear to the Romantics whom Carducci
    despised. His wish has not been fulfilled; the willows are still there.*
[17] **pugni... frema**   *indirect commands; **ilice**, holm oak (ilex), is the subject: "let the
    dark oak struggle . . . and let it whisper . . . ."*
[18] **a cui... il tronco**   whose trunk.
[19] **emergente**   rising from the waters.
[20] **stieno = stiano**   *indirect command like **pugni** and **frema** above.*
[21] **fatali**   decreed by fate (*modifies **carmi***).

O testimone di tre imperi,[22] dinne[23]
come il grave umbro ne' duelli atroce[24]
cesse a l'astato velite[25] e la forte
Etruria crebbe:

di' come sovra le congiunte ville[26]   45
dal superato Címino[27] a gran passi
calò Gradivo[28] poi, piantando i segni
fieri di Roma.

Ma tu placavi, indigete[29] comune
italo nume, i vincitori a i vinti,   50
e, quando tonò il punico[30] furore
dal Trasimeno,[31]

per gli antri tuoi salí grido, e la torta[32]
lo ripercosse buccina da i monti:
— O tu[33] che pasci i buoi presso Mevania   55
caliginosa,

e tu che i proni[34] colli ari a la sponda[35]
del Nar[36] sinistra, e tu che i boschi abbatti

---

[22] **tre imperi**   Umbrian, Etruscan and Roman.

[23] **dinne**   tell us.

[24] **atroce**   fierce (*modifies* **umbro**).

[25] **velite**   yielded to the spear-bearing (**astato**) footsoldier.

[26] **congiunte ville**   *cities that united in an Etruscan confederation.*

[27] **Címino**   *a mountain subdued* (**superato**) *by the Romans in their conquest of Etruria.*

[28] **Gradivo**   Mars, *god of war.*

[29] **indigete**   indigenous. *Since Clitumnus was a god common to Umbrians, Etruscans, and Romans, he served to reconcile both conquered and conqueror.*

[30] **punico**   Carthaginian.

[31] **Trasimeno**   *the lake in Umbria where in 217 B.C. the Romans and the Carthaginians under Hannibal fought an historic battle.*

[32] **torta**   twisted, spiral shaped (*modifies* **buccina**, bugle).

[33] **O tu**   *the bugle's message to the populace.*

[34] **proni**   sloping.

[35] **sponda**   *modified by* **sinistra** *in the next line.*

[36] **Nar**   *the Nera River, a tributary of the Tiber.*

sovra Spoleto verdi[37] o ne la marzia
Todi fai nozze,[38]   60

lascia il bue grasso tra le canne, lascia
il torel fulvo[39] a mezzo solco,[40] lascia
ne l'inclinata quercia il cuneo,[41] lascia
la sposa a l'ara;[42]

e corri, corri, corri! con la scure   65
corri e co' dardi, con la clava e l'asta![43]
corri! minaccia gl'itali penati[44]
Annibal diro. —

Deh[45] come rise d'alma[46] luce il sole
per questa chiostra[47] di bei monti, quando   70
urlanti vide[48] e ruinanti[49] in fuga
l'alta Spoleto

i Mauri immani[50] e i numidi[51] cavalli
con mischia oscena,[52] e, sovra loro, nembi
di ferro,[53] flutti d'olio ardente, e i canti   75
de la vittoria!

[37] **verdi**   *modifies* **boschi**.
[38] **fai nozze**   are being wed.
[39] **torel fulvo**   tawny bullock.
[40] **a mezzo solco**   in the furrow half-plowed.
[41] **cuneo**   wedge.
[42] **ara**   altar.
[43] **la clava e l'asta**   the club and the spear.
[44] **penati**   Penates (*the sacred gods of the fatherland*).
[45] **Deh**   ah!
[46] **alma**   glorious.
[47] **chiostra**   enclosure.
[48] **vide**   *the subject is Spoleto, an Umbrian hill town.*
[49] **ruinanti**   rushing headlong.
[50] **Mauri immani**   monstrous Moors.
[51] **numidi**   Numidian.
[52] **mischia oscena**   bloody battle.
[53] **nembi di ferro**   clouds of javelins (*flung through the air*).

Tutto ora tace. Nel sereno gorgo
la tenue miro salïente vena:[54]
trema, e d'un lieve pullular lo specchio
segna de l'acque.   80

Ride sepolta a l'imo una foresta
breve, e rameggia immobile: il diaspro[55]
par che si mischi in flessuosi amori[56]
con l'ametista.

E di zaffiro i fior paiono, ed hanno   85
de l'adamante[57] rigido i riflessi,
e splendon freddi e chiamano[58] a i silenzi
del verde fondo.

[54] **la tenue miro saliente vena**   I gaze upon the slender flow welling up.
[55] **diaspro**   jasper, *a quartz of many colors.*
[56] **in flessuosi amori**   in supple embraces.
[57] **adamante**   diamond.
[58] **chiamano**   beckon one.

Il bove

T'amo, o pio[1] bove; e mite un sentimento
Di vigore e di pace al cor m'infondi,
O che[2] solenne come un monumento
Tu guardi i campi liberi e fecondi,

O che al giogo inchinandoti contento   5
L'agil[3] opra de l'uom grave secondi:
Ei t'esorta e ti punge, e tu co 'l lento
Giro de' pazïenti occhi rispondi.

Da la larga narice umida e nera
Fuma il tuo spirto, e come un inno lieto   10
Il mugghio nel sereno aer si perde;

[1] **pio**   dutiful, obedient.
[2] **O che**   either when (*parallel to* **O che** *in line 5*).
[3] **agil = agile**   prompt.

E del grave occhio glauco entro l'austera
Dolcezza si rispecchia ampio e quïeto
Il divino del pian silenzio verde.[4]

[4] *Read: "...entro l'austera dolcezza... del grave occhio... si rispecchia... il divino
silenzio verde del pian."*

San Martino

La nebbia a gl'irti colli
Piovigginando sale,
E sotto il maestrale
Urla e biancheggia il mar;

Ma per le vie del borgo   5
Dal ribollir de' tini
Va l'aspro odor de i vini
L'anime a rallegrar.

Gira su' ceppi accesi
Lo spiedo scoppiettando: 10
Sta il cacciator fischiando
Su l'uscio a rimirar

Tra le rossastre nubi
Stormi d'uccelli neri,
Com' esuli pensieri,   15
Nel vespero migrar.

Gabriele D'Annunzio (1863-1938)

Gabriele D'Annunzio is one of the most prolific and brilliant
writers of modern Italian literature whose poetry is often identified with the movement of art for art's sake in European literature
of the late nineteenth and early twentieth centuries. It sings of the

sensuous joys of nature and life as the resounding title of his major collection of poems suggests: *Laudi del cielo del mare della terra e degli eroi.* These poems of exulting praise best reflect his artistic gifts: an extraordinary fecundity of imagination, verbal brilliance, highly refined perceptions, and a keen musical ear.

D'Annunzio's virtuosity is particularly apparent in poems which describe sylvan settings and experiences such as "La pioggia nel pineto" in which the poet, identifying himself with the elements of nature, merges in union with arboreal life and the rain.

The poem is freely rhymed, is rich in assonance and *mezza rima*, and uses verses of varying lengths.

"I pastori" takes inspiration from D'Annunzio's native region of the Abruzzo where for centuries shepherds have led their flocks to graze in the highlands. At summer's end they may still be seen descending southward toward the Apulian plain. Note the unusual rhyme scheme.

La pioggia nel pineto

Taci. Su le soglie
  Del bosco non odo
  Parole che dici
  Umane; ma odo
  Parole piú nuove   5
  Che parlano gocciole e foglie
  Lontane.
  Ascolta. Piove
  Dalle nuvole sparse.
  Piove su le tamerici[1]   10
  Salmastre ed arse,
  Piove su i pini
  Scagliosi ed irti,
  Piove su i mirti

[1] **tamerici/salmastre ed arse**   parched and briny tamarisks.

Divini,   15
Su le ginestre fulgenti
Di fiori accolti,[2]
Su i ginepri folti
Di coccole aulenti,[3]
Piove su i nostri volti   20
Silvani,
Piove su le nostre mani
Ignude,
Su i nostri vestimenti
Leggieri,   25
Su i freschi pensieri
Che l'anima schiude
Novella,
Su la favola bella
Che ieri   30
T'illuse, che oggi m'illude,
O Ermione.
Odi? La pioggia cade
Su la solitaria
Verdura   35
Con un crepitìo che dura
E varia nell'aria
Secondo le fronde
Più rade, men rade.
Ascolta. Risponde   40
Al pianto il canto
Delle cicale
Che il pianto australe[4]
Non impaura,
Nè il ciel cinerino.[5]   45

[2] **di fiori accolti**   clustered with flowers.
[3] **coccole aulenti**   fragrant berries.
[4] **pianto australe**   south wind.
[5] **cinerino**   ashen.

E il pino
Ha un suono, e il mirto
Altro suono, e il ginepro
Altro ancora, stromenti
Diversi   50
Sotto innumerevoli dita.
E immersi
Noi siam nello spirto
Silvestre,
D'arborea vita viventi: 55
E il tuo volto ebro
È molle di pioggia
Come una foglia,
E le tue chiome
Auliscono[6] come   60
Le chiare ginestre,
O creatura terrestre
Che hai nome
Ermione.
Ascolta, ascolta. L'accordo   65
Delle aeree cicale
A poco a poco
Più sordo
Si fa sotto il pianto
Che cresce;   70
Ma un canto vi si mesce
Più roco
Che di laggiù sale,
Dall'umida ombra remota.
Più sordo e più fioco   75
S'allenta, si spegne.
Sola una nota
Ancor trema, si spegne,

[6] **auliscono**   are fragrant.

Risorge, trema, si spegne.
Non s'ode voce del mare.   80
Or s'ode su tutta la fronda
Crosciare[7]
L'argentea pioggia
Che monda,
Il croscio che varia   85
Secondo la fronda
Più folta, men folta.
Ascolta.
La figlia dell'aria[8]
È muta; ma la figlia   90
Del limo lontana,
La rana,
Canta nell'ombra più fonda,
Chi sa dove, chi sa dove!
E piove su le tue ciglia,   95
Ermione.
Piove su le tue ciglia nere,
  Sì che par tu pianga
  Ma di piacere; non bianca
  Ma quasi fatta virente,[9]   100
  Par da scorza tu esca;
  E tutta la vita è in noi fresca
  Aulente,
  Il cuor nel petto è come pesca
  Intatta,   105
  Tra le palpebre gli occhi
  Son come polle[10] tra l'erbe,
  I denti negli alveoli[11]

---

[7] **crosciare** = **scrosciare**   *the pelting sound that rain makes, which of course differs according to its intensity. Here it could be a splashing sound.*

[8] **la figlia dell'aria** = **la cicala.**

[9] **virente**   green (like a plant).

[10] **polle**   springs.

[11] **alveoli**   sockets.

Son come mandorle acerbe.
E andiam di fratta in fratta,   110
Or congiunti or disciolti
(E il verde vigor rude[12]
Ci allaccia i malleoli[13]
C'intrica i ginocchi)
Chi sa dove, chi sa dove!   115
E piove su i nostri volti
Silvani,
Piove su le nostre mani
Ignude,
Su i nostri vestimenti   120
Leggieri,
Su i freschi pensieri
Che l'anima schiude
Novella,
Su la favola bella   125
Che ieri
M'illuse, che oggi t'illude,
O Ermione.

[12] **il verde vigor rude**   the wild green luxuriant growth.
[13] **malleoli**   ankles.

I pastori

Settembre, andiamo. È tempo di migrare.
Ora in terra d'Abruzzi i miei pastori
lascian gli stazzi e vanno verso il mare:
scendono all'Adriatico selvaggio
che verde è come i pascoli dei monti.   5
    Han bevuto profondamente ai fonti
alpestri, che[1] sapor d'acqua natia
rimanga ne' cuori esuli a conforto,
che lungo illuda la lor sete in via.

[1] **che**   so that.

Rinnovato hanno verga d'avellano.[2]   10
E vanno pel tratturo antico al piano,
quasi per un erbal fiume silente,
su le vestigia degli antichi padri.
O voce di colui che primamente
conosce il tremolar della marina![3]   15
Ora lungh'esso il litoral cammina
la greggia. Senza mutamento è l'aria.
Il sole imbionda sí la viva lana
che quasi dalla sabbia non divaria.
Isciacquío, calpestío,[4] dolci rumori.   20
Ah, perché non son io co' miei pastori?

---

[2] **verga d'avellano**   nutwood crook (shepherd's staff).
[3] *A direct echo from Dante's* **Divina commedia:** *"Conobbi il tremolar della marina," **Purgatorio**, I, 117.*
[4] **Isciacquio, calpestio**   Foaming surf, pattering hoofs.

Giuseppe Ungaretti (1888-   )

Among Italian poets of the twentieth century who reacted against the aestheticism of D'Annunzio and broke away from the rigid metrical rules of classical poetry, the most significant have been the so-called *ermetici* whose poetry is commonly referred to as *poesia ermetica*. The word hermetic suggests the idea of the poem's being sealed in a world apart, separate from the world of reality, pure and essential. It also suggests obscurity of meaning, and indeed a good deal of *poesia ermetica*, like much contemporary poetry, is difficult of access.

On the whole this poetry employs a highly compressed, spare idiom which eschews the sonority, cadences, and rhetoric of the classical tradition. Words are painstakingly excavated, so to speak,

from the quarry of the *persona* as Ungaretti tells us in his "Commiato." Generally the lyrics of the *ermetici* are brief, their tone is
absorbed, and their carefully chosen words have vibrations and
suggest broader meanings. An extreme example of the brevity of
some of Ungaretti's poems is his "Mattina" which consists
merely of the two lines:

M'illumino
d'immenso

The subject of many of Ungaretti's early poems has to do with
his experience as a soldier in World War I. These express strong
feelings of comradeship for his fellows and anguish over the
tragedy of war ("San Martino del Carso").

Ungaretti was born in Egypt and educated in Paris, where he
knew numerous important men of letters and where he had
intimate experiences of the kind recorded in his "In memoria."

All three of these poems are from the collection *L'Allegria*.

San Martino del Carso[1]

Di queste case
non è rimasto
che qualche
brandello di muro

Di tanti[2]   5
che mi corrispondevano[3]
non è rimasto
neppure tanto

Ma nel cuore
nessuna croce manca   10

È il mio cuore
il paese più straziato

---

[1] *A village near the Austrian Alps which was shattered during World War I.*
[2] **tanti**   *comrades.*
[3] **corrispondevano**   who were in harmony with me.

In memoria

Si chiamava
Moammed Sceab

Discendente
di emiri di nomadi
suicida   5
perchè non aveva più
Patria

Amò la Francia
e mutò nome

Fu Marcel   10
ma non era Francese
e non sapeva più
vivere
nella tenda dei suoi
dove si ascolta la cantilena   15
del Corano
gustando un caffè

E non sapeva
sciogliere
il canto   20
del suo abbandono

L'ho accompagnato
insieme alla padrona dell'albergo
dove abitavamo
a Parigi   25
dal numero 5 della rue des Carmes[1]
appassito vicolo in discesa

Riposa
nel camposanto d'Ivry
sobborgo che pare   30

---

[1] **rue des Carmes**   *French for the street of the Carmelites.*

sempre
in una giornata
di una
decomposta fiera[2]

E forse io solo   35
so ancora
che visse

[2] **decomposta fiera**   dismantled fair.

Commiato

Gentile
Ettore Serra
poesia
è il mondo l'umanità
la propria vita[1]   5
fioriti[2] dalla parola
la limpida meraviglia[3]
di un delirante fermento

Quando trovo
in questo mio silenzio   10
una parola
scavata è nella mia vita
come un abisso

[1] **mondo l'umanità/la propria vita**   *commas are omitted in a series.*
[2] **fioriti**   *modifies the three preceding nouns.*
[3] **meraviglia**   *in apposition with* **parola.**

Eugenio Montale (1896-   )

The poetry of Eugenio Montale, who is considered by many to be the greatest of the contemporary Italian poets, is the most difficult to characterize briefly. It is more complex, intellectual, and private in meaning than that of most of his fellow poets. It expresses on the whole a rather desolate vision of life born of an inability to fathom the meaning of man's destiny and to achieve harmony with the surrounding world. The unrest resulting from this vision accounts for the mood of quiet despair that pervades his work and the poignant attentiveness to suffering and the harshness of existence ("Spesso il male di vivere").

Montale has found in the environment of his native Liguria, with its parched and stony beaches and reef-strewn stretches of sea, fitting images to reflect and symbolize his disenchanted states of mind and spiritual isolation. The atmosphere of aridity of this setting ("Meriggiare pallido e assorto") and the dominant presence of the sea ("Mediterraneo") are hallmarks of his verse. Both of these poems and the two that follow are from his early collection, *Ossi di seppia* (*Cuttlefish Bones*). Later poems, more narrative in nature and perhaps more famous, like "La casa dei doganieri" and "Dora Markus," are renderings of intensely experienced moments spent in the company of a beloved woman whose evasive detachment grieves and estranges him and underlines his sense of isolation.

> ...le parole
> tra noi leggere cadono. Ti guardo
> in un molle riverbero. Non so
> se ti conosco; so che mai diviso
> fui da te come accade in questo tardo
> ritorno. Pochi istanti hanno bruciato
> tutto di noi: fuorché due volti, due
> maschere che s'incidono, sforzate,
> di un sorriso.

> . . . words
> fall light between us. I look at you
> in a soft light's glimmer. I don't know
> if I know you; I know that never was I
> so divided from you as on this late
> return. Few instants have destroyed
> everything of us: except two faces, two
> strained masks that become etched
> with a smile.   ("Due nel crepuscolo")

Other poems express dismay over the inexorable flow of time and the irrecoverable past.

Though readers may not easily penetrate Montale's world of private torment, they usually respond to his technical mastery. His lyrics are characterized by a somewhat austere but unpretentious, almost conversational style, artfully punctuated by rare and arresting words such as *palta*, mire; *brolo*, nursery garden; *bioccoso*, fleecy; *zafferate*, whiffs of foul air; *chiaria*, light; *veccia*, vetch; *sinibbio*, wind-driven snow; by a wide range of sounds, at times melodic, at times percussive, which play subtly and provocatively on the ear ("schiocchi di merli, frusci di serpi"... "scricchi/di cicale dai calvi picchi"); and by extraordinary rhythmical and alliterative effects as found in the final three lines of "Corno inglese." In this last poem the wind sweeping through the air and trees along with the pounding surf suggest the long, deep muffled sounds of the English horn that the mistuned instrument of his heart would readily give forth if played by the wind.

Antico, sono ubriacato dalla voce

Antico,[1] sono ubriacato dalla voce
ch'esce dalle tue bocche[2] quando si schiudono[3]
come verdi campane e si ributtano[4]
indietro e si disciolgono.
La casa delle mie estati lontane,   5
t'era accanto, lo sai,
là nel paese dove il sole cuoce
e annuvolano l'aria le zanzare.
Come allora oggi in tua presenza impietro,
mare, ma non piú degno   10
mi credo del solenne ammonimento
del tuo respiro. Tu m'hai detto primo

[1] **Antico**   *the poet is addressing the sea.*
[2] **bocche**   *mouths formed by the breaking waves.*
[3] **si schiudono**   yawn wide.
[4] **si ributtano**   hurl themselves back again.

che il piccino fermento
del mio cuore non era che un momento
del tuo; che mi era in fondo   15
la tua legge rischiosa: esser vasto e diverso
e insieme[5] fisso:
e svuotarmi cosí d'ogni lordura
come tu fai che sbatti sulle sponde
tra sugheri alghe asterie[6]   20
le inutili macerie del tuo abisso.

[5] **insieme**   at the same time.
[6] **sugheri alghe asterie**   corks, seaweed, and star fish (*note the omission of commas*).

Meriggiare pallido e assorto

Meriggiare[1] pallido e assorto
presso un rovente muro d'orto,
ascoltare tra i pruni e gli sterpi[2]
schiocchi di merli, frusci di serpi.

Nelle crepe del suolo o sulla veccia[3]   5
spiar le file di rosse formiche
ch'ora si rompono ed ora si intrecciano
a sommo di minuscole biche.[4]

Osservare tra frondi il palpitare
lontano di scaglie di mare   10
mentre si levano tremuli scricchi
di cicale dai calvi picchi.[5]

E andando nel sole che abbaglia
sentire con triste meraviglia
com'è tutta la vita e il suo travaglio   15

[1] **meriggiare**   to laze at noon.
[2] **pruni... sterpi**   brambles and the brushwood.
[3] **veccia**   vetch.
[4] **biche**   heaps (anthills).
[5] **picchi**   peaks.

in questo seguitare una muraglia
che ha in cima cocci[6] aguzzi di bottiglia.

[6] **cocci**   shards. (*In Italy and France walls are frequently topped with jagged bits of glass to discourage intruders.*)

Spesso il male di vivere

Spesso il male di vivere ho incontrato:
era il rivo strozzato che gorgoglia,
era l'incartocciarsi[1] della foglia
riarsa, era il cavallo stramazzato.

Bene non seppi, fuori che il prodigio   5
che schiude la divina Indifferenza:
era la statua della sonnolenza
del meriggio, e la nuvola, e il falco alto levato.

[1] **l'incartocciarsi**   the shrivelling.

Corno inglese

Il vento che stasera suona attento
— ricorda un forte scuotere di lame[1] —
gli strumenti dei fitti alberi e spazza
l'orizzonte di rame
dove striscie di luce si protendono   5
come aquiloni al cielo che rimbomba
(Nuvole in viaggio, chiari
reami di lassù! D'alti Eldoradi
malchiuse porte!)[2]
e il mare che scaglia a scaglia   10
livido, muta colore
lancia a terra una tromba[3]

[1] **scuotere di lame**   quivering of blades (*the sound of vibrating foils or cymbals?*).
[2] **D'alti... porte**   unshut doors of lofty Eldorados.
[3] **tromba**   waterspout.

di schiume intorte;
il vento che nasce e muore
nell'ora che lenta s'annera   15
suonasse [4] te pure stasera
scordato strumento,
cuore.

[4] **suonasse**   would that it might play you too.

Salvatore Quasimodo (1901-   )

Winner of the Nobel prize for literature in 1959, Salvatore
Quasimodo is probably the best known contemporary Italian
poet. His early lyrics dating from 1932 are identified with the
aesthetic of the *poesia ermetica*. They express arcanely the poet's
own private concerns—grievance over the flux of time and the
monotony of days that bear no fruit, his own sterility, and the
need to experience and utter something significant. He ends his
short poem "Airone morto" (Dead Heron) with the lines:
"Pietà, ch'io non sia/ senza voci e figure/ nella memoria un
giorno" and his *Óboe sommerso* (Sunken Oboe) with the lines:
". . . il cuore trasmigra/ ed io son gerbido [fallow]/ e i giorni una
maceria." Although not one of his earliest poems, "Già la pioggia
è con noi" also suggests this attitude.

It was World War II that supplied Quasimodo with the
experience that permitted him to fully express his poetic soul.
The inhumanity of war shocked him out of his private anguish
and provided him with new and dominant themes found especially in his collection *Giorno dopo giorno* (1947) from which "Uomo
del mio tempo" is taken.

"Strada di Agrigentum" expresses another dominant theme of
Quasimodo's poetry, nostalgia for his native Sicily.

Quasimodo lives year round in that misty and sunless metro-
polis of the north, Milan, where he considers himself in "aspro
esilio." The yearning for the purity of lost youth and the idyllic
beauty of a homeland beyond reach is a recurrent theme in his
poetry.

Già la pioggia è con noi

Già la pioggia è con noi,
scuote l'aria silenziosa.
Le rondini sfiorano le acque spente
presso i laghetti lombardi,
volano come gabbiani sui piccoli pesci;   5
il fieno odora oltre i recinti degli orti.

Ancora un anno è bruciato,
senza un lamento, senza un grido
levato a vincere d'improvviso il giorno.

Strada di Agrigentum[1]

Là dura un vento che ricordo acceso
nelle criniere dei cavalli obliqui[2]
in corsa lungo le pianure, vento
che macchia e rode l'arenaria e il cuore
dei telamoni[3] lugubri, riversi   5
sopra l'erba. Anima antica,[4] grigia
di rancori, torni a quel vento, annusi
il delicato muschio che riveste
i giganti[5] sospinti giù dal cielo.

---

[1] **Agrigentum**   *a city of Greek origins on the southern shores of Sicily where the
ruins of several majestic ancient temples still stand.*
[2] **oblique**   *aslant.*
[3] **telamoni**   telamones, *huge stone figures, now toppled, near the Greek temples at
Agrigentum.*
[4] **Anima antica**   *the poet addresses his own soul.*
[5] **giganti**   *the* **telamoni.**

Come sola allo spazio che ti resta!   10
E piú t'accori s'odi ancora il suono
che s'allontana largo verso il mare
dove Èspero[6] già striscia mattutino:
il marranzano tristemente vibra
nella gola al carraio che risale   15
il colle nitido di luna, lento
tra il murmure d'ulivi saraceni.

[6] **Èspero**   Hesperus, *the evening star* (Venus) *or the west wind. If the former, the image could be that of the evening star trailing* (**striscia**) *away at early morn; if the latter, it could be that of the west wind creasing* (**striscia**) *the surface of the sea.*

Uomo del mio tempo

Sei ancora quello della pietra e della fionda,
uomo del mio tempo. Eri nella carlinga,[1]
con le ali maligne, le meridiane[2] di morte,
— t'ho visto — dentro il carro di fuoco, alle forche,[3]
alle ruote di tortura. T'ho visto: eri tu,   5
con la tua scienza esatta persuasa allo sterminio,
senza amore, senza Cristo. Hai ucciso ancora,
come sempre, come uccisero i padri, come uccisero
gli animali che ti videro per la prima volta.
E questo sangue odora come nel giorno   10
quando il fratello disse all'altro fratello:
«Andiamo ai campi.»[4] E quell'eco fredda, tenace,
è giunta fino a te, dentro la tua giornata.
Dimenticate, o figli, le nuvole di sangue
salite dalla terra, dimenticate i padri: 15
le loro tombe affondano nella cenere,
gli uccelli neri, il vento, coprono il loro cuore.

[1] **carlinga**   cockpit.
[2] **meridiane**   sundials (*in apposition with* **ali**).
[3] **alle forche**   at the gallows.
[4] **"Andiamo ai campi"**   *the words of Cain to Abel.*

Umberto Saba (1883-1957)

Despite its modern cast, the poetry of Umberto Saba subtly and consciously echoes that of earlier Italian poets, thus suggesting a continuity of tradition. The very title under which his poems have been collected, *Il Canzoniere*, is intended to recall the title of Petrarch's collection of lyrics. Like Petrarch, Saba's poems are largely autobiographical, although not predominantly amorous. They may relate to his wife or children ("Ritratto della mia bambina"), sports or animals, or be melancholy reminiscences of little episodes in his beloved Trieste, the setting of so many of his poems ("Mezzogiorno d'inverno").

Saba was part Jewish in origin and so when the racial laws were enacted during the latter part of the Fascist era, he was obliged to take refuge among friends in Florence. The poem "Dedica" is the result of that event of his life. The opening line should remind the student of an earlier poem included in this book.

Ritratto della mia bambina

La mia bambina con la palla in mano,
con gli occhi grandi colore del cielo
e dell'estiva vesticciola:[1] «Babbo
— mi disse — voglio uscire oggi con te».
Ed io pensavo: Di tante parvenze   5
che s'ammirano al mondo, io ben so a quali
posso la mia bambina assomigliare.
Certo alla schiuma, alla marina schiuma
che sull'onde biancheggia, a quella scia[2]
ch'esce azzurra dai tetti e il vento sperde;   10
anche alle nubi, insensibili[3] nubi

---

[1] **vesticciola**   little dress.
[2] **scia**   trail (*of smoke*).
[3] **insensibili**   wispy.

che si fanno e disfanno in chiaro cielo;
e ad altre cose leggere e vaganti.

Mezzogiorno d'inverno (Trieste)

In quel momento ch'ero già felice
(Dio mi perdoni la parola grande
e tremenda) chi quasi al pianto spinse
mia breve gioia? Voi direte: «Certa
bella creatura che di là passava,   5
e ti sorrise». Un palloncino invece,
un turchino vagante palloncino
nell'azzurro dell'aria, ed il nativo
cielo non mai[1] come nel chiaro e freddo
mezzogiorno d'inverno risplendente.   10
Cielo con qualche nuvoletta bianca,
e i vetri delle case al sol fiammanti,
e il fumo tenue d'uno due camini,
e su tutte le cose, le divine
cose, quel globo dalla mano incauta   15
d'un fanciullo sfuggito (egli piangeva
certo in mezzo alla folla il suo dolore,
il suo grande dolore) tra il Palazzo
della Borsa[2] e il Caffè[3] dove seduto
oltre i vetri ammiravo io con lucenti   20
occhi or salire or scendere il suo bene.

[1] **non mai**   never so (risplendente). *Both the balloon and the sky could have caused his joy to brim so.*
[2] **Palazzo della Borsa**   the stock exchange building.
[3] **Caffè**   *presumably the Caffè Tergeste where Saba used to scribble poems on the backs of envelopes.*

Dedica

Perch'io non spero di tornar giammai
fra gli amici a Trieste, a te Firenze
questi canti consacro e questi lai.

Come t'amavo in giovanezza! Folli
che abitavano te, t'han fatta poi
difforme a tutti i miei pensieri, ostile.

Ma di giovani tuoi vidi gentile
sangue un Agosto[1] rosseggiar per via.[2]
Si rifece per te l'anima pura.

M'hai celato nei dí della sventura.

[1] **Agosto** 1944.
[2] *As a result of the resistance to Nazi and Fascist oppression.*

EXERCISES

Sei personaggi, pp. 14–24

I. Tradurre e studiare:

commedia da farsi
messo da parte
a un bisogno
a momenti
a piacere
a crocchio
nel mentre
in disparte

tornerà a sedere
sulle furie
che vuol che le faccia
mi raccomando
sulla cinquantina
vestirà a lutto
facendosi avanti

II. Piccolo ripasso lessicale:

1. spenti i lumi
2. seguitando a leggere
3. sgombreranno il palcoscenico
4. disporre la scena
5. allorché accorsero
6. raccatterà gli assi
7. augurandosi il buon giorno
8. dalla cui porta

9. porgendogli la posta
10. si udrà la voce
11. attraversa il corridoio
12. sbattere le uova
13. guardandosi attorno
14. in una qualsiasi bottega
15. solleverà il velo
16. si sarà appressato

III. Rispondere brevemente in italiano alle seguenti domande:

1. Che cosa mette in comunicazione il palcoscenico con la sala?
2. Che cosa nasconde il Suggeritore dal pubblico?
3. Che cosa si mette a fare il Macchinista?
4. Che porta tra le braccia la Prima Attrice?
5. Quanti attori ci sono di scena per la prova del secondo atto del *Gioco delle parti*?
6. Dove si saranno tratti gli altri Attori?
7. Che cosa ha arrotolato il Suggeritore sotto il braccio?
8. In che cosa si devono sbattere le uova?

9. Chi è che annuncia l'arrivo dei Sei Personaggi?
10. Che cosa porta la Bambina alla vita?

IV. Rispondere in italiano:

1. Di che cosa si lamenta il Macchinista?
2. Cosa si mettono a fare gli Attori in attesa del Direttore?
3. Da dove arriva il Direttore?
4. Perché non si può subito iniziare la prova?
5. Perché arriva in ritardo la Prima Attrice?
6. Dove si svolge l'azione della commedia che provano?
7. Perché sono costretti a mettere in scena commedie di Pirandello?
8. Cosa rappresentano il pieno e il guscio dell'uovo?
9. Come bisogna adoperarsi per ottenere l'effetto che i Sei Personaggi non si confondano con gli Attori?
10. Che sentimenti fondamentali rappresentano (1) il Padre; (2) la Madre; (3) la Figliastra; (4) il Figlio?

V. Tradurre in italiano:

1. Actors nowadays do not improvise; they memorize their lines.
2. Although she is only five minutes late, he gets angry and reprimands her.
3. What do you expect me to do if authors don't write good plays any more?
4. Speak loudly! You've got to make yourself heard by the audience.
5. The arrangement of the Actors should be different so that they may be easily distinguished from the Characters.
6. The Son does not pay attention to the Mother but displays a contempt for the Father.
7. The younger children remain speechless but their sister becomes the voice of their feelings.

VI. Dare dei sinonimi delle seguenti parole:

1. mettersi a	7. vestirà calzoni
2. recarsi	8. porgere
3. nel mentre	9. reprensione
4. la tela	10. apposta
5. viso	11. tranne
6. segnatamente	12. smettere

13. badare a
14. nemmeno
15. giovare
16. qualsiasi
17. vale a dire
18. apposito

19. in maniera che
20. accanto a
21. comici
22. a volte
23. oggi come oggi
24. nascosto

VII. Tradurre rapidamente in italiano:

1. momentarily
2. impromptu
3. in the rear
4. to sit down again
5. in mourning
6. waiting for
7. meanwhile
8. except
9. to pay attention
10. to be useful
11. to wear
12. from the outset
13. not even
14. at one's pleasure
15. off to one side

16. to be in a mess
17. the lights were out
18. standing
19. around forty years old
20. in short
21. script
22. rehearsal
23. aisle
24. an actor's line
25. prompter
26. stage direction
27. stage
28. show, performance
29. suitable, fitting
30. to be on stage

VIII. Alcune osservazioni grammaticali:

Note the use of the subjunctive:

1. in noun clauses after:

a. verbs expressing desirability:

che vuole che le faccia io...?
Permette che mi ripari col cupolino?

(Desirability underlies verbs of commanding, prohibiting, etc.)

b. impersonal verbs:

Bisogna che s'adoperi...
Sarà bene... che questa prima scena a soggetto abbia... molta vivacità

c. verbs expressing doubt, denial, opinion, or belief:

...quanti si suppone che debbano prendere parte alle prove

2. in adverbial clauses following certain conjunctions:

   ...senza che il sipario s'abbassi
   ...come se fossimo pochi
   ...di maniera che né attori né critici... ne restino mai contenti
   ...perché abbiano fin da principio

3. in adjective clauses:

   a. when modifying a noun as yet indefinite or unmaterialized:

      ...d'una materia che... non s'afflosci

      (also when modifying a word in the superlative or in the negative)

4. in independent clauses:

   a. after indefinite words:

      chi voglia tentare una traduzione scenica...

   b. to express an indirect command (hortative subjunctive):

      E sia anche il vestiario...

Sei personaggi, pp. 24–40

I. Tradurre e studiare:

di scatto	tu statti a posto
sulle furie	ce lo faccia rappresentar subito
facendosi avanti	non mi par l'ora
di furia	si sentì mancare
tranne che	ridurre a effetto
un mestiere da pazzi	non capiva di chi si tratti
oggi come oggi	siamo stati proprio lí lí
non è lecito farsi beffe	non mi raccapezzo piú
se mi tocasse quella lí	se si potesse prevedere...!

II. Rispondere brevemente alle seguenti domande:

1. Chi annuncia l'entrata dei Sei Personaggi?
2. Perché si arrabbia il capocomico?
3. Chi fra i Personaggi rimane in disparte?
4. Secondo il capocomico di che cosa possono vantarsi gli Attori?
5. Di che cosa si serve la natura per proseguire la sua opera di creazione?

6. A che cosa tengono soprattutto i Personaggi?
7. Come reagiscono gli Attori alla conclusione della canzone e del ballo della Figliastra?
8. Che cosa succederà alla Bambina?
9. Che cosa farà il Giovinetto?
10. Chi è il padre della Figliastra, della Bambina e del Giovinetto?
11. Perché portano il lutto?
12. Perché a un certo momento il capocomico scenderà nella sala?
13. Quali oggetti si trovano nel retrobottega di Madama Pace?

III. Rispondere in italiano:

1. Secondo il Padre quale sarebbe la ragione del mestiere degli Attori?
2. Perché si dicono sperduti i sei Personaggi?
3. Che cosa intende dire il Padre con l'espressione "nascere personaggio vivo?"
4. A che cosa allude la Figliastra dicendo "benché orfana da due anni"?
5. Qual'è l'atteggiamento della Figliastra verso il Figlio? Perché si comporta cosí?
6. Perché la Madre è così disperata?
7. Perché il capocomico è così confuso?
8. Com'è che la Madre è vedova e al medesimo tempo moglie del Padre che è tuttora vivente?
9. Perché la Figliastra non vuol credere che la Madre fu costretta ad andare via con suo padre?
10. A quale episodio, che riguarda lei e il Padre, si riferisce la Figliastra?
11. Riassumere la battuta del Padre nella quale egli parla del problema dell'incomunicabilità degli uomini.

IV. Tradurre in italiano:

1. They begin to become interested in their tale.
2. He was right on the verge of offering me a sum of money.
3. Her drama consists of her being the mother of four children of two different men.
4. She tries to prevent his lifting the veil which hides her face.
5. She doesn't want their play to be performed.
6. Death will take the child from her poor mother.
7. He can't make heads or tails out of it.

8. Did it seem to you that he drove her out?
9. It is necessary that he lower the curtain at the right moment.

V. Alcune osservazioni grammaticali:

1. Note the various uses of the preposition *da* in the following expressions:

un mestiere da pazzi
non aver tempo da perdere
la natura si serve da strumento
la commedia è da fare
siamo venuti... qua da lei
benché orfana da appena due mesi
da spettatore

2. Note the doubling of the initial consonant of the pronoun object when it follows and is attached to a command form in the second person singular if this form is monosyllabic:

statti a posto
dillo

3. Note the use of the imperfect subjunctive in independent clauses introduced by *se*; translate as: "if only . . ." or "would that . . .":

se mi toccasse quella li
se si potesse prevedere tutto il male...

Sometimes it is translated: "suppose . . . ?"

E se ci andassimo... (and suppose we were to go there?)

Sei personaggi, pp. 41–55

I. Tradurre e studiare:

se la intendeva... con lei	è pazzia bell'e buona
uno sguardo d'intelligenza	c'è materia da cavarne un bel
le feci a fin di bene	dramma
a mia insaputa	mi raccomando
ti perdei mai d'occhio?	man mano
ci vuol un bel coraggio	di nascosto
basterà stendere una traccia	non c'entro
su due piedi	

II. Rispondere brevemente in italiano:

1. Perché la Prima Attrice lancia un'occhiata al Primo Attore?
2. Che lavoro faceva l'uomo con cui la Madre andò via?
3. A chi il Padre aveva dato il figlio per farlo crescere sano e robusto?
4. Il Padre dove aspettava la Figliastra quand'era piccola?
5. Che cosa le regalò un giorno?
6. Perché la Madre e il secondo "marito" si trasferirono in un'altra città?
7. Quanto tempo ci restò la Madre?
8. Perché era ritornata alla città dove abitava prima?
9. Che lavoro si mise a fare la Madre e da chi andò a prendere lavoro?
10. Quando il Padre si rende conto del ritorno della moglie che cosa fa?
11. Perché il Figlio è cosí freddo e indifferent verso la Madre?
12. Perché il capocomico non è contento della parte del Giovinetto?
13. Il Padre che cosa suggerisce di fare al capocomico?
14. Dove vanno per discutere con comodo la possibilità di mettere in scena il dramma?
15. Dove si recano gli Attori durante l'interruzione?

III. Rispondere in italiano:

1. Perché il Padre si sentiva in uno stato di continua esasperazione nella presenza della moglie?
2. Quando il Padre cacciò via il suo subalterno come rimase la Madre?
3. Perché il Padre aveva tolto il figlio alla Madre?
4. Come si spiega l'allusione ironica della Figliastra nel dire "E si vede!"?
5. Perché il Padre aveva sposato la Madre?
6. Che cosa vuol far credere la Figliastra riguardo all'interesse che il Padre aveva verso di lei?
7. Secondo il Padre quale sarebbe stato il suo vero motivo nel sorvegliarla?
8. Perché il capocomico s'impazientisce al racconto di questo episodio?

9. Secondo il padre cosa dovrebbe fare l'uomo quando, raggiunta una certa età, nessuna donna più gli può dare l'amore?

10. Perché la Figliastra si trovava in debito con Madama Pace e come scontava questo debito?

11. Perché il Padre si ribella all'idea di essere giudicato dal singolo atto compromettente in cui fu sorpreso?

12. Secondo il Padre perché il Figlio è il pernio dell'azione?

IV. Tradurre in italiano:

1. Did he ever lose sight of her?
2. It takes patience to learn such a thing.
3. The actors cleared the stage without his knowing it.
4. Despite all that happened we had a good time.
5. She has nothing to do with it; make her stop.
6. Gradually as one gets used to it, one ought to get along without it.
7. He didn't know that she had begun to work as a seamstress.
8. Someone will be necessary to write out an outline of it.
9. Few people are capable of answering difficult questions on the spur of the moment.
10. What do you expect them to do?
11. If only I hadn't ever met her . . .!

V. Accoppiare le parole nella prima colonna con le parole appropriate della seconda:

1. picchiare   a. i morti
2. scambiare   b. il piede
3. cacciare   c. del fastidio
4. trarre   d. verso casa
5. indovinare   e. dall'inganno
6. fare a meno   f. in palcoscenico
7. seppellire   g. uno sguardo
8. reggersi   h. il vestito
9. sciupare   i. sulla fronte
10. vietare   j. in piedi
11. pestare   k. l'intruso
12. stendere   l. la verità
13. avviarsi   m. una traccia
14. sgombrare   n. l'ingresso

Sei personaggi, pp. 55–71

I. Tradurre e studiare:
di bene in meglio   Dio me ne guardi
alla meglio   per ciò che riguarda la figura
come cascato dalle nuvole   venendogli incontro
a proposito   tal quale
non se ne curi

II. Piccolo ripasso lessicale:
li faccia portare   di questo... dovrebbe tener
seguiterà a parlare   conto
il tavolino di mogano   non pretenderà che le si edifichi
la traccia della scena   a strisce
bisogna che... faccia una bravura   Lei provveda intanto una busta
e che ci staremmo a fare...?   mi facciano questa grazia
si smarrirà sempre piú   schizzeranno via
creda pure   farà piú volte cenno di no
si rimedia col trucco   per forza s'anticipa tutto
per quanto il signore s'adoperi   un primo abbozzo

III. Rispondere brevemente alle seguenti domande:
   1. Da dove ritornano gli Attori e il personale del teatro?
   2. Che cosa è incaricato di fare il Macchinista?
   3. Che cosa è incaricato di fare il Suggeritore?
   4. Cosa tocca agli Attori di fare?
   5. A chi sono assegnate le parti?
   6. Che cosa fanno gli Attori all'apparizione di Madama Pace?
   7. Da dove è comparsa Madama Pace?
   8. Perché gli Attori non riescono a sentire la Figliastra e Madama Pace mentre parlano?
   9. Perché scoppiano a ridere gli Attori quando Madama Pace comincia a parlare?
  10. La Madre che cosa strappa a Madama Pace e che cosa ne fa?

IV. Rispondere in italiano:
   1. Perché scoppia a ridere la Figliastra quando la sua parte è assegnata alla Prima Attrice?
   2. Cosa fa il Padre per evocare la presenza di Madama Pace?
   3. Descrivere l'apparizione di Madama Pace.

   4. Perché la Figliastra e Madama Pace parlano sottovoce?
   5. Perché la Figliastra insiste che la Madre non debba essere presente durante la scena con Madama Pace?

V. Tradurre i seguenti verbi:
   1. avvisare   11. provvedere
   2. disporre   12. attrarre
   3. eseguire   13. schizzare
   4. sgombrare   14. sollevare
   5. sovvenirsi   15. figurarsi
   6. smarrirsi   16. balzare
   7. accennare   17. strappare
   8. riguardare   18. raccattare
   9. reggersi   19. rivolgersi
  10. indovinare   20. cogliere

VI. Tradurre in italiano:
   1. The rehearsal is going better and better.
   2. They weren't paying any attention to her any more.
   3. She tore the wig away from Madama Pace.
   4. Set up the scenery, set down the lines, and then everyone clear out!
   5. I can hardly wait to perform my role.
   6. You don't expect the actor to resemble you perfectly!
   7. They burst out laughing and continued to laugh uproariously for quite some time.
   8. Sit down again and begin to write another outline.
   9. We need a script above all, but in the meanwhile let me go down into the audience to get an overall impression.

Sei personaggi, pp. 71–86

I. Tradurre:

essere sulle spine   a lutto
parlare tra sé   in attesa che
farà cenno di sí col capo   non ci sto
fare la spiritosa   far ribrezzo a
fare la buffona   senz'altro
averne a male   toccare a
non potendone piú   una buona volta

II. Rispondere brevemente alle seguenti domande:

1. Nella scena da rappresentare che cosa porta in testa la Figliastra?
2. Che regalo vorrebbe offrirle il Padre?
3. Perché i cappelli si trovano lí in mostra nel retrobottega?
4. Di chi sono veramente questi cappelli?
5. Cosa si sente dal cupolino durante la rappresentazione della scena?
6. Per cogliere meglio l'impressione della scena dove si mette il capocomico?
7. Com'è vestita la Figliastra?
8. Chi è l'unica persona a non volere che si rappresenti la scena?
9. Da dove fa la sua entrata il Primo Attore?
10. Che cosa dovrà fare la Madre quando sorprenderà sua figlia nelle braccia di suo marito?
11. Cosa fece la Figliastra quando vide la vena pulsare nel braccio?
12. Dopo il grido della Madre cosa fa il capocomico?
13. Dove si trovano il capocomico e il Padre quando il Macchinista abbassa il siparió?
14. Per rientrare nel palcoscenico cosa devono fare?

III. Rispondere in italiano:

1. La scena da rappresentare è una specie di "flashback". Come si potrebbe definire questo termine in italiano?
2. Perché il Padre prova un certo timore incontrando la Figliastra nel retrobottega di Madama Pace?
3. Perché la Figliastra non permette al Padre di levarle il cappellino?
4. Descrivere il comportarsi della Madre mentre assiste alla scena.
5. Perché la Figliastra non può permettersi di accettare il regalo offertole dal Padre?
6. Come reagiscono i Personaggi vedendo la loro scena rappresentata dagli Attori?
7. Perché il capocomico smette di provare con gli Attori?
8. Quale scena insiste che si rappresenti la Figliastra?
9. Perché il capocomico non vuole permettere la rappresentazione di questa scena?
10. Perché è di rigore la rappresentazione della scena in cui la Figliastra si toglie il vestitino?

  11. Come risponde la Madre quando il capocomico le fa osservare che la rappresentazione della scena non può piú farla soffrire perché tutto è già accaduto?

  12. Che momento deve essere il punto culminante della scena da fare e perché?

IV. Tradurre in italiano:

  1. As much as she tries to control herself she doesn't succeed.

  2. Let's stop talking once and for all and let's remove that little hat of yours.

  3. Don't mind what I said concerning the script.

  4. I can't bear her being witty any longer.

  5. In hearing her say this we were all overcome with emotion.

V. Accoppiare le parole nella prima colonna con le parole appropriate della seconda:

1. agganciato	a. le spalle
2. cogliere	b. le parole
3. proferire	c. il sipario
4. assistere	d. alla gogna
5. tralasciare	e. la faccenda
6. proseguire	f. quella battuta inopportuna
7. combinare	g. l'effetto
8. scrollarsi	h. alla prova
9. socchiudere	i. il fastidio
10. risparmiarsi	j. a recitarlo
11. abbassare	k. che porta il lutto
12. scorgere	l. gli occhi

Sei personaggi, pp. 86–107

I. Tradurre e imparare:

sul serio	cosí alla meglio
come per prevenire	in mezzo al subbuglio
ci vuole un bella faccia tosta	un bel guaio
in sordina	voltandosi dall'altra parte
mi pare che di fatti ne abbia fin troppi	cercando di farsi largo
io non mi presto	

II. Rispondere brevemente in italiano:

1. Dove si svolge l'azione del Secondo Atto?
2. Dove vuole la Figliastra che si svolga l'azione? Perché?
3. Con chi dormiva la Figliastra e dove?
4. Perché il giardino le piaceva tanto?
5. Il capocomico dove conduce il Giovinetto?
6. Il Giovinetto eseguisce bene l'azione accennatagli dal capo-comico?
7. Perché la Madre si alza e leva le braccia verso il Figlio?
8. Dove si mette a giocare la Bambina?
9. Come si chiama la Bambina?
10. Perché la Madre non badava alla Bambina?
11. Cosa nasconde nella tasca il Giovinetto?
12. La Figliastra dove mette la Bambina?
13. Perché la Seconda Donna e l'Attore Giovane osservano la Madre e la Figliastra?
14. Perché il Figlio se ne andò quando la Madre entrò nella sua camera?
15. Che cosa succede tra il Padre e il Figlio e che cosa ne risulta?
16. Perché la Madre non riuscì a parlare con il Figlio quando era andata alla sua camera?
17. Dove si recò il Figlio uscendo dalla sua camera?
18. Che fece la Madre?
19. Dove si trova la Figliastra mentre il Figlio racconta tutto questo?
20. Dove si trova il Padre?
21. Quali suoni si sentono in quest'ultima scena della commedia?
22. Per dove passa la Figliastra andandosene via?

III. Rispondere in italiano:

1. Perché la parola illusione è particolarmente crudele per il Padre?
2. Secondo il Padre che differenza c'è tra la realtà d'un uomo e quella d'un personaggio?
3. Il Padre come spiega il fatto che un personaggio come lui vada in giro per il mondo descrivendo e spiegando la sua parte?
4. Secondo il Padre perché l'autore non volle rinchiuderli in un'opera d'arte?
5. Che cosa convince il capocomico ad aggruppare le scene nel giardino?

6. Come viene disposta la scena?
7. Descrivere il tentativo del Figlio di andarsene.
8. Che cosa faceva il Giovinetto dietro agli alberi?
9. Perché il Figlio si annoia di essere osservato dall'Attore?
10. Perché la Madre vuole che si rappresenti la scena tra lei e il Figlio?
11. Cosa vide il Figlio attraversando il giardino e che fece?
12. Cosa succede quando il Figlio fa per avvicinarsi alla vasca?
13. Quali sono gli effetti di luce verso la fine della commedia e come sono ottenuti?
14. Come vengono proiettate le ombre dei Personaggi sul fonda-lino?

IV. Tradurre in italiano:
1. First the reflector is turned on then it's turned off.
2. She interrupted in order to forestall his long speech.
3. Seriously, it takes some courage to perform such a play.
4. Many people were coming toward him but in spite of all he tried to make his way through.
5. Turning around in the other direction he became aware that they were watching him closely.

V. Trovare le seguenti espressioni nel testo e adoperarle in brevi frasi italiane:
1. to turn the light switch
2. to swarm with people
3. the pistol shot resounded
4. to pass oneself off as a character
5. to catch someone in a trap
6. to shake one's head
7. to rush down the stairway
8. to plunge into darkness

Agostino, pp. 114–124

I. Tradurre e studiare:

invece di corrergli tra le braccia
in modo da non soffrire l'affronto
era sicuro del fatto suo
non era in grado di capire

radunando la roba
non si faceva piú vedere
fingendo non si capiva se
  spavento o ritrosia

toccò a Agostino di capire
gli muoveva una filza di rimproveri
un ragazzo dai pantaloni corti

assistette alle loro
  conversazioni
a quel che potè capire

II. Dare dei sinonimi delle seguenti parole:

discorrere
di fronte a
accadere
farsi
fiatare
accanto a
essere in grado di
far caso a
accogliere

tra non molto
sebbene
accorgersi
oltremodo
ignorare
fradicio
mettersi a
cessare
nonostante

III. Rispondere brevemente in italiano alle seguenti domande:

1. Che cosa portava in capo la madre quando nuotava?
2. Agostino e la madre che cosa cercavano di raggiungere a nuoto?
3. Che cosa congiungeva la traversa del patino?
4. Che cosa faceva scorrere nel pugno chiuso Agostino mentre parlavano insieme la madre e il giovane?
5. Rimasto solo Agostino, su che cosa si distese?
6. Che cosa doveva radunare la madre prima di andare in mare?
7. Dov'era rannicchiato Agostino mentre la madre e il giovane nuotavano insieme?
8. La madre che cosa sfregò contro la guancia del figlio?
9. Dove lo cinse col braccio?
10. Dove andavano a fare il bagno?

IV. Rispondere in italiano:

1. Perché la madre di Agostino aveva licenziato il marinaio?
2. Di che cosa si sentiva fiero Agostino?
3. Come si divertivano madre e figlio quando si fermavano al largo?
4. A che cosa attribuiva Agostino il suo godimento della bellezza del mare e del cielo?
5. Dopo il bagno che cosa faceva la madre?
6. Perché è rimasto sorpreso Agostino quando la madre accettò l'invito del giovane?
7. Che cosa offendeva Agostino di piú?

8. A che episodio pensa Agostino quando la madre accetta l'invito?

9. Descrivere come si è svolto il discorso tra la madre e il giovane durante la seconda gita.

10. Descrivere il comportamento della madre nell'acqua col giovane e la reazione di Agostino.

11. Che cosa procurò ad Agostino un senso di ripugnanza?

12. Perché non continuò a remare Agostino?

13. Che cosa insolita si mette a fare la madre durante il ritorno?

14. A che pretesti ricorreva Agostino per non accompagnare più la madre e il giovane nelle gite mattutine?

V. Tradurre in italiano:

1. The sun was getting hotter.
2. It was getting late.
3. It didn't enter his mind to turn around.
4. He waited for evening to come.
5. She didn't pay attention to it.
6. He experienced an unusual emotion.
7. He saw his mother get into the boat.
8. She caressed his head.
9. He couldn't help noticing her behavior.
10. No matter how he tried to seem calm he did not succeed.
11. It was as if she were tired.
12. Let's compare the two facts.
13. It did not seem that she was aware of it.
14. I couldn't help being amazed.
15. It was up to Agostino to row.
16. He was present at their swims.

VI. Alcune osservazioni grammaticali:

1. Note and explain the use of the second past perfect in the following:

   ...come si furono alquanto allontanati... il giovane propose... p 121

2. Note the use of the past participle and the present participle (gerund) and the position of the pronoun object in the following:

   finito il bagno p·115
   tiratosi a parte
   guardandoli p 117

3. Note the use of the definite article instead of the possessive adjective with parts of the body and objects identified with the person:

si toglieva i sandali   p 115
gli cinse la cintola   p 123

4. Note the use of the infinitive and its translation into English after verbs of sense perception in the following:

sentendo l'acqua scorrere   116
vedeva il corpo della madre inabissarsi   115

Agostino, pp. 124–136

I. Tradurre e studiare:

presosi il viso tra le mani
agitato da non sapeva che vitalità
riandare con la memoria
prendendogli il mento
tra le connessure delle assi
gli fece cenno di tacere
a perdita d'occhio
era di gran lungo il piú vecchio
aspettò che fosse a tiro

pur di farsi accettare
e che me ne faccio?
non gli dava piú retta
inghiottito di traverso
si domandò se non gli convenisse tornare indietro
Agostino cui tutti avevano
sempre voluto bene

II. Accoppiare le seguenti parole:

scagliare	avvisare
smettere	con difficoltà
provare	arrivare
udire	suscitare
a stento	portare
giungere	tirare
destare	per di piú
indossare	cessare
inoltre	sentire
nascondere	tentare
avvertire	celare

III. Rispondere brevemente in italiano:

1. Di che cosa si era riempito il mare?
2. Che cosa lasciò andare la madre sulla guancia di Agostino?
3. Dove si rifugiò Agostino?

4. Su che cosa andò a sedersi Agostino?
5. Ad un tratto che cosa sembra ad Agostino di udire?
6. Agostino chi vide presso la fessura della porta e che cosa indossava?
7. A che cosa giocavano i ragazzi?
8. Come parlava il ragazzo?
9. Dopo il gioco dove dovevano andare i ragazzi?
10. Cosa vorrebbe avere il ragazzo per fare entrare Agostino nel gruppo?
11. Che cosa fece fare ad Agostino il fumo inghiottito di traverso?
12. Dove si trovava la tana?
13. Mentre Berto fece un gesto di rimprovero cosa gli cadde fuori dalla tasca?

IV. Rispondere in italiano:
1. Con quale sensazione si confonde il dolore dello schiaffo?
2. Perché il ragazzo non vuole accettare il veliero che gli offre Agostino?
3. Descrivere la beffa del fumo cacciato dagli occhi.
4. Che cosa succede quando Agostino cerca di scagliarsi contro Berto?
5. Dove si trovava il bagno Vespucci e come era la spiaggia a quel punto?
6. Che cosa si vedeva per terra davanti alla tenda?
7. Perché gli altri ragazzi gridano "non vale... non vale"?
8. Perché si buttarono su Berto?
9. Com'era vestito il Saro?
10. A proposito del Saro, che particolare colpí di piú Agostino?

V. Tradurre in italiano:
1. Agostino wiped his eyes.
2. He seemed not to be aware of his presence.
3. His head was bald and his mouth was twisted.
4. He was surprised by the nickname.
5. The cigarettes are mine. Give them to me.
6. Try to deny it.
7. The man witnessed the fight.
8. He heard them shouting and struggling.
9. What impressed him was his handsome face with large blue eyes.
10. Everyone was fond of Agostino.

VI. Alcune osservazioni grammaticali:

1. Note the construction used in describing anatomical features:

   aveva la bocca storta (his mouth was twisted)
   ha gli occhi neri (her eyes are black)

2. Note the use of the perfect infinitive after *dopo*:

   dopo esser rimasto   but: *invece* or *prima di partire*

3. Note the use of *chi* meaning *someone who* followed by the subjunctive:

   come chi abbia
   di chi cerchi

Agostino, pp. 136–147

I. Tradurre e studiare:

farò le parti	parevano stanchi di
strizzando gli occhi	prenderlo in giro
accennò di sí	gli venne da piangere
fosse soltanto lui...	e se io resistessi ai
qualcosa che non gli riuscí ad afferrare	camerieri
distesi bocconi	ti caccerebbero a pedate
lí per lí	non ti farò male
non fece a tempo	faceva una grande smorfia
sono pronto a farle da autista	gettarsi a capofitto
si fece avanti	la mano delicata dalle
fece per chiudere la scatola	sottili dita

II. Rispondere brevemente in italiano:

1. Berto dove diede un pugno ad Agostino?
2. Dove doveva riporre le scatole di sigarette Agostino?
3. Di che cosa erano coperte le pareti della baracca?
4. Che tipo di costume da bagno portava la madre di Agostino?
5. Chi fu scelto per spiegare ad Agostino cosa fanno un uomo e una donna?
6. Con chi fece il braccio di ferro Agostino e chi vinse?
7. Che mestiere fa il padre del Tortima?
8. Com'era la voce di Homs?

III. Rispondere in italiano:

1. In che modo il Saro distribuì le sigarette ai ragazzi?
2. Descrivere l'interno della baracca.
3. Dove e come Sandro e Homs avevano visto la madre di Agostino?
4. Che cosa volevano sapere da Agostino?
5. Che cosa fece capire il Saro ai ragazzi a proposito di Agostino?
6. Perché tutti i ragazzi insorsero contro il Tortima quando s'avvicinò minaccioso ad Agostino?
7. Come si fa il braccio di ferro?
8. Il Tortima che cosa fece ad Agostino nell'acqua?

IV. Tradurre in italiano:

1. He indicated yes with his head.
2. Before he could realize what happened he fell down.
3. He felt like laughing.
4. They stretched out face down to look through the cracks.
5. His arms hurt.
6. He made a grimace of pain.
7. They made fun of him.
8. She held his head under water.
9. I'd be glad to act as guide for you.
10. He started to get up but couldn't.
11. I'd have you sent away.
12. His eyes were round and white.

V. Alcune osservazioni grammaticali:

1. Note the use of the future to express probability:

    Balleranno

2. Note the use of the preposition *da* to mean *in the capacity of* or *as*:

    sono pronto a farle da autista

3. Note the irregular feminine plural ending of some nouns that are regularly masculine in the singular:

    incoraggiato dalle risa (singular: *riso*)
    tenuto fermo dalle ginocchia (singular: *ginocchio*)
    Other such nouns are: *braccio, dito, labbro, gomito, paio, uovo, muro*, etc.

Agostino, pp. 147-159

I. Tradurre e studiare:
   cosí parve almeno ad Agostino di capire
   se proprio ci tieni
   fatti dare la merenda
   le teneva gli occhi addosso
   di gran lunga
   chi ti dà il diritto di darmi del tu
   gli è che
   essere tratto in inganno
   non pareva esserci nessuno
   che ce ne facevamo?
   rapporti... intrisi di colpevolezza
   staccare la fibbia della collana
   qualche chilometro piú in là
   per farsi valere

II. Tradurre in italiano:

shutters	doorhandle
ceiling	spine
wheels	back
floor	stomach
drawers	chin
hips	belly
thighs	nostrils
heel	forehead
calf	forefinger
nape	index finger
armpits	middle finger
wrist	ring finger
shoulder	little finger

III. Rispondere brevemente in italiano:
   1. Su che cosa dava la camera di Agostino?
   2. Dove si trova la madre quando Agostino apre la porta della sua camera?
   3. A che cosa sono paragonate le ascelle della madre?
   4. A che cosa erano aggrappate le dita di Agostino?
   5. Su che cosa posò la collana la madre?

6. Dove si erano recati i ragazzi?
7. Quanto tempo ci vuole per arrivare a Rio con la barca a vela?
8. Che cosa avrebbe dato Homs ad Agostino se non fosse venuto in barca con lui e il Saro?
9. Su che cosa fecero scivolare la barca?
10. Homs come doveva raggiungerli a Rio?

IV. Rispondere in italiano:

1. Cosa faceva la madre nella stanza accanto?
2. Perché si sentono cosí chiaramente i tacchi della madre?
3. Cosa sta facendo la madre davanti allo specchio?
4. Agostino perché decise di andare al bagno Vespucci lungo il mare invece che lungo la pineta?
5. Per quale motivo i ragazzi erano andati a Rio?
6. Il Saro di che cosa rimprovera Homs?
7. Cosa suggerisce di fare il Saro?
8. Qual'era il significato del cenno d'intelligenza che Homs fece ad Agostino?
9. Come hanno fatto per spingere la barca nell'acqua?
10. Descrivere la scena in cui Homs è respinto dal Saro.

V. Tradurre in italiano:

1. He arrived later than usual.
2. He couldn't help thinking about her.
3. I know you are fond of me.
4. He seemed to detect a change of attitude.
5. Wouldn't it be better if you rested?
6. I'm not so eager about it.
7. The sea seemed empty as far as the eye could see.
8. It was by far the shorter path.
9. There didn't seem to be anyone there.
10. So he seemed to understand.
11. When he addressed me formally I told him to address me familiarly.
12. She seemed happier than usual.
13. Have yourself served breakfast in your room.
14. The fact of the matter is that he can't stand her.

VI. Tradurre in italiano:

Saro seized the sides of the prow while Homs pushed from the stern. The boat glided slowly on the logs advancing over the sand toward the water. As soon as the rear log was free Homs took it in his arms and ran to place it under the boat at the stern. The boat continued to glide forward in this fashion until, with a final shove, it entered the water and floated there.

Saro got in and right away tied the sail to the mast. It fluttered for a moment, then with a loud smack it swelled up. The boat bent over and began to slip over the waves. It was racing swiftly away from shore.

VII. Alcune osservazioni grammaticali:

1. Note that in certain constructions Italian, contrary to English, omits the preposition *with*:

   camminava, le mani nelle tasche...
   fumava assorto, un vecchio e sdrucito cappelluccio di paglia calato sugli occhi

2. Note that pronouns in sentences with such verbs as *volere, fare, potere, sapere,* when followed by an infinitive, may precede such verbs or be added to the infinitive:

   se ne voleva andare or *voleva andarsene*

Agostino, pp. 160–173

I. Tradurre e studiare:
   che classe fai?
   parve di sentirsela serrare
   per sottrarsi ad una conversazione
   sorrideva sotto i baffi
   vide i ragazzi affollarglisi intorno
   attaccare discorso
   a monte
   sia... sia
   per un pezzo
   a vicenda
   in un batter d'occhio
   a momenti si augurava che affondasse

II. Rispondere in italiano:
   1. Che cosa fece Agostino per prolungare la recita della poesia e perché?
   2. Come riuscì a svincolarsi dal Saro?

3. Come mai Homs si trovava già a Rio con gli altri ragazzi?
4. In che modo i ragazzi accolsero l'arrivo di Agostino?
5. Che cosa avevano rubato e cosa preparavano da mangiare?
6. Come viene a sapere Agostino del perché gli altri lo deridono?
7. Descrivere il divertimento dei ragazzi prima del loro tuffarsi nell'acqua.
8. Perché Sandro non voleva farsi avvicinare da Agostino?
9. Come è successo che mentre nuotava Agostino si era allontanato dagli altri?
10. Che cosa minaccia di fare Homs se Agostino non smette di stringergli il braccio?

III. Tradurre in italiano:
1. His mouth was half-open.
2. He didn't care at all about poetry.
3. They saw him getting into the boat.
4. What grade are you in?
5. He couldn't help noting a certain contempt in his voice.
6. He wanted to strike up a conversation but didn't succeed.
7. They sensed an attitude either of contempt or of derision.
8. He could not guess what their plans were.
9. They helped each other mutually.
10. An iron bridge could be seen upstream.

IV. Tradurre in italiano:
The boat was spilling over with gesticulating boys who were singing a nasty song. Every time the boat went over a big wave, they shouted wildly and their loud shout made him shudder. He almost hoped that the boat might sink so that he could free himself once and for all from that distasteful company. He withdrew to the stern where, huddled, he watched the boat approach the shore in the last rays of the sunset. When they landed he went off in a hurry without saying goodbye to the others.

V. Alcune osservazioni grammaticali:
1. Note the use of the subjunctive in indirect questions:
   quali poi fossero (i suoi scopi) non gli riuscì di capire
2. Note that a clause may be used instead of an infinitive following a verb of sense perception:
   li vide che agitavano le mani

3. Note that the word for *than* is rendered in Italian by *di* before a noun, pronoun or numeral and by *che* before other parts of speech. However, before a finite form of the verb *than* may be rendered by *di quello che* or *che non* or *di quanto* (*non*) which may be followed by the subjunctive:

un odio fondo, più forte di quello che provava contro il negro

Agostino, pp. 174–183

I. Tradurre e studiare:

più di quanto potesse sopportare

le cose che era venuto a sapere

procurava di sfuggire a quegli inviti

che si guardò bene dallo smentire

non si aspettavano da lui un tale atto di coraggio

non se la sentì di additarlo

senza farselo dire due volte

II. Rispondere in italiano:

1. Perché non accadeva più ad Agostino di accompagnare la madre e il giovane nelle loro gite?
2. Perché la casa gli era diventata insopportabile?
3. Come si divertiva nella casa quando era più piccolo?
4. Perché a volte si alzava la notte quando gli sembrava di sentire certi rumori?
5. Come si mise a vestirsi Agostino e perché?
6. A che cosa attribuirono il suo silenzio i ragazzi quando gli domandarono particolari della gita in barca col Saro?
7. Invece a che cosa si doveva attribuirlo?
8. Come gli apparvero i ragazzi dello stabilimento Speranza quando a volte tornava a frequentarli?
9. Descrivere l'episodio in cui Agostino fa finta di essere il figlio del bagnino.
10. Cosa temette Agostino quando avvicinandosi alla riva si rese conto che il Saro lo stava osservando?

III. Tradurre in italiano:

1. She would put on and take off her stockings as if he weren't there.
2. He understood that she would always remain the person he loved.
3. He happened to go there more than once.
4. It didn't matter to him not to have a leather ball.

5. He didn't feel like giving it to him.
6. He tried to avoid their glances.
7. They took care not to talk to her.
8. It was his intention to take it from her.

IV. Dare il contratio delle seguenti parole:

nascere	simile
separare	peggio
aprire	negare
davanti a	domanda
togliersi	silenzio
salvo (*prep.*)	pesante
coprire	fallimento
antipatia	noioso
spietato	scendere
maggiore	goffo
risvegliarsi	a un dipresso
superiorità	grasso

V. Tradurre in italiano:

The man with the protruding paunch wanted to know if it was possible to take a boat ride. Agostino assured him that it was. Before committing himself, however, the man asked him how much it cost an hour. It was obvious that he had mistaken him for the boat keeper's son and that flattered Agostino. The latter helped the man and the boy get into the boat and, as soon as they were settled, he rowed quickly away from shore.

VI. Alcune osservazioni grammaticali:

1. Note that the conditional perfect is used in Italian after a verb of saying or thinking in the past whereas in English the simple conditional is used:

   Ha detto che sarebbe venuto presto.
   Capì che ella sarebbe rimasta la persona che aveva amato.

2. Note that the infinitive is often used as a substantive:

   Starle accanto gli pareva sorvegliarla, avvicinarsi alla sua porta spiarla...

3. Note that verbs of privation use the preposition *a*:

   procurava di sfuggire a quegli inviti
   pensò di sottrarre i denari a sua madre

Agostino, pp. 183–192

I. Tradurre e studiare:
   a guisa di contravveleno
   gli avrebbe fatto da schermo
   gli difettavano i termini del paragone
   se la cavano
   a forza di spiccioli
   deliberò di mandarlo a effetto
   feci quasi di corsa tutta la strada
   chino in avanti
   gli scompigliò i capelli riconducendoglieli poi sulla fronte
   accomodò alla meglio i capelli

II. Rispondere in italiano:
   1. Perché dispiacevano ad Agostino le notizie precise riguardo al villino e alle donne?
   2. A chi furono consegnati i funghi e perché?
   3. Perché Agostino doveva dormire nella camera della madre?
   4. Perché non gli riusciva di immaginare l'esperienza che avrebbe avuto alla villa?
   5. Come si rivelava l'eccitazione della madre seduta al pianoforte?
   6. Perché Agostino si sentiva impacciato e cercò di svincolarsi dall'abbraccio della madre?
   7. Descrivere quel che vide Agostino quando si affacciò sulla soglia del salotto?
   8. Come reagì il giovane quando Agostino rientrò nel salotto?

III. Rispondere brevemente in italiano:
   1. Di che cosa si servivano i ragazzi per cacciare gli uccelli?
   2. Su che cosa infilavano i funghi?
   3. Di che sono recinti i giardini dei villini?
   4. Su che cosa doveva dormire Agostino nella camera della madre?
   5. Secondo il pensiero di Agostino, che cosa doveva frapporre tra sé e la madre?
   6. Da chi si era fatto dire il prezzo della visita alla villa?
   7. Dove pensava di ottenere il denaro Agostino?
   8. Quando entrò nel salotto sopra che cosa stava seduta la madre?
   9. A che punto si interruppero i suoni?
   10. Agostino che cosa avrebbe voluto gridare alla madre?

IV. Tradurre in italiano:
1. He raced across the square.
2. She played the piano as best she could.
3. We manage to carry out our plan.
4. By dint of saving every cent he had enough money.
5. He made use of those terms by way of comparison.
6. She seemed not to be able to understand him.
7. They didn't pay any attention to him.
8. No matter how hard he tried to convince her, he never succeeded.

V. Alcune osservazioni grammaticali:
1. Note the use of *che* with the meaning of *allorchè* or *quando* in the following:
   Imbruniva che sbucarono...
2. Note the use of the indirect object pronoun in the causative *fare* construction when the infinitive following takes a direct object:
   gli fece volgere gli occhi
   but: *lo fece volgere* (he made him turn)

Agostino, pp. 192–203

I. Tradurre e studiare:
pensò di sottrarre i denari a sua madre
cercò a tastoni
passò in lungo e in largo una mano nel cassetto
a ridosso della pineta
sino a quando non vide spuntare
e se lo facessimo entrare...
spinse dentro gli sguardi
si destò di soprassalto

II. Accoppiare le seguenti parole:

risparmiare	raccogliere
difettare	farsi buio
rapporto	andare
riguardare	raccapezzarsi
angustiare	accanto
capacitarsi	mancare

allato	concernere
esiguo	quantunque
recarsi	relazione
radunare	mettere da parte
imbrunire	scarso
sebbene	affliggere

III. Tradurre in italiano:

small change (coins)	sidewalks
drawer	lamplight
ground floor	whistle
lamp shade	shutters
change purse	door panels
window sill	screen
gate	floor
threshold	hallway

IV. Rispondere in italiano:

1. Che cosa sembrava ad Agostino di vedere sovrapposto sulle monete per terra?
2. Dove mise il denaro quando sentì il gong della cena?
3. Che cosa si vedeva intorno al paralume?
4. Dove si recò la madre dopo la cena?
5. Che cosa fingeva di leggere Agostino?
6. Dove abitava il Tortima?
7. Che cosa scavalcava il canale del porto?
8. Che segnale fece Agostino per chiamare il Tortima?
9. Quanto tempo lo fece aspettare il Tortima?
10. Perché Agostino stentava a riconoscerlo?
11. Perché il Tortima voleva affrettarsi?
12. Che cosa illuminava la piazza?
13. Come si riconosceva la villa?
14. Descrivere la porta in fondo al vestibolo.
15. Che cosa aveva scatenato l'ingresso dei due ragazzi?
16. Da che cosa comprese Agostino che il Tortima era intimidito?
17. Perché la guardiana non permette che Agostino entri?
18. Che cosa lo umiliava di piú?
19. Da dove usciva una luce?
20. Che cosa riesce a vedere nella stanza?
21. Cosa indossava la donna?

22. Perché Agostino si ritirò dalla finestra?
23. Che pensiero lo deprime soprattutto?
24. A che cosa doveva rassegnarsi?
25. Quando giunse a casa che vide nell'ingresso?
26. Perché la madre gli passò la mano sulla fronte?
27. Che cosa gli promette la madre?

V. Tradurre in italiano:

1. If I were to break my bank, I would spend all my money.
2. Grazing her cheek with his lips he couldn't help wondering if other women were equally perfumed.
3. He crossed the dark hallway gropingly.
4. He pushed the gate, stood upright and motionless for a moment, then directed himself toward the square.
5. Can you give me some small change?
6. He looked for the change purse in the drawer.
7. Leaning on the window sill he could make out the streetlight.
8. The agreed upon signal was a long whistle.
9. It was the house with the gray shutters.
10. He was sure that they would continue to make fun of him.

VI. Tradurre in italiano:

He opened the drawer, took out all the coins and bills, and filled his pockets with them. Once out in the street, he hurried toward the neighborhood where Tortima lived at the other end of town. He passed along the cranes and barges of the inner harbor and the dismal little shops bordering the canal. One could smell the odor of fish and tar in the air. He stopped in front of Tortima's house and whistled softly. Tortima appeared at the window and said that he would be right down. But actually it took quite some time before he appeared. They exchanged a glance of mutual understanding and set off together toward the villa.

VOCABULARY

This vocabulary omits the articles, cardinal numbers, possessive adjectives, common prepositions, pronouns, conjunctions, adverbs ending in *-mente* when the basic adjectival form is given, easily recognized cognates, and uncommon words occurring only once and already explained in footnotes.

Gender is not given for feminine nouns ending in *-a, -à, -ione, -aggine, -trice*, or for masculine nouns ending in *-o* and *-ore*.

The abbreviations used are as follows:

adj.	adjective
adv.	adverb
dim.	diminutive
f.	feminine
m.	masculine
n.	noun
p. p.	past participle
pl.	plural
prep.	preposition

A

abbagliare to blind, dazzle;
  abbagliante dazzling
abbassare to lower
abbattere to strike down
abbozzo outline, sketch, draught
abbracciare to embrace
abbronzato tanned
abete *m.* fir tree
abitatrice dweller, inhabitant
abito suit; *pl.* clothes
abituato accustomed
accadere to happen
accaldato warmed

accanirsi to persist
accanto (a) next to, beside
accasciarsi to slump down;
  accasciato squatting
accavallato crossed
accecare to blind
accendere to light, kindle, turn on
  (the light)
accennare to indicate, allude
accetto acceptable
acchiappare to grab
acchiocciolato curled
accigliato gloomy, sullen, frowning

acciocché so that
acciottolio clattering
accogliere to receive, welcome
accolto *p. p. of* **accogliere**
accomodare to adjust, arrange
accomodato arranged, artificial
acconciarsi to make up (one's face)
acconsentire consent
accorarsi to grieve
accordo agreement, harmony, chord;
  d'—— in agreement
accorgersi (di) to realize, be aware
  of
accorgimento awareness
accorrere to run, hurry forward
accosciato cross-legged
accostarsi to draw close to
accovacciato crouched
acquietarsi to find comfort, calm
  oneself
acquistare to acquire
acre sharp, acrid
addentrarsi to penetrate
addio farewell, goodbye
addirittura indeed, downright,
  outright
additare to point to
addolorato grieved
addosso on one's back, upon one,
  over one
adeguato adequate
aderire to adhere
adocchiare to eye, have designs on
adoperarsi to go about, put oneself
  to the task
adusto sun tanned
aereo aerial
afa sultriness, revulsion, distaste,
  nausea
affabile pleasant
affacciarsi to appear
affanno suffering
affaticare to buffet

affatto altogether, entirely; **non**
  —— not at all
afferrare to seize, grab
affettivo emotional
affidare to entrust
affiorare to surface
affisso affixed, fixed
affliggere to afflict
afflitto afflicted
afflosciarsi to sag, grow soft
affogare to drown
affollato crowded
affoltirsi to grow thick
affondare to sink
affrettare to hasten
affumato smoky
affusolare to taper
afoso sultry, stuffy, hot
agganciato hooked, gripped,
  fastened
agghiacciare to freeze, fix
aggirarsi to wander about
aggiungere to add
aggrovigliare to entangle
aggruppare to group, bring
  together
agguato ambush
agiatezza affluence, wealth
agio ease, convenience
agitare to wave, shake, agitate,
  excite
ago needle
aguzzo sharp, pointed
aiuola flowerbed
aiutare = ajutare to help
aizzoso provocative
ala wing
alato winged
albeggiare to dawn
alberatura masts, spars
albero tree; mast
albore light of dawn
alga seaweed

alieno alien, averse
alimento food
allacciare to bind
allagare to flood
allato (a) beside
allegrarsi to rejoice
allegria happiness
allentato loosened
allettatrice seductress
allevare to raise, nurse
allorché when
alma soul
alpestre alpine
alterigia haughtiness
altero proud
altipiano plateau, highland
altrettanto equally, as much;
   pl. as many
altro other, another; **non** ——
   nothing else
altrove elsewhere
altrui another
amareggiare to embitter
amarezza bitterness
ambedue both
ambo both
ametista amethyst
amicizia friendship
ammaccato bruised
ammazzare to kill
ammiccamento wink
ammiccante winking
ammirato full of admiration
ammonimento admonishing,
   warning
ammonticchiare to heap
ammorzare to weaken, extinguish
amoretto cupid
amorino little darling
amoroso loving
ampio broad, ample
anatrella duckling
anca hip, thigh, flank

ancella maiden, handmaiden
ancorotto sturdy little anchor
anelare to pant, yearn
anello ring
angheria vexation
angolo corner
angoscia anguish
angoscioso anguishing
angustiare to trouble, vex
animo soul, heart, mind,
   spirit
animoso bold
annacquato watery, watered
annegarsi to drown
annerarsi to grow black
annoiare to annoy, bother
annullato nullified, cancelled out
annunziare to announce
annusare to smell, breathe in
annuvolare darken, becloud
ansia anxiety
ansimante panting, out of breath
antefatto previous history,
   background
anticipare advance, move forward
   (in time)
antico former, old, ancient
antipatia antipathy, dislike
antro cave
anulare ring finger
ape bee
apologo apologue
appagarsi to be satisfied
appaiato paired, set side by side
apparatore stage manager
apparecchiato set (a table), arranged
apparire to appear
appartarsi to draw aside
appartenente belonging
appassito dried up
appena as soon as, scarcely
appendere to hang
appeso *p. p. of* **appendere**

appiccato fastened on
appioppare to palm off, inflict
applaudire applaud
applicare to apply
appoggiare to lean, support
apposito appropriate, fitting
apposta on purpose, deliberately
appressarsi to draw near
approvare to approve
appuntarsi to direct itself, fix itself, focus
appuntito pointed
appunto precisely
apribile, ponte drawbridge
aquilone kite, eagle
ara altar
arare to plough
arboreo arboreal
arcano arcane
arco arch, bow
arcoscenico proscenium arch
ardere to burn
ardire to dare, be bold to; *n.* boldness
arditamente boldly
arenaria sandstone
argenteo silvery
argomentare infer, deduce
arguto keen, sharp
aria air, appearance
arido dry, arid
arrabbiare to anger; **arrabbiarsi** to get angry
arrampicarsi to climb
arrecare to bring, offer
arrestarsi to stop
arricciare to curl, ripple
arrischiato risky
arrivo arrival
arrossire to blush
arrotolato rolled (up)
arruffarsi to get ruffled
arte *f.* art, craft

ascella armpit
asciugare to dry
ascolto listening; **prestare** —— to listen (to) attentively
asperso sprinkled, strewn
aspettare to wait (for); **aspettarsi** to expect
aspirare to breathe in, aspire
aspro sharp, bitter
assaggiare to test, taste
assalire to assail
assaltare to assault
asse *f.* plank board
assecurarsi = assicurarsi to assure oneself
assegnato assigned
assicurato secured
assistere (a) to attend, be witness to
assommato summed up
assopirsi to drowse, fall off to sleep
assorto absorbed
assottigliarsi to grow thin
assumere (assunto, assunse) to assume
assurdità absurdity
astato spear bearing
astratto abstract, wrapped in thought
astruseria abstruseness
atroce fierce, outrageous, terrible
attaccapanni coat hooks, clothes hanger
attaccare attack, strike up, attach
atteggiamento attitude
attento attentive, careful; **stare** —— to pay attention
attenuato attenuated
atterrare to push to the ground
atterrito frightened
attesa expectation; **in** —— **di** waiting for
atticciato thick-set

attiguo adjacent, adjoining
attimo instant
attirare to attract
atto deed, act
attonito astonished
attorno around, about
attraccato moored
attrarre to attract
attrattiva attraction
attratto *p. p. of* **attrarre**
attraversare to cross
attraversato streaked
attraverso across, through
attrezzatura equipment, fittings
attrezzo equipment, tool
audace bold
augurare to wish; **augurarsi** to hope
aureo golden
autista chauffeur

avanti forward; **facendosi** ——
coming forward
avidità greed
avvalersi to avail oneself
avvampare to flame, burn
avvedersi di to realize, be aware of
avvenire to happen
avventare to cast
avventarsi to hurl oneself at, rush upon
avvertire to warn, sense, note
avviarsi to go off
avvicinarsi (a) to draw near to, approach
avvilente degrading
avvilimento humiliation, degradation
avvolgere to wrap, wind
avvolto *p. p. of* **avvolgere**
azzurro blue

B

babbo dad
baciare to kiss
badare (a) to take note, heed, pay attention
baffetto moustache
baffi moustache; **sotto i** —— slyly
bagnante bather
bagnino bathhouse keeper
bagno bath, swim; bathhouse
balbettare to mutter, stammer
balenare to flash, lighten
baleno lightning
balia wet nurse; **dare a** —— to put out to nurse
ballabile *m.* dance tune
ballare to dance, quiver
ballatoio deck (of a house), porch, balcony
ballerino dancer

balocco toy
balzare to jump, leap, bounce, bound
balzo bound, leap, jump
bambú bamboo cane
barra, del timone tiller
baracca hut
barattato bartered
bassezza baseness
bastone cane, stick
battente door panel; **porta a battenti** swinging door
battere to beat, strike; —— **le mani** to clap one's hands
battesmo = **battesimo** baptism
battuta line (of a play)
beato seraphic
beffa joke, prank; **farsi beffe** to make fun of
beffardo mocking

beltà beauty
ben = bene *adv.* well; *n.* good, prized possession, beloved
benchè although
benedetto blessed
benessere well-being
benevolo benevolent
benignamente graciously
bensí but rather
berretto beret
bestia animal, beast
bevanda beverage
biancheggiare to whiten
bilancia scale, bridge (stage), batten
bisogno need; **a un —** in case of need
boccaccie, far delle to make faces
boccata *f.* mouthful
boccone *m.* mouthful
bocconi face down
bonario good natured
bontà goodness
borbottare to mutter
bordo edge, side, cuff
borsa handbag
boscaglia *f.* woods
bosco *m.* woods
botteguccia wretched little shop
braccio arm's length
bracciata stroke (swimming)

braccio arm; **— di ferro** Indian wrestling
brama desire
bramare to yearn
branda cot
brandello fragment, shred
bravura feat, skill, extraordinary achievement
brecciame crushed stone
briglia bridle
brivido shiver
bruciare to burn, scorch
brulicare to swarm
brulichio swarm
brullo sunbaked
brusio hum, noise of many voices
buca *f.* hole; **— del suggeritore** prompter's box
bucato full of holes
buco *m.* hole
buffo funny, comical
buffone clown; **fare il —** to play the clown
buio dark
burla joke
bussola swinging door, artificial door
busta envelope
busto corset
buttare to throw, fling

C

cacciare to hunt; **cacciatore** hunter
caduta fall
caffé-concerto cabaret entertainment
cagione reason
cagnolino little dog
calafato caulker
calare to lower
calcagno heel
calcolo calculation

caligine *f.* mist
caliginoso misty
calle path
calore heat
calunnia calumny, lie
calvo bald
calzoni trousers
camera room; **— da letto** bedroom
camerino dressing room

camiciola dressing gown
camiciotto smock
camino chimney
campagna country, countryside
campana bell
campione champion
canaglia scoundrel
cancello gate
candido white, gleaming
candidatura candidacy
cane *m.* dog
cangiare to change
canneto canebrake
canottiera undershirt
cantarellare to hum
canto corner, part, side; singing
canzonatorio mocking
canzonatura mockery, raillery
capanna cabin, hut
capannello cluster, small group
caparbia stubborn
cappello hat; —— **duro** derby hat; cap (of a mushroom)
capezzolo nipple
capo head
capocomico director, producer, *and, in some Italian theatrical companies,* leading actor
capofitto, a headlong
cappellino little hat
cappellone large hat
capriccioso capricious, whimsical
caprino pertaining to goats
capriola a somersault, handspring
carattere character, feature
cardo thistle
carezzare to caress
caricato heavy, laden, loaded, affected
carità charity, love; **per** —— for goodness sake
carme song
carne *f.* flesh, meat

carota carrot
carraio wagoner
carrozza carriage
cartellino little poster, sign
cascare to fall
caso case; **per** —— by chance; **far caso a** to pay attention to
casolare humble house
cassettone chest of drawers
castamente chastely, modestly
casupola hut, hovel
catena chain
catrame *m.* pitch, tar
cattiveria wickedness
cavaliere knight
cavallo horse
cavare to dig; **cavarne** derive from it; **cavarsela** to manage
caviglia ankle
cedere to yield, give in
ceffone slap
celato concealed
cencio rag
cenere *f.* ash
cenno sign, indication
centinaio about a hundred; *pl.* **centinaia** hundreds
ceppo log
cera wax
cerca *n.* search
cercare to look for; —— **di** to try
ceruleo sky-blue
cervello brain
cespuglio bush
chiacchierare to chat
chiacchiera chatter, talk
chiaro clear, light
chiarore light
chiatta flat-bottomed boat
chiavetta light switch
chiazza spot
chicchessia anyone
chiedere to ask

chiesa church
chiglia bottom of boat
chilo kilogram (2.2 pounds)
chino lowered, bowed
chiodo nail
cianfrusaglia bric-a-brac
ciascuno each one
cicala cicada
cieco blind
cifra figure
ciglia eyebrow
cilestrino blue
cima top
cingere (cinto, cinsi) to encircle
cinico cynic
cinquantina about fifty; sulla ——
around fifty years old
cinta, muro di enclosing wall
cintola waist, belt
ciocca lock of hair
ciotola little bowl, tray
cipressetto little cypress
cipria powder (cosmetic)
circa about
circonfuso surrounded,
circumfused
civettare to flirt
civetteria coquettishness
cliente client, customer
coccio shard
cocente burning
cocomero watermelon
codesto that (near person spoken to)
cogliere to gather, collect
colle m. hill
collera anger
colletto collar
collo neck
collocamento position,
employment
collocato placed
colluttare to struggle
colonna column

colorazione color arrangement
colpa blame, fault
colpo blow
coltello knife
combattimento struggle
combinare to arrange, put together
comico player, actor
commedia play; —— da fare to be
performed
commediografo playwright
commendatore an honorary title
commosso stirred, moved
commozione emotion
c. s. abbreviation for come sopra as
above
comodino night table
comodo comfortable
comparare to compare
comparso p. p. of comparire
compattezza compactness
comperare = comprare to buy
compiacenza pleasure
compiacersi to take pleasure
compiacimento satisfaction,
pleasure, delight
compiaciuto pleased
compiere to accomplish, fulfill,
complete
compito task
comporre to compose
compostezza self-assurance,
composure
compromettente compromising
compromettere to compromise
comune adj. common; n. main
entranceway
comunque anyhow; however
concedere to grant, concede
concertare to arrange, put together
concitatamente excitedly
concitazione excitement

concludere to conclude
condanna sentence, condemnation
condividere to share
condurre to lead
confinare to come together, join, border
conferenza lecture
conferma confirmation
conficcato thrust
confidare to confide
confidenziale confidential
confondere to confuse
conforme similar, compatible
congedare to dismiss; **congedarsi** to take one's leave of
congegno mechanism
congestionato flushed
congiungere to unite, join
connessura joint
consacrare to dedicate
consegnare to hand over, consign
consigliare to advise; **consigliarsi** to consult one another
consistente possessing consistency
consistere (in) to consist (of)
contadino peasant
contegno bearing, comportment
contemporaneamente simultaneously
contenere to contain
contenuto contained, held back
contesa contest, disagreement
conto *n.* count; **tenere** —— take into account
contorno outline, contour
contraccambio recompense, return, exchange
contraddire to contradict
contrarre to contract
contrastare to struggle
contravveleno antidote
contropartita something equivalent in exchange

conturbato confused
convenire to behoove, suit, be necessary, be fitting
convulso convulsive, convulsed
coperta blanket
copione *m.* script
corbelleria stupidity, foolishness
cordame ropes
coricarsi to go to bed
corno horn
cornuto cockold
coro chorus; **in, (a)** —— in chorus
correggere to correct
correre to run
corridoio corridor, aisle
corsa, di racing; on the run
corso course
corteggiare to woo
corteggiatore suitor
corto short
coscienza conscience, consciousness
coscienziosamente conscientiously
cosicchè so that
costei *f.* this one, the latter
costernato dismayed
costola rib
costoro these, the latter
costringere (a) to compel, force
costruito constructed, built
costruzione construction
costui *m.* this one, the latter
costume *m.* custom, costume; ——
da bagno bathing suit
cotone cotton
covato smouldering, harbored, latent
cozzare to butt
crepa crack, fissure
crepitio pattering (sound of rain)
crepuscolo twilight
crescente growing
crescere to grow
crespo crepe

crine hair, hairdress
criniera mane
critico critic
crocchio group, circle
crollare to collapse, drop, fall;
  —— **si** fall in, give way
crollo fall, collapse
croscio crash, beating (*of rain*)
crostato crusted
cruccio vexation
crudele cruel
crudezza crudeness

cucina kitchen, cuisine
cucire to sew
cuffia bonnet, cap
cugina cousin
cunicolo burrow, pit, fireplace
cuoco *m.* cook
cuoio leather
cupa gloomy, somber, taciturn
cupezza sullenness
cupolino prompter's box
cura attention, care
custodire to guard, watch over

D

daccapo back to the beginning, all
  over again
damigello page
danaro money
danno harm, injury, damage
dapprima at first
darsena inner harbor
davanti (a) in front of; **sul** — on the
  forestage
davanzale window sill
debito debt; owed
dedizione self-surrender, devotion
deformato contorted
degno worthy
dei gods; *pl. of* **dio**
delfino dolphin
delirante raving, wild
delitto crime
delizia delight
delusione disappointment, delusion
deluso disappointed
demone demon
deridere to deride, mock
destare to awaken, arouse
destrezza skill
destriere *m.* steed, charger
destro right; **a destra** on the right

detrito trash
detto saying
detto called; *p. p. of* **dire**
diafano diaphanous
dialettale dialectal
diavolo devil
dibattersi to struggle, fight
dicerie *f. pl.* gossip, malicious talk
didascalia stage direction
difatti indeed, in fact
difettare to be lacking
diffalcare = defalcare to deduct
diffidare to be diffident
difforme (a) different (from)
digiuno starved
digradare to slope down
digrignare to grind, gnash
dileggio derision, mockery
dileguare to put at a distance,
  banish
dilettante amateur, dilettante
dimenamento tossing
dimenarsi to toss about
dimora dwelling
dimostrativo demonstrative
dipartirsi to leave
dipinto painted

diradarsi to thin out
dirigere to direct
diritto *n.* right
disamorato devoid of affection
disappunto vexation, disappointment
disavventura misfortune
dischiudere to open
discinto half dressed
disciogliersi to dissolve, shatter, loosen
discolpare to exculpate
discorrere to converse
discorso conversation, speech
discosto separated, apart
disegnare to outline
disfare to undo, break down
disfatto unmade
disgrazia misfortune
disinvoltura nonchalance
disio desire
disparte, in to one side, separately
dispensatrice dispenser, distributor
disperatamente desperately
dispetto contempt, spite
dispettoso spiteful
disporre to arrange, dispose
disposizione disposition, arrangement
disposto disposed, willing
dissolversi to dissolve, dissipate
distendere to stretch out
disteso *p. p. of* **distendere**

distrarre to distract
distratto distracted
districare to disentangle
dito finger
diuturno long lasting
divano-letto sofa bed
divariare to differ
diverso different
divertirsi to enjoy oneself, have a good time
doglia grief
dolente painful
dolore pain, grief
doloroso painful, smarting, sorrowful, wretched
dominare to dominate
donare to give
dondolare to sway
donna woman, lady
dorato gilded
dorso back
dotato gifted, equipped
dote *f.* gift, talent
dovere *m.* duty
dramma *m.* drama
dritto straight, directly, upright
dubbio doubt
dubitare to doubt
duello duel, struggle
duna dune
dunque so, therefore
duolo pain
durante during
duro hard

E

ebbro heightened, keyed up
ebro = **ebbro**
eccitazione excitement
eco *f.* echo
edera ivy

edificare to build
educato reared, bred
effetto effect
efficace effective, efficacious
egregio distinguished

elementarità crude or rudimentary
  quality
elettricista m. electrician
elmo helmet
emiro emir
empio wicked, evil
equivoco equivocal
erbale grassy
ergersi to rise
ermo lonely, solitary
errare to wander
esaltare to exalt; esaltarsi to become
  excited, keyed up
eseguire to execute, carry out
esemplare exemplary, unique,
  striking
esigenza exigency
esiguo scanty, small

esitare to hesitate
esortare to exhort
espansione expansiveness, excited
  feeling
esporre to expose
espressamente expressly
essere m. being, creature
estate f. summer
esterrefatto scared out of one's wits
estinguire to extinguish
estivo summer
estollere to extol
estraneo excluded, alienated, foreign
estremo extreme, final
esule adj. exiled, wandering,
  pilgrim
evocato evoked
evoluzione development, evolution

F

faccenda affair
facciata facade
facilitato facilitated
faggio beech (tree)
falco falcon
fallace fallacious, misleading
fallimento failure
famigliuola little family
fanale m. street light
fanciullesco boyish
fantasma m. ghost
fantasticato imagined, fictional
fantoccio puppet
fardello batch, bundle
fare to do, make; —— per start to;
  —— a meno di to get along without; non poter —— a meno di
  not to be able to help (followed by
  infinitive); farsi to become
farfalla butterfly, moth
farmaco drug
fascia sash, band, strip

fascino charm, fascination
fascio burden, bundle
fastidio annoyance, bother
fastoso pompous, ostentatious,
  gorgeous
fatale fatal
fatica effort, hard work
faticare to struggle, work hard
fato fate
fattore maker
fattura make, product, creation
fatuo fatuous
fauci f. pl. throat, jaws
favoloso fabulous
favorire to favor, oblige
fazzoletto handkerchief
fè = fede faith
febbricitante feverish
fecondo fruitful
femminilità femininity
fenduto cloven, split
ferire to wound

ferito wounded, injured

fermare to stop; **fermarsi** to stop (oneself)

fermento ferment

fermo unmoving, firm

feroce fierce, wild

ferocia fierceness

ferro iron, metal

fessura crack, split

festante festive

fetta slice

fiaba fairy tale

fiammante flaming

fiammifero match

fianco hip

fiancata wing panel, flat

fiasco bottle, flask

fiato breath

fibbia clasp

fibroso fibrous

ficcare to put, slip, thrust in

fiducioso trusting

fieno hay

fieramente haughtily

fierezza pride

fiero proud

figliastra stepdaughter

figura figure, appearance, shape, form

figurare to figure, represent, appear

figurarsi to imagine

fila row

filo thread

finchè until, as long as

fingere to feign, pretend

fino (a) up to, as far as, to the point of

finto p. p. of **fingere**

fioccare to shower, to snow, to come thick and fast

fionda sling

fiorame m. flower design; **a fiorami** with flower design

fiorato flowered

fiorellini little flowers

fiorire to surface, come to the top

fiorito blossomed

fischiare to whistle

fissato fixed

fisso fixed

fitto thick

fiume river

fiumicello little stream

flauto flute

flebile tearful

flusso flow

flutto torrent

foce f. mouth (of a river)

foga dash, ardor

foggia style, cut

fogliame foliage

foglio sheet

folle adj. mad; n. madman

follia folly, madness

folto thick

fondalino backdrop, backcloth

fondo bottom; **in —— ** in the rear, at the bottom, behind

fonte f. fountain

forcella forked stick

formica ant

fornello oven

foro hole

forsennato out of one's mind

forte strong; adv. loudly

forza force, strength; **a —— di** by dint of; **per —— ** of necessity, per force

fosco dark, grim

fossa grave, ditch

fracassare to break

fracassata fractured, broken

fradicio wet, rotten

fragoroso roaring, noisy

frale frail

frammisto mixed together

francobollo postage stamp

frangere to break
frapporre to place between, interpose
frassino ash tree
frate friar
fratellino little brother
fratta thicket of brambles
frattanto meanwhile
frattempo, nel in the meanwhile
fregio ornament
fremere to tremble, quiver
fremito quiver, shudder
frenare to control, check
frenesia frenzy
fresco cool; **stare** —— to be in a pickle
fretta hurry; **aver** —— to be in a hurry
fronda bough
fronte *f.* forehead

frottola silly tale, fib
frugare to search
fruscio rustle
fruttuoso fruitful
fucilata, —— **di sale** volley of rock salt
fugace fleeting
fuggevole fleeting
fulgido dazzling
fulmine *m.* lightning flash, thunderbolt
fulvo tawny
fumante steaming
fumatore smoker
funesto terrible, baneful, dire
fungo mushroom
fuorchè except
furia haste, fury, anger; **di** —— quickly; **sulle furie** angry

G

gabbiano seagull
gagliardia vigor, energy
gaio gay, cheerful
galera prison, jail
galla, a afloat
galleggiante floating
galleggiare to float
gallonato trimmed with braid
gambo stem
ganzo paramour
garantire to guarantee
gareggiare to compete
garzone shop boy
gazzarra chatter, noise, hubbub
gelare to freeze
gelido cold
gemito groan
genere *m.* kind; **in** —— in general
gentile gentle, kind, noble
germe *m.* germ, seed
gestire to gesticulate

gettare to throw
ghermire to seize
ghirlandina small garland
già already; yes, of course
giacca jacket
giacere to lie
giammai never
giglio lily
ginocchio knee
giocattolo toy
giocoso playful
gioioso joyous, gay
ginepro juniper
ginestra broom plant
giogo peak
giornaletto small newspaper
giorno, di in daytime
giovare to be of use
giovinetto youth, young boy
girato wrapped, encircled
giravolta turn about

giro circle, trip; **prendere in** —— **to make fun of**

giro turn

gita trip, ride

giubba vest

giubilante jubilant

giungere arrive, get to, reach, join

giunto *p. p. of* **giungere**

giuoco = gioco game, trick

giurare to swear

giusto just, right

goccia drop

gocciola drop

godere to enjoy

godimento enjoyment

goffa awkward

goffaggine *f.* clumsiness, awkwardness

gola throat

gomitata elbowing, blow of the elbow

gomito elbow

gomma rubber

gonfiare to swell, raise

gogna, alla —— pilloried

gonna skirt

gorgheggio warbling

gorgo pool

gorgogliare gurgle

gote *f. pl.* cheeks

gradare to slope down

grado degree, level; **essere in** —— **di** to be capable of

granturco corn

grassezza fatness

grato grateful, welcome, desirable

grave heavy

grazioso gracious, charming

greggia flock

grembiale apron

grembiule *m.* apron

gremire to swarm

gremito thronged

greppina lounge chair

grezzo rough

gridare to shout

grondare to drip, spill over

groppa hind, rump; swell (of water)

grosso big, large

grossolano crude, vulgar

gru crane (mechanical)

guaio woe, misfortune; **guai!** woe!

guanciale pillow

guardiana custodian

guarire to heal, cure

guastare to spoil

guisa manner; **in** —— **di** in the manner of

guizzo flicker, flash

guscio shell (of an egg)

I

ibrido hybrid

iddii gods

idealità idealism

identico identical

idioma *m.* idiom, language

idolo idol

idoneo suitable

ignaro unsuspecting

ignorare not to know; ignore

ignudo = nudo naked

illudere delude, deceive

imbarcarsi to set out in a boat, embark

imbarcazione boat, craft, embarcation

imbecillino little imbecile

imbellettarsi to make up (one's face)

imbevuto soaked

imbiancato whitewashed
imbiondare to make blond, dye yellow, golden
imboccare to enter into
imbracciare to hold in the arms
imbrunire to grow dark
immaginarsi to imagine
immagine image, picture
immerso immersed
immischiarsi to meddle, interfere
immusonirsi to pout, sulk
immusonito sulking, pouting
immutabile unchanging
imo bottom
impaccio embarrassment, inhibition
impadronirsi to take possession of
impagabile bizarre
imparare to learn
impassibile impassive
impedire to prevent
impegnato involved, committed
impennarsi to rear up
imperadrice = imperatrice empress
imperlare to form drops of sweat
impero empire
impiegato employee
impietrare to turn to stone
impietrato turned to stone
imporre to impose
importare to matter, to be important; to import
impossessarsi to take possession of
impregnato impregnated
impresa undertaking
impressionato alarmed, impressed, affected
impresso impressed, stamped
impreveduto unforeseen
imprimere to impress, give to
improvviso sudden, unexpected; **d'——** suddenly
impudicizia immodesty

impudico shameless
impugnare to grip, grasp
inabissarsi to sink, plunge deeply
inaspettato unexpected
inaudito unheard of
imbroglione meddler, hoodwinker
incalzare to press, pursue
incanagliarsi to become like the rabble
incantamento enchantment
incantatore enchanter, magician
incapace incapable
incassato set, encased, wedged in
incauto unwary, careless
incendio fire
incenso incense, fragrance
inchinarsi to bow
inchiodare to nail
incitare to incite
inclinato bent
incolore colorless
incombenza task, obligation
inconsapevole unconscious of
inconsueto uncommon, unusual
incoscienza unawareness, unconsciousness
increspato rippled
incrociare to cross
incubo nightmare
incuriosito made curious
indaffarato busy
indarno in vain
indecenza indecency, disgrace
indice *m.* index finger
indigesto undigested, unassimilated
indignato indignant
indirizzare to address, direct
indissolubilmente indissolubly
indizio indication, sign
indolenzito pained, sore
indossare to wear
indovinare to guess
indugiare to linger

indurre to induce, lead, bring
inerpicato perched
inevitabilmente inevitably
infame infamous, detestable
infatuato carried away, foolish
infetto infected
infilare to slip on, fit into
infilzare to run through, pierce
infondere to infuse
infradiciare to wet
infruttuoso fruitless
infuriato out of one's mind, wild
ingegno device, contrivance
inghiottire to swallow
ingigantire to make large
ingiurioso injurious
ingiustizia injustice
ingolfarsi to penetrate, plunge
ingombrare to burden, encumber
ingombro encumbrance
ingrato ingrate
ingresso entrance
inguine *m.* groin
ininterrotto uninterrupted
innalzare to raise
inoltrarsi to penetrate, enter,
   proceed
insanguinare to cover with blood
insaziato unappeased, insatiate
insegna sign
inserire to slip into, insert
insidiato besieged
insistenza insistence
insofferenza impatience, intolerance
insomma in short
insorgere to rise up
insolito unusual
intanto meanwhile
intatto intact
intendere to understand;
   intendersela to get along
intento (a) intent (on)
interdetto speechless, dumbfounded

interessamento interest
intero entire, complete; **per ——**
   entirely
interpellare to call
interporre to place between
interrotto interrupted
intervento intervention
intervenuto taken place
intimità intimacy
intimorito frightened, intimidated
intonare to begin to sing
intontimento stupor, shock
intorbidato troubled, muddied
intorto twisted, spiraled
intraprendere to undertake
intravvedere to glimpse, perceive
intrecciare to intertwine
intriso moist, wet, mingled
intromettersi to interfere, inter-
   vene
intruso intruder
intuire to intuit, guess
inturgidito swollen
invadere to invade, take over
invaghito charmed
invece instead
inverdito made green
investito invested
invidiabile enviable
invidiare to envy
invidioso envious
invocare to invoke, call for
involto package
involtone large package
involucro wrapper, container
irato angered
ire = andare to go
iride *f.* iris (of the eye)
iroso wrathful, irate
irradiare to shine rays upon
irrappresentabile unperformable
irriconoscibile unrecognizable
irrigidito stiffened

irto rugged, rough; bristling; erect
isperare = sperare to hope
issare to hoist, lift

istar = stare to be
istesso = stesso same, very
istinto instinct

L

lacero torn, worn-out
ladro robber, thief
laghetto lagoon, pond
lagnarsi to complain, lament
lagrima tear
languire to languish
lai m. pl. lays, songs
lamentarsi to complain
lamentosamente lamentingly
lampada lamp
lampadina light bulb
lampeggiare to flash
lana wool
lancia lance
lanciare to cast, throw
largo broad; farsi —— to make
one's way through
lascivo wanton, unchaste
lassù up there
lastricato paved
lato side; da un —— to one side, on
the one hand
laudare to praise
lavorio activity
lazzo joke
lecito permissible
legame m. tie, bond
leggerezza lightness, deftness
leggiadra charming
legno wood
lembo hem, border
lena energy, vigor; di ——
energetically
lentigginoso freckled
lento slow
lenzuolo bedsheet
lesto swift, quick

letto bed; —— a sedere chaise
longue
levare to remove; levarsi to get up
liberare to free
libero free
libico Libyan
lieto happy
lieve light
limo mud, slime
lindo clean
linguaggio language
liscio smooth
litigare to argue
lito shore
litorale m. shoreline
livido livid, black-and-blue
livrea livery, dress
lodare to praise
logoro worn, frayed
lombo loin, lumbar region
lontananza distance, separation
lordura scum, foulness
lotta struggle
lucido shining
lugubre mournful, gloomy
lume m. light
luminoso luminous
lunge adv. far off, from afar
lungo adj. long; adv. along; a ——
for a long time
lungomare seaside
luogo place
lusingatrice flattering;
m. lusingatore
lusinghiero flattering
lustro shining, lustrous
lutto mourning; a —— in mourning

M

macchia thicket
macchiare to spot, stain
macchinista technician
macerarsi to be consumed
maceria debris
maestoso majestic
maestrale north-west wind
magari if only, perhaps
magazzino storeroom, prop
  room
maglia wool knit (bathing suit)
malagrazia, di reluctantly
malamente badly, awkwardly
malconcio bruised
maldestro awkward
male *m.* evil, hurt; averne a —— to
  take it amiss
maledetto cursed, detestable
maledizione curse, anathema
maleducato bad mannered
malessere *m.* malaise
malignità wickedness
maligno wicked
malincolia melancholy
malizia malice
malscelto poorly chosen
maltrattenuto ill-restrained
malumore discontent, bad mood
mammella breast
manata blow of the hand
mancare to be lacking
mancanza lack, want; in —— in
  default of
mancia tip
manica sleeve
maniera manner; di —— che so
  that, in order that
manrovescio blow of the back of
  the hand
mantello coat, cloak
manto mantle

maraviglia wonder; farsi —— to
  be amazed
maravigliarsi to be amazed
marca brand
marciapiedi sidewalk
mare *m.* sea
marinaio sailor, boatman
marino *adj.* marine, sea
marmo marble
marranzano Jew's harp
martellare to hammer
martellata hammering
martire *m.* suffering
marzio martial
mascalzone scoundrel
maschera mask
massiccio massive
massimo greatest; al —— at most
masticare to chew
materia material
matrice *f.* matrix
matto mad, insane
mattonella tile
mattutino *adj.* morning, early
  morning
mazzo deck, pack
medesimo same
medico doctor
medio middle finger
megera hag, vixen
meglio *adv.* better; tanto —— so
  much the better; alla —— as
  best as one can
melato honeyed, sugary
melenso silly, ridiculous
melletta slime, mud
mellifluo smooth, honeyed,
  mellifluous
melmoso slimy
membro member, limb; *f. pl.*
  membra

menare to lead, take
mendico beggar
meno less
mento chin
mentre while; **nel** —— in the meanwhile
meraviglia wonder
merenda snack, light meal
meridiano midday, meridian
merlo magpie
mescersi to mingle, to strike blows
meschino wretched, paltry, shabby
mescolarsi to mix, blend
messo *p. p. of* **mettere**; —— **da parte** put aside, saved
mestiere *m.* trade, profession
mesto sad
mestolino stirring spoon
mesurare = misurare to measure
metà half
mettere to put; —— **in comunicazione** to connect; **mettersi a** to begin
mezzo means
mezzodì midday
mica *adv.* not at all, not in the least
mignolo little finger
minaccioso threatening
minimamente in the very least
minimo least
miracolo miracle
mirare to aim, gaze
mirto myrtle
miseria misery, wretchedness
misto mixed
misurare to measure

mite mild, gentle
mobile *m.* piece of furniture; **mobili** *pl.* furniture
modulare modulate
moglie wife
mole *f.* massive structure
molle soft, wet
momento moment; **a momenti** presently, at any moment
monelleria childish prank
monile *m.* necklace
morbido soft
mordere to bite; —— **il freno** to strain at the bit
mormorio murmur
morte *f.* death
mosca fly
mossa movement, gesture
mostra, in —— on display
mostrare to show
motivo motive, reason
moto motion
motto word; **senza far** —— without saying a word
mozzicone stub
mozzo cut off, lopped
mozzone butt, stub
mucchio pile
muco mucus, slime
muovere to move
muschio = musco musk
muso face, mug
mutande *f. pl.* underwear
mutandine *f. pl.* underwear; swimming trunks
mutazione mutation, change
mutevole changeable

N

narice *f.* nostril
narrare to narrate, recount
nascere to be born
nascimento birth

nascondere to hide
nascosto *p. p. of* **nascondere**; **di** —— secretly, hidden
naturalezza naturalness

naturalità naturalness
naufragare to be wrecked, fail, be shipwrecked
navata nave
nave ship; —— a vapore steamship
navicella side of the boat, boat, bark
neanche not even
nebbia fog, mist
negare deny
nemmeno not even
neo beauty spot
neppure not even
nerbo backbone, force, sinew
nerboruto muscular, sinewy
nesso connection
nevvero *colloquialism for* non è vero
nimica = nemica enemy
nitido sharp, clear, neat

nodoso knotty
nomade *m.* nomad
nome *m.* name
noncurante nonchalant
noncuranza indifference
nota note
notizia notice, news item
novel = novello new
novella news
noverare to count
nube *f.* cloud
nubiloso cloudy
nuca nape
nume *m.* deity, divinity, god
nuotare to swim
nutrire nourish
nuvola cloud
nuvoletta little cloud
nuovo new; di —— again

O

obbligo obligation
obbrobrio infamy, disgrace
obliare to forget
occhiaia = occhiaja ring under the eye, socket
occhiali eyeglasses
occhiata glance, look
occorrenza occasion, need; per l'—— out of need
occulto occult, mysterious
odorare to smell
odorifero odoriferous
offesa offense; fare —— to offend
oggetto object
oggi today; oggi come oggi nowadays
ognora at all times
oleoso oily
oliveto olive orchard
oltra = oltre beyond

oltremodo exceedingly
oltrepassare to go beyond, overshoot
ombra shadow
ombrellone beach umbrella
ombroso shady
omero shoulder
onda wave
ondeggiare to rock, roll, undulate, blow (in the wind)
onesta virtuous, comely, fair
onnipotenza omnipotence
onta shame
opera work
operare = oprare to bring about, produce, operate, employ
or... or = ora... ora now . . . now
ora *n.* hour; *adv.* now; non mi par l'ora I can hardly wait
orazione speech

ordigno device
ordine *m.* order; —— **del giorno** schedule for the day
orecchino earring
orecchio ear
orfano *adj.* orphaned; *n.* orphan
orizzonte horizon
orma track, footprint
oro gold
orologio clock, watch
orto garden
ospite *m. or f.* guest
ossessione obsession

ossia or, that is to say
oste *m.* innkeeper
ostentare to show off, parade, display
ostentato displayed
ostinarsi to persist in
ottenere to obtain, get
ottuso obtuse
ovato oval
ovunque anywhere
ovvero or
ozioso lazy, idle

P

pace *f.* peace
pacifico indifferent
padronale commanding
padronanza mastery
padrone master, landlord
pagamento payment
paglia straw, straw hat
pago satisfied
paio pair
palato palate
palcoscenico stage
palesare to reveal
palla ball
pallido pale
palloncino balloon
pallone big ball
palmo hand's breadth, span
palpebra eyelid
palpito throbbing
pancia belly
panciuto bulging
panno cloth
pannocchia ear (of corn)
papavero poppy (seed)
paragonare to compare
paragone comparison
paralume *m.* lampshade

paranza fishing boat
parare to block, stop, to ward off, avert
parato decked out, dressed
paravento screen
parecchio a good deal, considerable; *pl.* a good many
parere to appear, seem; **mi pare!** indeed, I should say so!
parere *m.* opinion
parete *f.* wall
parlottare to chat, jabber
parodia parody
parrucca wig
parso *p. p. of* **parere**
parte *f.* part, role; **prendere —— a** to take part in
parteggiare to take sides, to side
partenza departure
partita game
partito decision
parvenza appearance, semblance
pascere to pasture
pascolo grazing ground
passare to pass, spend (time); **passarsi** to go on, take place
passero sparrow

passeggiata ride, walk, trip
passo step, pace
pasticcetto little affair or involvement
paternamente paternally
pateticamente pathetically
patibolo scaffold
patino a kind of rowboat
patire to suffer
patito suffering, worn out
patto pact, agreement
pattuito agreed upon
paura fear; **avere —— to fear
paventoso frightening
pavimento floor
pazzo crazy, mad
pecora sheep
pedano floor brace
pedata kick; **cacciare a pedate** to kick out
peggio *adv.* worse
pegno pledge
pelle *f.* flesh, skin
pelo hair
peloso hairy
peluche plush, a fabric with a pile longer than velvet
peluzzo little hair
pena pain; **a mala —— scarcely
pencolare to be unsteady, tip, wobble
pendere to hang
pennacchio plume
penosamente painfully
pensilina awning; canopy
pensione boarding house
pensoso pensive
pentirsi to be sorry
pentito repentant
penzolante dangling, hanging
penzolare to dangle
percorrere to travel, cover (distance)

percossa *n.* blow
percuotere to strike
perdere to lose
perdio by God
perdono pardon; **chiedere —— to apologize
peretta knob
perfido perfidious
periferico on the outskirts
periglio = pericolo peril
permettere permit
pernio pivot, hinge
perplesso perplexed
perorare to perorate, make speeches
persiana shutter
persino = perfino even
persuaso bent, determined
pertanto still, nevertheless
pesare to weigh
pesca peach
pesce *m.* fish
peso weight
pestare to stamp (a foot)
pettinare to comb
petto chest, breast
piacente pleasing
piacere *m.* pleasure; **a —— at will, according to one's pleasure
piaga wound
piaggia slope, shore
piagnucolare to whimper, whine
piangere to weep, cry
piano *n.* surface, top; *adv.* softly
pianoforte piano
piantare to plant
pianterreno ground floor
pianto weeping
piatto *n.* plate; *adj.* flat
picchiare to strike, hit, knock
piccino little, tiny
picciola = piccola small, little
piccolezza smallness
piede *m.* foot, **in piedi** standing

piega fold, pleat
piegare to bend
pieno *adj.* full; *n.* height, fullness
pietà pity, compassion
pietosamente pitifully
pietra stone
pietrisco little stones
pigliare to take, get
piglio look, bearing, manner
pigolare to peep
pilastro pilaster, post
pineta = **pineto** pine forest
piombare to fall, plunge
pioppo poplar tree
piovigginare to drizzle
piuma feather
piumino powder puff
piuttosto rather
placare to placate
plebeo plebeian
poggiato placed
polena figurehead (of a ship)
polla pool, spring
polo pole
polpa flesh (of fruit), pulp
polpaccio calf
poltrona armchair, seat (in a theater)
polverio cloud of dust, cloud
polveroso dusty, powdery
pomata hair cream
pomo hilt
pompa pomp
popolano common man
poppa stern
poppante suckling child
porcellana porcelain
porgere to extend, hand (over)
porporo = **porpora** crimson, royal hue
porre to put
porrebbe = **potrebbe** *from* **potere**
portamento bearing

portamonete *m.* change purse
portasigarette cigarette case
porticina little door
portone main door
portuale pertaining to a port, harbor
posarsi to rest
poscia afterward, then
possa strength
posta mail
posteriore rear
posto place, seat; **a** —— in one's place
potente powerful
potere to be able; **non poterne più** not to be able to stand it any longer
pozza pool, puddle
pranzo dinner; **sala da** —— dining room
prato field, lawn
precedente preceding
precetto teaching
precipitarsi to rush
precisione definition, precision, clarification
pregare to beg, request
pregio prize
pregiudizio prejudice, inconvenience, detriment
premere to press
premio reward, prize
premuroso attentive, solicitous
premuto pressed
presa grip, hold
presentire to sense, have a premonition, anticipate
presso next to
prestare to lend; —— **ascolto** to listen attentively; **prestarsi** to lend oneself, to be fit for
prestanza good looks
presuntuoso presumptuous, overbearing
pretendere to except, claim

pretesto pretext
prevedere to foresee
prevenire to forestall, head off
pria che before
prima before, earlier
primamente first
principiare to begin
principio start, beginning; **fin da**
—— right from the start
procacità provoking behavior
procurarsi to procure, get
proda embankment
prodezza exploit
prodigio marvel, wonder, miracle
proferire to utter, say
profilo outline
proiettare to project
prole *f.* offspring
pronto ready
propaggine *f.* stem, shoot (of plant);
extension
proporre to propose
proposito plan, proposal
proposta proposal
propriamente properly
proprio *adv.* really, indeed; *adj.* one's
own, own; **amor** —— self-love,
self-esteem
proseguire to pursue, continue

proteso stretched forward
prova rehearsal, test, proof
provare to try, rehearse
provvedere to provide, see to, take
steps to
provvisto *p. p. of* **provvedere**
prua prow
psiche *f.* dressing table
pubblico audience
pudore modesty, reserve
pugna fight
pugnare to fight, struggle
pugno fist
pullulare to well up, bubble up
pulsare to pulsate
pungente stinging, sharp
punta point; **di** —— straight in with
the tip
puntare to point; **puntando i piedi**
pressing one's feet firmly
punto *n.* point; *p. p. of* **pungere** to
pierce
puntuale punctual
pupilla pupil (of the eye)
purchè provided that
pure even, too, go right ahead and
(*following a command form of the
verb*)
purtroppo unfortunately

Q

quadrilatero square
quadro picture
qualche some (*followed by singular
noun*)
qualora whenever
qualsiasi any (whatsoever)
quanto how much; —— **a** as
for

quantunque although
quartiere *m.* neighborhood
quarto quarter
quassù up here
quattrini money
quiete *f.* quiet, silence
quinta flat (for stage set); *pl.* flies,
wings (for theater)

R

rabbia anger
rabbrividire to shiver, shudder
rabbuiato darkened
raccapezzarsi to make head or tail of it
raccattare to pick up
raccogliere to gather, harvest, take in
raccoglimento meditation, absorbed thought
raccolta harvest
raccomandare to recommend; **mi raccomando** mind you; please, I beg you
racconto narration, story
raddolcire to sweeten
raddoppiato redoubled
raddrizzare to straighten out
rado sparse, thin, not heavy (*said of darkness or shadow*)
radunare to gather
ragazzetta little girl
ragazzotto sturdy boy
raggiante beaming
raggio ray
raggiungere to reach, join
raggranellare to scrape together
ragionare to reason, converse
ragione *f.* reason; **avere —— ** to be right
rallegrarsi to be cheered, happy
rame *m.* copper
rameggiare to branch
rametto little branch
rammentare to remind
ramo branch
rannicchiarsi to huddle, crouch
rannicchiato huddled, crouched
ranocchio frog
rapire to carry off
rappezzato patched

rapporto relation, rapport
rappresentazione performance
rasente grazing
ravviare to set back in place
recarsi to go, betake oneself
recinto *adj.* enclosed, fenced in; *n.* enclosure
recitare to perform
regalare to give as a gift
reggere to support, bear, hold up; **reggersi in piedi** to hold oneself up, to stand
reggipetto brassière
regio regal
regno kingdom
regolare regulate
remata stroke (of the oar)
remo oar
rena sand
reni *f. pl.* loins; small of the back
reprensione reprimand
reso *p. p. of* **rendere**
respirare to breathe
restare to remain
resto remainder; **del —— ** moreover
rete *f.* net, snare
reticolato fence
retrobottega rear of the shop
retrocedere to draw back, retreat
retta, dar —— a to pay attention to
rettile *m.* reptile
riaccendere to rekindle
riaffioramento resurfacing
riarso parched
riattaccare to resume
ribalta footlight
ribollire to ferment
ribrezzo disgust, shiver of horror
ricacciare to thrust back, push back
riccio curl
richiamare to call back

richiamo call
richiesta request
ricomporre to recompose
ricondurre to put back in order
ricongiungere to come together, rejoin
riconoscenza gratitude
riconoscere to recognize, acknowledge
ricordare to recall
ricorrere (a) to have recourse to
ridacchiare to sneer
ridere to laugh
ridosso, a —— di behind
ridotto reduced, adapted; n. foyer (of a theater)
ridurre to reduce; —— a effetto to carry out
ridutta = ridotto
riempire to fill
rifiatare to breathe again
rifiutare to refuse
riflessivo reflexive
riflesso reflection
riflettore reflector
riflusso ebb
rifugiarsi to take refuge
rifulgere to shine
rigettare to reject, exhale
rigido stiff, standing rigid
rigonfio swelling
riguardare to concern, regard
rigurgito a surging up
riluttante reluctant
rimboccati rolled back
rimbombare to resound
rimescolare to mingle, mix
rimontare to climb up again
rimorso remorse
rimpicciolire to grow small
rincalzato tucked in
rinfrancato encouraged, heartened
ringalluzzito cocky again

ringoiare to swallow, hold back
rinnovare to renew
rintanarsi to take refuge
rintracciare to trace, track down
rintronare to resound
rinunziare to renounce
rio adj. wicked
riparare to shelter
riparo shelter
ripercuotere to echo
ripescare to fish out, retrieve
ripiegare to bend back
ripigliare to take up again
riporre to put back
ripostiglio hiding place, closet
riprendere to resume
ripreso taken back, reproved
risata laugh, laughter
rischioso risky
riscontrabile calculable
riscuotere to rouse
risentito resentful
risoluto resolute, decisive
risolvere to resolve
risparmiare to save, spare
risparmio saving
rispuntare to reappear
ristoro refreshment
rissa fight, brawl
ritagliato cut
ritardo delay; essere in —— to be late
ritegno reserve
ritenere to hold back, withhold; consider
ritinto dyed
ritirare withdraw
rito rite, ritual
ritornello refrain
ritorto twisted back
ritrosia shyness, reluctance
ritto upright, standing
riunire to join, reunite

riuscire a to be capable of, to succeed in (*followed by an infinitive*)
riva shore, bank
rivalsa revenge
riverso thrown back
rivestire to cover, clothe
rivolgersi to address oneself to, turn to
rivoltella revolver
roba goods, material, stuff
roco faint, hoarse
rodere to gnaw
rombare to pound, roar
rompere to break
rondine *f.* swallow
rosa pink
rosellina little rose
rosicchiato gnawed, chewed
rosseggiare to grow red
rosso red

rossore flush, shame
rossasstro reddish
roteare to rotate, revolve
rotolare to roll
rotondità roundness
rovente burning hot
rovesciare to knock over
rovescio back, wrong side
rovo briar, bramble
rozzo rough, crude
rubacchiare to rob, filch
rudezza rough treatment, rudeness
rugginoso rusty
ruggire to roar
rugiadoso covered with dew
ruota wheel
ruscel = ruscello stream
rutilante glistening
ruvidezza roughness, coarseness
ruzzolare to tumble

S

sabbia sand
sabbione sandy stretch
sabbioso sandy
sacca *f.* bag, pouch
sacco *m.* bag
saetta arrow
saggezza wisdom
sagoma outline
sala hall (of a theater)
salcio willow
saldamente firmly
saletta little room
salire climb, ascend
salotto drawing room
saltare to jump
saltellare to hop
salutare to greet, say good-bye
salvadanaio coin bank
salvare save, salvage
salve hail (*interjection*)

salvia sage
salvo except
sanguinoso bloody; consanguineous
sanità health, soundness
sapienza wisdom
saraceno Saracen
sarto tailor; **sarta** seamstress
sartoria tailor's shop
sasso stone, rock
sassoso rocky
saziare to satisfy
sbadigliare to yawn
sbaglio mistake
sbalordimento bewilderment
sbalordito surprised, dumfounded
sbarazzino offhand, roguish
sbarrato opened wide
sbattere to smash, to beat
sbiadito faded
sbigottito bewildered

sbilanciato uncoordinated
sbilenco askew
sboccato foul-mouthed
sbottonato unbuttoned
sbrigativo hasty
sbucare to exit
sbuffare to puff, fume, snort
scaffale shelf
scafo boat, hull
scaglia scale
scagliare to hurl
scaglioso scaly
scaletta stairs
scalino step
scalmo oarlock
scalzo barefoot
scambiare to exchange
scandire to scan, stress
scansarsi to move to one side
scappare to run (away)
scaricare to relieve oneself,
    discharge
scarso scarse, infrequent
scartare to push aside
scatola box, package
scatto start, outburst; di ——
    suddenly
scaturigine f. source
scaturire to flow forth
scavalcare to step or jump over,
    cross
scavalcare to bestride
scavato dug out, excavated
scegliere to choose
scellerato wicked
scemo idiot
scena scene, set (stage)
scenario scenery
scheggia chip
schermire to parry, defend
schermirsi to ward off, defend
    oneself
schermo screen

schernevole scornful, sneering
scherzare to play, kid
scherzo game, joke, play
scherzoso playful
schiacciare to flatten, squash
schiacciato flattened, weighed down
schiaffo slap
schiamazzare to shout
schiavo slave
schiena spine, back
schidionata spit (of birds, mushrooms,
    etc.)
schiera rank, group
schietto frank, open, genuine
schifo disgust
schioccare to smack
schiocco smack
schiuma foam
schivare to shun
schizzare to skid, bound away
schizzo splash
scia wake
sciagurato wretched, unfortunate
scimmia monkey
scintillante scintillating, glistening
scintillio glistening, sparkling
sciocco foolish
sciogliere to loosen, free, release; to
    break up
sciolto released, freed
scivolare to glide, slip
sciupare to spoil, mar, damage
scoccare to shoot forth
scodella soup plate
scollato low-necked, cut away at
    the neck
scollatura neckline
scolorare to fade, lose color
scolorito insipid, colorless
scolpito sculptured, carved
scompigliare to mess up
scomporsi to lose one's composure
sconcertare to disconcert

sconfitto defeated
sconnesso disconnected
sconsolato disconsolate
scontento displeasure
scontroso cross, touchy, irritable
sconvolgente upsetting
scoperta discovery
scopo end, purpose, goal
scoppiare to burst; —— **a ridere** to burst out laughing
scoppiettare to crackle
scoprire discover
scordare to forget
scordato out of tune, mistuned
scorgere to perceive, make out
scorrere to glide, run, flow past, elapse
scorribanda raid
scorza bark; rind
scostarsi to move aside
scottante burning, scorching
scottatura burn
scricchio screech
scricchiolante squeaking, crunching
scricchiolare to creak, crunch
scritto *p. p. of* **scrivere**
scrittoio desk
scrivania desk
scrivere to write
scrollare to shake
scrupolo scruple
scrutare to scrutinize
scudo shield
scuotere (scosso, scossi) to shake
scure *f.* axe
scuro dark
sdegnato angry
sdegno contempt, disdain
sdrucciolare to glide
sdrucito ripped, torn
sdrucitura rip, tear
seccato annoyed, bored
secchiata pailful

secco dry; **tirare a** —— to beach
secondare to follow in one's train; support
sedere to sit
sedia chair; —— **a sdraio** reclining chair
sedile *m.* seat
seggiola seat, chair
segnale *m.* signal
segnare to mark; dock
segnatamente especially
segnato marked, indicated
segretario secretary
seguire to follow
seguitare to continue
sella saddle
selva forest
selvaggio savage
sembiante *m.* face, look, appearance, features
sempiterno eternal
sen = seno breast, bosom
sensibilità sensitivity
senso meaning
sentiero path
senza without; **senz'altro** without hesitation, indeed, certainly
sepolto buried
seppellire to bury, inter
seppure even though
serbare to keep, preserve
serbo, in in reserve
sereno cloudless sky, serene
serio serious; **sul** —— seriously
serpeggiare to wind
serrato rapid; pressed, close-knit
servire to serve, be of use; **servirsi di** to make use of
servitù slavery
servo servant; —— **di scena** stage-hand
seta silk
sete *f.* thirst

sfacciatamente shamelessly
sfatare to discredit
sfavillare to sparkle
sferzata lashing
sfida challenge
sfidare to challenge; **sfido** hold on, just a minute
sfinito worn out
sfiorare to graze
sfociare to flow out
sfogare to give vent to
sfoggiare to flaunt, make display of
sfolgorare to shine brightly
sforzare to force
sforzo effort
sfregare to rub
sfrenato unbridled
sfuggire to flee, escape, pass unnoticed
sgabello stool
sgambetto trip, tripping
sganciare to unhook
sgangherare to open wide, unhinge
sgarbato rude, ill-mannered
sgargiante showy, gaudy
sghignazzare to sneer, guffaw, laugh scornfully
sghignazzata scornful laughter
sgombrare to clear (away)
sgombro unencumbered, free, clear
sgomentare to dismay
sgomento dismay, fright
sgorgare to flow out, gush out
sgradevole unpleasant
sgranocchiare to eat the kernels
sgraziato awkward, graceless
sguaiataggine coarseness, vulgarity
sguardo glance, look; —— **d'intelligenza** a glance of mutual understanding

sibilare to whistle, whiz
siccome since
siepe f. hedge
sigaro cigar
sigillo seal
signoreggiare to master, command
signorile elegant
signorinetta young miss
silvestre sylvan
simpatico likeable, charming
simulacro image; —— **di scena** stage set
singhiozzare to sob
sinistro left; **a sinistra** on the left
sipario curtain
slacciare to untie
slanciarsi to fling oneself
slancio thrust, impetus, impulse
smacco injured shame, affront, humiliation
smania intense desire
smanioso raving, desirous
smarrimento bewilderment
smarrito bewildered, lost
smentita denial
smettere to stop
smilzo slender, lean
smisurato measureless, endless
smorfia grimace
smorto expressionless, listless
smorzato subdued
smossa stirred
smuovere to move about
soave suave, gentle
sobbalzare to start, jump
sobborgo suburb
sobrio restrained, sober
socchiudere to half close
sodalizio association, company
soddisfatto satisfied
soffiare to blow
soffice soft
soffitto ceiling

soffocato choked, stifled

soffrire to suffer, endure, stand

soggetto subject; **recitare a** —— to improvise; **scena a** —— scene to be improvised; *adj.* subjected

soggiungere to add

sogguardare to look stealthily at

soglia threshold

sole *m.* sun

solennità solemnity

solere to be accustomed to

solfo sulphur

solitamente customarily

solito *adj.* usual; **al** —— as usual; **di** —— usually

sollecitamente eagerly

sollecito eager

sollecitudine eagerness

solleone hottest part of the day

solleticare to tickle

sollevare to raise, relieve

somma highest

sommamente extremely

sommariamente summarily

sommergere to submerge

sommettere to submit

somigliare to resemble

sommo, a on top

soprabito topcoat

soprabordo overboard

sopraffare to overpower

soprannome nickname

soprapreso deceived, swindled

sopravvenire to turn up, appear suddenly

sopravvivenza survival

sordina, in quietly, muted

sordità deafness

sordo deaf

sorellastra stepsister

sorellina little sister

sorgere to rise

sormontare to surmount

sornione sly

sorpreso surprised, discovered

sorreggere to support, hold up

sorridente smiling

sorriso smile

sorso sip

sorte *f.* fate, destiny

sorto *p. p. of* **sorgere**

sorvegliare to watch (over)

sospeso suspended

sospetto suspicion

sospettoso suspicious

sospinto hurled over

sospirare to sigh

sostare to pause

sostentamento sustenance, maintenance

sotterra below ground

sottile thin

sotto below, under

sottofascia bound in a wrapper

sottopoppa below deck

sottoporre to place under

sottovoce undertone, in a whisper

sottrarre to subtract, take away

sovente often

sovra = sopra above, upon

sovrapposto superimposed

sovrumano superhuman

sovvenire to help, assist; **sovvenirsi** to remember, recollect

spada sword

spalancare to open wide

spalla shoulder

spalliera back of a chair

spallucciata hunching of the shoulder

spandere to spread, cast

spargere to spread, cast, scatter

sparpagliare to scatter

sparso *p. p. of* **spargere**

spaurarsi = spaurirsi to grow frightened

spavalderia boastfulness
spavaldo insolent, aggressive,
    arrogant
spaziare to gaze around, sweep over
    (with one's gaze)
spazientito impatient
spazzare to sweep
specchiante mirroring, shining
specchiare to mirror
specchiera mirror
specie kind; —— di a kind of
specioso specious
spegnere to extinguish
speme *f.* hope
spento dead, spent; extinguished
sperdere disperse
sperduto lost
spergiuro *n.* perjurer;
    adj. faithless
sperimentale willing to experiment
spesso often
spezzare to break, shatter
spezzato outline, cut out
spia spy
spiaggia beach, shore
spiare to look at attentively
spiccato distinct, marked, sharp
spicciare to gush out
spiccioli small change
spicco highlight
spiedo spit
spiegare to explain, unfold
spiegazione explanation
spiegazzato wrinkled, rumpled
spietatezza cruelty, heartlessness
spietato cruel, heartless
spigliatezza ease, self-possessed
    composure
spigliato free and easy, raffish
spina torn; **sulle spine** on edge, on
    pins and needles
spingere to push, shove
spinoso thorny

spinta push, shove
spiraglio opening
spirito spirit, mind
spiritoso witty; **fare lo** —— to be
    witty
spirto = spirito
splendere to shine
spogliarsi to undress
sponda shore
sporco dirty
sporgenza protrusion
sporgere to protrude, put forth
sportello shutter
sposare to marry
sprezzante scornful, disdainful
sprezzo contempt
sprigionare to release, give forth
sprone *m.* spur
sprovvisto empty, deprived, bereft
spuma foam
spuntare to appear, loom up,
    protrude
sputare to spit
squadra squadron
squadrare to look at squarely, size up
squallido bleak, dreary, miserable
squallore squalor
squarciare to rent, open wide
squarcio excerpt; gash, tear, hole
squillo pealing, ringing
stabilimento establishment;
    bathhouse
stabilire to establish
staccare to detach
stagno pond
stancarsi to get tired
stanza room
stare to be, stay; **starsene** to remain;
    sta bene it's all right, okay
statuario statuary
statura stature
stazzo sheepfold
stelo stem

stempiato with bald temples

stendere to stretch out, extend; to draw up

stenografare to take stenography

stento difficulty; **a** —— with difficulty

sterminio destruction

steso *p. p. of* **stendere**

stesso *adj.* same; *adv.* very

stilla drop

stillante dripping

stimare to judge, consider, esteem

stimolo stimulation

stipite *m.* door post

stirare to press, flatten, stretch

stoffa fabric, material

stolidaggine foolishness, stupidity

stolido stupid

stonato out of place

stonatura jarring note

stordire to stun, bewilder

stormire rustle

stormo flock

storto twisted

stoviglia dishware

strabiliato amazed

straducola alley, little street

strale *m.* arrow, dart

stramazzato felled

strano strange

stravaganza eccentricity

straziante rending

straziato anguished, torn, devastated

strazio torture, torment, suffering

strega witch

strettamente strictly

stretto *p. p. of* **stringere**

stridere to screech

stridulo strident, shrill

strillo shout

stringere to press, tighten, squeeze

strisciare to drag, crawl, slink

striscia streak; **a striscie** striped

strizzare l'occhio to wink

strofa stanza

stromento = strumento instrument

strozzato choked

struggere consume

studio study (room)

stupefatto amazed, astounded

stupito amazed

stupore amazement

subalterno *n.* dependent

subbuglio confusion

subitaneo sudden

sudato perspiring

sudore sweat, perspiration

suggerire to suggest

suggeritore prompter

sughero cork

suolo ground

suono sound

superare to overcome

superbire to grow proud

superficie *f.* surface

supino supine

suppellettili household goods, furnishings

supplicare to beg, implore, supplicate

supplichevole beseeching

supporre to suppose

suscitare to provoke, arouse

susseguente subsequent

sussultare to give a start, jump

sussurrare to whisper

svago pastime

svelto quick, swift

svenire to faint

sventolare to flutter

sventura misfortune

svergognare to shame

svestire to undress

sviato misguided, gone astray

svincolare to liberate, free
svitare to unscrew
svolazzare to flutter

svolgere to carry out, perform, develop
svuotare to empty

T

taccia label
tacco heel
tacere = tacqui to be silent
tagliare to cut
taglio cut, denomination (*money*)
tagliola vice
tale such, such a; **tal quale** just like it, perfectly
tana den, clubhouse
tanto so much; *pl.* so many; —— **meglio** so much the better
tappezzato wallpapered
tartareo Tartarean
tasca pocket
tastiera keyboard
tavola table, board
tavolino little table
teatrale theatrical
teco = **con te** with you
tedio tedium, ennui
tela cloth, curtain
teletta dressing table
tempestato pounded
tempio temple
tempo time; **a** —— in time
temprare to temper, strengthen
tenace tenacious
tenda curtain; tent
tendere to stretch out
tendina curtain, drape
tenebre *f. pl.* darkness
tenere to hold, keep
tenerezza tenderness
tentacolo tentacle
tentante tempting
tentare to attempt, try
tentennare to shake

tenue slender, thin
termine end
terraglia pottery, earthenware
tesoro treasure
testardo stubborn
testimonio witness; **a** —— as witness
tetro dark, grim
tetto roof
timo thyme
timone rudder; **barra del** —— tiller
timore fear
tingere to stain
tino vat
tiranneggiare to act like a tyrant
tirare to pull; —— **vento** the wind blows; —— **la lingua** to stick out one's tongue
titubante hesitant
toccare to touch, fall to the lot of; **tocca a me** it is my turn
togliere to take away, remove
tomo queer duck, oddball
tonare = **tuonare**
tondo round
torbido murky, clouded, troubled
torcersi to twist
torma swarm
tornaconto advantage
tornare to return; —— **a sedere** to sit down again; —— **a ridere** to laugh again, etc.
torrente *m.* mountain stream
torsolo cob
torto *n.* wrong; **aver** —— to be wrong
torvo sullen, grim

tossire to cough
tostato roasted, toasted
tosto hard; **faccia tosta** brazenness, impudence; *adv.* soon, quickly
tozzo thickset, squat
traboccare to spill over
traccia outline; trace, track
tradito betrayed
traditore *adj.* treacherous; *n.* betrayer
traduzione translation, adaptation
trafelato out of breath
trafiggere to pierce
trafitto *p. p. of* **trafiggere**
tralasciare to eliminate
tramestio stir, fumbling about
tramonto sunset
tramortito stunned, knocked senseless
tramvai tramway, trolley
tranne except
trappola trap
trapunto embroidered
trarre to pull, draw out
trasalire to tremble, quiver
trascinare to drag
trascorrere to flow, spend (time)
trascrivere to transcribe
trasognato dazed, abstracted, dreamy
trasparire to shine through
trattare to treat, deal with; **trattarsi di** to be a question of, to concern

trattenere to hold back
tratto stretch, extend; **d'un tratto** all of a sudden; feature; *p. p. of* **trarre**
tratturo grazing path
travaglio travail, torment
trave *f.* beam
traversa cross-bar, cross-piece
traverso, di —— crosswise
treccia pigtail, tress
treccine *dim. of* **treccia**
tremendo tremendous, terrible
tremulo tremulous, wavering
trepido timorous, anxious
trepidamente timorously, anxiously
tributo tribute
triviale vulgar, obscene
troia prostitute
troncare to cut off, truncate
troncone trunk
trovarobe property man
trucco make-up
tuffare to plunge, dive
tuffo dive
tuonare to thunder
tuono thunder
turba crowd, host
turbamento excitement, anxiety
turbare to disturb, excite, arouse
turchino blue
turpe ugly, wretched
tuttora still

U

ubbia whim
ubbidiente obedient
ubbidire = obbedire to obey
ubriacato drunk, intoxicated
udire to hear
ufficio office, function, duty

ulivo olive tree
ultimo final, ultimate, remotest
umbro Umbrian
umidore moistness, wetness
umile humble
umiltà humility

umore humor; water
unghia fingernail
unico unique, only
unito united, compact
unto greased, oiled
untuoso unctuous, oily
uovo egg; *f. pl.* **uova**
urgere to press, be urgent

urlo shout
urna urn
urtare to bump, crash
urtato irked
usato customary
uscere = usciere doorman
uscio exit, doorway
uscita exit

V

vacillare to vacillate, totter
vagabondaggio wandering
vagante wandering, errant
vagare to wander
vagheggiamento idle dream
vago vague, lovely
valere to be worth; equivalent; **vale a dire** it's the same as saying
valigia suitcase
valletto valet
valore value, worth
vampa flame of heat, blaze
vaneggiare to rave
vano vain
vanto boasting, boast
varcare to cross
vasca basin, fountain
vaso vase
vedovile pertaining to a widow
veggo = vedo
vela sail
velata veiled
veleno poison
veliero sailboat
velleità idle dream, fancy, whim
velo voile, thin sheer fabric
vena vein
vendemmia grape harvest
vendetta revenge, vengeance
vendicare to avenge
ventaglio fan

ventina about twenty
ventre *m.* stomach
ventura fortune
venuzza little vein
verdura verdure
vergine virgin
vergogna shame
vergognoso shameful
verificarsi to come to pass, to be realized
vermiglio red, vermilion
verniciare to paint
verno winter
vero true
versare to pour
verso toward
vespero evening
vestiario clothing
vestigia *f. pl.* footprints, traces, vestiges
vestire to dress, wear
vestitino little dress
vetrina showcase, china closet
vetrino brittle
vetro glass, window
vetta top, peak
vezzoso charming
viale *m.* path, avenue
vibrare to strike (a blow)
vicenda occasion, happening
vietare to forbid

villino house
villoso hairy
vincere to win, conquer, overcome
viola violet (flower)
violaceo violet (color)
virtù virtue, power
virtute *f.* virtue
viscere *f. pl.* intestines
viso face
vista view, appearance
vistoso conspicuous, showy
vita life; waist
vitreo glassy
vivere (vissuto, vissi) to live
vivo lively, keen, bright
viziato spoiled
vizio habit, custom

voce *f.* voice; **ad alta** —— aloud
voglia desire
volentieri willingly
volere to wish, want; —— **bene a** to be fond of; **ci vuole** it takes; *n.* will
volgare common
volgere to turn
volo flight
volta time, instance; **una buona** —— once and for all; **a volte** at times
voltare to turn
volto face
volubile changeable
volutamente willfully
voluttà sensual pleasure
vuoto empty

Z

zanzara mosquito
zeffiro zephyr

zitto quiet, silent
zuppa soup